Dans cet ouvrage, Anne-Marie Voisard nous plonge dans une ambitieuse déconstruction du droit, de ses procédures et de ses appareils. Elle rappelle que si la violence et le pouvoir sont des choses qui se révèlent dans l'expérience, dans le vécu, elles n'échappent pas à l'analyse critique rigoureuse. Ce livre est tout à la fois une synthèse, un récit et un puissant essai sur la pratique contemporaine du droit.

– Normand Landry, professeur
en communications à la TÉLUQ

Pour que le droit ne se sclérose pas, il doit toujours progresser. Il faut alors sans cesse mesurer l'écart qui le sépare de la justice. Cet important ouvrage d'Anne-Marie Voisard arrive à point nommé. Il offre le plus bel exemple d'une réflexion sur la justice pouvant aider à faire progresser le droit.

– Michel Seymour, professeur de philosophie
à l'Université de Montréal

LE DROIT DU PLUS FORT

Anne-Marie Voisard

LE DROIT DU PLUS FORT

Nos dommages, leurs intérêts

écosociété

Coordination éditoriale: Barbara Caretta-Debays
Maquette de la couverture: Christian Bélanger
Typographie et mise en page: Yolande Martel

ISBN 978-2-89719-407-9

Dépôt légal: 3e trimestre 2018

Ce livre est disponible en format numérique.

Les illustrations placées au début de chacune des parties du texte sont d'Honoré Daumier (1808-1879).

Catalogage avant publication de Bibliothèque et Archives nationales du Québec et Bibliothèque et Archives Canada

Voisard, Anne-Marie, auteur

Le droit du plus fort: nos dommages, leurs intérêts / Anne-Marie Voisard.
Comprend des références bibliographiques.

ISBN 978-2-89719-407-9 (couverture souple)

1. Liberté d'expression – Québec (Province). 2. Poursuites abusives – Québec (Province). I. Titre.

KEQ755.V64 2018 342.71408'53 C2018-940440-X

Les Éditions Écosociété reconnaissent l'appui financier du gouvernement du Canada et remercient la Société de développement des entreprises culturelles (SODEC) et le Conseil des arts du Canada de leur soutien.

Gouvernement du Québec – Programme de crédit d'impôt pour l'édition de livres – Gestion SODEC.

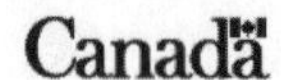

SODEC Québec

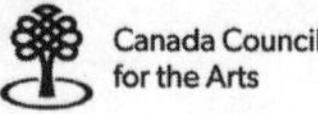

Conseil des arts
du Canada

TABLE DES MATIÈRES

TROISIÈME PARTIE

La continuation de la guerre par d'autres moyens

La raison du plus fort est toujours la meilleure
Nous l'allons montrer tout à l'heure.

– Jean de Lafontaine, *Le loup et l'agneau*

K… vivait pourtant dans un État constitutionnel.

– Franz Kafka, *Le procès*

PROLOGUE

Notre histoire est celle de la rencontre d'un pouvoir. Un voyage initiatique dans le monde des puissants. Celui des sociétés multinationales, des hauts dirigeants d'entreprise, des cabinets d'élite, des avocats d'affaires, des juges.

Il n'est pourtant pas donné d'ordinaire au profane d'y pénétrer.

Ce pouvoir, nous n'en connaissons le plus souvent les figures protéiformes et les ramifications complexes qu'à l'état d'abstraction, de concept ou d'images fabriquées et disséminées en autant d'écrans sur le réel. Il ne se donne à voir qu'au travers de jeux de visibilité en clair-obscur, réservant sa part de secret et d'opacité. Veillant à sa propre dissimulation, il n'aime pas à être désigné du doigt et n'assure jamais mieux sa toute-puissance qu'en échappant au regard de celles et ceux sur lesquel.le.s il s'exerce.

Il arrive toutefois qu'une ligne de fracture, un foyer de résistance, un irréductible vis-à-vis fasse en sorte d'obliger le pouvoir à sortir de l'ombre. Celui-ci se manifeste alors dans toute sa violence, avec une force conséquente à ce qui a été ébranlé, et marque vos vies d'un coup de griffe.

Alors les masques tombent.

✦

L'affaire *Noir Canada* : une guerre des dieux

Il fallait sans doute quelque chose comme un cri pour troubler le silence de la *doxa* et donner à entendre des voix jusqu'alors rendues inaudibles ; un ton, une langue, un *ethos* qui soient à la mesure de ce qui s'était trouvé dénié. Car c'était bien un tissu de faux-semblants qu'il s'agissait de mettre à mal : le Canada ne serait ontologiquement capable que du bien ; ce porte-étendard de l'internationalisme pacifique serait bien cet ami de l'Afrique qu'il se targue d'être. Inquiéter des vérités trop sûres d'elles-mêmes, lever le refoulement et donner à voir ce qui avait été négligé, voilé, soustrait au regard. Donner à comprendre, surtout, à quelle conjuration d'intérêts obéissait une telle mystification. Poser l'enjeu de l'intolérable. Nous pourrions dire que *Noir Canada* avait vocation à tromper la censure bien avant de s'attirer les foudres des censeurs.

Le collectif Ressources d'Afrique[1] s'était à l'origine donné pour mission de colliger et d'analyser une abondante documentation critique sur les liens politiques, diplomatiques et financiers qu'entretient le Canada avec le continent africain, suivant les modalités d'exploitation des ressources qui y prévalent, en inscrivant leurs travaux dans la lignée des théories postcoloniales et l'héritage de François-Xavier Verschave[2]. L'ouvrage *Noir Canada. Pillage, corruption et criminalité en Afrique*, publié aux Éditions Écosociété[3] en 2008, se présente comme la synthèse de leurs recherches. Alain

1. Le collectif Ressources d'Afrique, animé par le philosophe Alain Deneault, réunit plusieurs collaborateurs qui participeront à l'élaboration de *Noir Canada*, et notamment Delphine Abadie et William Sacher qui cosignent l'ouvrage.

2. On doit notamment à François-Xavier Verschave la conceptualisation et la constitution en objet d'étude de la « Françafrique ». Voir notamment François-Xavier Verschave, *La Françafrique*, Paris, Stock, 1998, et *Noir Silence*, Paris, Les Arènes, 2000.

3. Fondées en septembre 1992 par Serge Mongeau, Dimitri Roussopoulos et Jacques B. Gélinas, les Éditions Écosociété favorisent la production et la diffusion d'ouvrages critiques dans le but de définir les fondements d'une société plus

Deneault, Delphine Abadie et William Sacher y recensent une pléthore de sources et de documents circonstanciés, tous relevant du domaine public, faisant état d'allégations d'abus, de méfaits, voire de « crimes » qu'auraient commis en Afrique un nombre considérable de sociétés extractives canadiennes : pillage institutionnalisé, atteintes graves à l'environnement et à la santé des populations, expropriations violentes voire meurtrières, ingérence politique, privatisations forcées, corruption, évasion fiscale à grande échelle, collusion avec des seigneurs de guerre ou des dictateurs, et j'en passe.

Pour les auteur.e.s de *Noir Canada*, l'objectif est double. Par-delà l'effort visant à synthétiser un nombre effarant de sources faisant état d'allégations sérieuses, ils cherchent à lever le voile sur la complaisance politique, diplomatique et législative du Canada qui, derrière une image de pays candide et vertueux sur la scène internationale, est en fait à l'industrie extractive mondiale l'équivalent de la Suisse pour les compagnies financières : un paradis fiscal et judiciaire. Tant et si bien que les trois quarts des sociétés mondiales d'exploration ou d'exploitation minière du monde ont aujourd'hui leur siège social établi au Canada. Si les auteur.e.s ne prétendent pas se substituer à la justice, leur démarche consiste en revanche à réclamer des autorités canadiennes qu'elles instaurent une commission d'enquête indépendante pour faire la lumière sur ces allégations. Ces questions, estiment-ils alors, concernent d'autant plus le public canadien que celui-ci se trouve à financer lui-même, par le biais des placements de ses gouvernements, de ses portefeuilles d'actions privés, de ses REER ou de ses cotisations aux fonds de retraite, une industrie sur laquelle pèsent des soupçons sérieux, « à mille lieues de la propagande coutumière sur l'intrinsèque bonté du Sujet canadien ».

---

conviviale et plus respectueuse des ressources de la biosphère, d'une démocratie plus proche des citoyennes et citoyens et d'une économie durable et sociale.

La suite appartient à l'histoire. Non seulement il n'y eut pas de commission d'enquête[4], mais ce sont eux, auteur.e.s et éditrices de *Noir Canada* qui, dans un retournement de l'accusation scandaleuse, se retrouvèrent au banc des accusés. Les compagnies aurifères Barrick Gold et Banro Corporation, citées dans l'ouvrage parmi plusieurs autres sociétés canadiennes, leur intentent dès le printemps 2008, respectivement au Québec et en Ontario, des poursuites en diffamation à la hauteur de 11 millions de dollars.

S'engage alors, en plusieurs scènes parallèles, un irréductible conflit, une « guerre des dieux[5] » sur fond d'antagonismes irréconciliables que la procédure allait être bien impuissante à conjurer. La guerre est totale. Elle se mène à armes inégales et se démultiplie sur tous les fronts. En chaque chose, elle se présente sur le mode de l'excès, de la démesure, de l'outrance. Les parties qu'elle oppose se trouvent aux deux extrémités du spectre politique. L'iniquité de leurs moyens financiers est obscène au regard de ce qu'il en coûte d'accéder à la justice. Leur lutte de paroles, leur bataille du sens, leur guerre des fictions et des visions du monde n'appellent pas de réconciliation possible. Sous quelque rapport qu'est envisagée l'affaire, plus on l'examine, plus les questions qu'elle soulève acquièrent de la gravité et se révèlent liées à des enjeux démocratiques d'importance.

---

4. Le Parlement du Canada vota même, en 2010, *contre* un projet de loi de responsabilisation des sociétés extractives, qui aurait permis, entre autres, la mise en place d'un mécanisme d'enquête rudimentaire permettant de recevoir des plaintes relatives aux sociétés canadiennes exerçant des activités à l'étranger.

5. La guerre des dieux est une expression utilisée par Max Weber pour référer au caractère irréductible et indépassable de certains conflits de valeurs qui caractérisent le monde moderne. Pour le philosophe allemand, l'incompatibilité de certains points de vue antagoniques rend illusoire leur réconciliation sur une base purement rationnelle ou scientifique. Devant la multiplication de morales concurrentes, chacun doit en effet décider, dit Max Weber, « de son propre point de vue, qui est dieu, qui est diable ». Dans Max Weber, « Le métier et la vocation de savant », *Le savant et le politique* (1919), Paris, Union générale d'éditions 10/18, 1963.

Au Québec, les poursuites intentées contre Écosociété et ses auteur.e.s propulsent l'enjeu des « poursuites-bâillons » au-devant de la scène politique[6]. Les défendeurs, que les seuls coûts que suppose le fait de se défendre en justice menacent d'acculer à la faillite, mettent sur pied un fonds de défense ainsi qu'une vaste campagne de soutien. Des collectifs s'organisent. Des appuis fusent de toutes parts. Universitaires, intellectuel.le.s, juristes, gens des lettres et des livres, organisations et citoyen.ne.s trouvent en mille lieux et occasions les mots et les gestes pour dire leur soutien et leur indignation. Ils prennent la plume ou le micro ; donnent du temps, de l'argent et du courage ; disent « nous » le temps d'une heure ou d'une année. Tandis que des tartuffes s'échinent à chiffrer leur réputation et s'égosillent à crier leur vertu, une éthique de la générosité – incommensurable – défie la loi d'airain du chacun pour soi. Des amitiés politiques se nouent, inextricablement, en creux des charges du pouvoir. Une communauté du litige vient à naître. La vie précaire devient aventureuse. L'épopée, radicalement, est collective.

Se tenir debout est en soi un affront intolérable. La première mise en demeure à nous être parvenue par huissier, avant même le lancement de l'ouvrage, était pourtant destinée à anéantir toute velléité de courage. La mise en circulation, pouvait-on y lire, « ne serait-ce qu'une seule copie du livre » [*sic*] – dont le lancement était prévu pour le lendemain – vaudrait à chacun.e des membres du conseil d'administration d'Écosociété et aux auteur.e.s, et peut-être bien, également, à l'imprimeur, au distributeur, aux libraires et aux facteurs, bref à « toute personne qui contribuerait à propa-

6. Au Québec, la mobilisation populaire contre les poursuites-bâillons s'organise dès 2006, avec le lancement de la campagne « Citoyens, taisez-vous ! », à l'initiative de l'Association québécoise de lutte contre la pollution atmosphérique (AQLPA) et du Comité de restauration de la rivière Etchemin, alors poursuivis pour plus de 5 millions de dollars par American Iron & Metal (AIM), un ferrailleur étatsunien.

ger davantage ces fausses allégations » d'être poursuivi.e.s pour « dommages-intérêts substantiels ». Ce ne serait que la première missive d'une abondante correspondance juridique repoussant les limites du genre épistolaire…

Sur la scène politico-législative, l'affaire *Noir Canada* agit comme un catalyseur de la mobilisation citoyenne en faveur d'une loi dite « anti-SLAPP ». Écosociété et ses auteur.e.s reçoivent l'appui moral et financier de 12 000 citoyen.ne.s, de 500 professeur.e.s d'université et de plusieurs dizaines de juristes, dans leur plaidoyer en faveur d'une réelle protection des conditions du débat public. En juin 2009, Québec adopte la *Loi modifiant le Code de procédure civile pour prévenir l'utilisation abusive des tribunaux et favoriser le respect de la liberté d'expression et la participation des citoyens aux débats publics* (loi 9). Pour Écosociété, la « victoire » est amère. Le législateur a fait preuve d'un réformisme conservateur que Barthes aurait sans doute qualifié de *vaccine*[7] : inoculer un peu de mal avoué, pour dispenser de reconnaître et de guérir beaucoup de mal caché. Le régime général du droit de la diffamation, qui de l'avis de plusieurs est le nerf de la guerre, ne se voit pas modifié en substance. L'espace de la liberté de critique reste restreint et assujetti au régime liberticide du « *raisonnable* ». Nous ne réussirons d'ailleurs pas à faire rejeter la poursuite de Barrick Gold sur la base de ces nouvelles dispositions[8]. En 2011, le tribunal reconnaît que la poursuite de Barrick Gold a une « apparence d'abus[9] », mais confirme néanmoins à la minière son droit à un procès. Celui-ci doit s'étendre sur 40 jours. Pendant ce temps, en Ontario, où le livre n'a été vendu qu'à quelques dizaines d'exemplaires, nous

7. Roland Barthes, « L'Opération Astra », *Mythologies*, Paris, Seuil, 1957, p. 44-46.

8. Pour d'autres causes, cela dit, où « l'abus » était plus manifeste au regard des critères en vigueur, les nouvelles dispositions ont pu faire la différence.

9. *Barrick Gold Corporation* c. *Éditions Écosociété inc., 2011 QCCS 4232*, 12 août 2011.

tentons en vain de « rapatrier » la poursuite de Banro au Québec. Une série de déconvenues judiciaires nous font voir le Canada pour ce qu'il est : un régime se donnant de fait pour rôle de défendre le règne souverain de l'intérêt privé.

Chacune de nos prises de parole, chaque heure où gronde encore la bataille, chaque jour où *Noir Canada* poursuit sa route vers de nouveaux lecteurs, nous l'arrachons au temps. Nous sommes des criminel.le.s de la pensée en sursis. Et tandis que la procédure resserre sur nous son étau, la raison du plus fort guette son heure. Elle finira bien par *avoir raison* de nous. Les années passent. Les signes d'une « apparence d'abus » creusent les visages et mettent les corps à rude épreuve. Le procès n'a jamais lieu. Car en dépit de toutes ces années écoulées, nous nous retrouvons moins en procès que soumis aux impératifs et aux affres de la procédure judiciaire. Et tandis que se referme sur nous, inexorablement, la trappe d'un monde où la logique et le sens sont tenus en échec, nous redécouvrons tout le génie de Kafka.

Au terme de l'année 2011, les Éditions Écosociété et les auteur.e.s de l'ouvrage se résignaient à cesser la publication de *Noir Canada,* après les mille jours de son destin remarquable et houleux, dans le cadre d'un règlement hors cour avec Barrick Gold mettant fin à sa poursuite. (Le règlement avec Banro Corporation ne surviendrait que 18 mois plus tard.) Tandis que *Noir Canada* signait sa reddition dans le marché du livre, il trouvait sa place dans l'histoire immémoriale du contentieux du livre avec le pouvoir…

INTRODUCTION

Il faut rendre l'oppression réelle encore plus pesante en y ajoutant la conscience de l'oppression, rendre la honte encore plus infamante en la publiant.

– Karl Marx, *Critique du droit politique hégélien*

Étrange, mystérieuse consolation donnée par l'écriture, dangereuse peut-être, peut-être libératrice : bond hors du rang des meurtriers.

– Franz Kafka, *Journal*, 27 janvier 1922

Cet essai est né d'une expérience vécue. Celle de mon incursion radicale, à la faveur de mes années d'engagement au sein des Éditions Écosociété, dans les coulisses et l'univers oppressant du droit. C'est quasi fortuitement que le titre un peu discordant de « responsable des affaires juridiques[1] » allait m'échoir durant les années de tourmente judiciaire et, suivant une inextricable chaîne de liaisons causales, infléchir de manière déterminante ma trajectoire politique, intellectuelle et intime. Dans les pages qui suivent,

1. Discordant au sens où il laisse croire, à tort, que je suis juriste… Or mon rôle a consisté, en plus de la coordination de la campagne de soutien et de la participation aux efforts de lobbying législatif pour une meilleure protection du débat public, à coordonner les efforts relatifs à la défense, à travailler de concert avec les auteur.e.s et les avocat.e.s et à représenter la maison d'édition dans les différentes instances judiciaires ainsi que dans le cadre des procédures de règlement hors cour.

se nouent donc les fils d'un itinéraire à la fois théorique et sensible, qui prend pour point de départ ce qu'il est désormais convenu d'appeler l'« affaire *Noir Canada* ».

Cet essai ne prend pas pour autant la forme, à proprement parler, d'un témoignage, au sens où il s'agirait de reconstituer le plus fidèlement possible le déroulement d'une affaire. Je ne me donne pas pour tâche, en dernière instance, de relater dans leur succession chronologique les événements marquants qui l'ont constituée[2], ni de rendre justice à chacun des protagonistes et allié.e.s de l'ombre qui l'ont peuplée, en restituant leur irréductible rôle dans cette histoire[3].

Il ne s'agit pas non plus de rouvrir, par les voies détournées de l'écriture, deux procès que des règlements hors cour auraient laissé inachevés, en ajoutant au mouvement hyperbolique de l'accumulation de preuves une pièce supplémentaire au dossier[4].

Si cette affaire me paraît devoir être soumise à l'analyse, c'est en tant qu'elle est symptomatique de la violence qui s'exerce par le dispositif judiciaire et qu'elle nous donne à voir, sous une forme paradigmatique, le rôle stratégique joué par le droit dans la cartographie contemporaine des rapports de pouvoir et de domination. L'affaire *Noir Canada* rend tangibles les affinités électives entre la

2. Les lecteurs pourront se référer au besoin à la chronologie en annexe.

3. Je tiens néanmoins à souligner le rôle de premier plan de celles et de ceux qui, à un moment ou un autre au fil des années de tourmente judiciaire, ont fait partie de l'équipe de travail des Éditions Écosociété – Anne-Lise Gautier (éditrice de *Noir Canada*), Élodie Comtois, Valérie Lefebvre-Faucher, Guy Cheyney, Hasna Addou, Barbara Caretta-Debays et moi-même – ou du conseil d'administration des Éditions Écosociété – Serge Mongeau, Marcel Sévigny, Lorraine Guay, Jocelyn Darou, Pascal Genêt, Paul Lavoie et Jocelyne Béïque. Cette affaire a aussi été celle d'innombrables allié.e.s, défenseurs, complices et ami.e.s dans la lutte.

4. Cet essai ne revient pas comme tel sur les allégations et les cas référencés dans *Noir Canada*. Quant aux principales thèses qui s'y trouvaient défendues sur le paradis réglementaire et judiciaire qu'est devenu le Canada à l'égard du secteur extractif mondial, nous devons à Alain Deneault et à William Sacher de les avoir minutieusement synthétisées dans un ouvrage paru ultérieurement, *Paradis sous terre* (Écosociété, 2012), auquel je renvoie les lecteurs et lectrices.

raison du droit et la raison des affaires. Elle éclaire la manière dont les stratégies et les narrations du pouvoir prennent appui, traversent, contaminent ou épousent opportunément les formes juridiques, à l'heure où la guerre économique, politique et idéologique s'est largement transposée sur le terrain du droit. Elle fonde aussi la genèse d'une réflexion sur les perversions et les torsions d'un droit organisant la suspension de la justice au service des fins les moins irréprochables, d'un droit de la sortie du droit, d'un droit du plus fort.

Si le présent ouvrage ne relève pas, au sens classique, du genre autobiographique, il revendique en revanche une analyse et une théorisation critique des dispositifs du droit et de la loi qui sont situées et ancrées dans l'expérience. Il prend le parti de problématiser le rôle du droit dans la configuration actuelle des affrontements à partir d'une histoire singulière, en tant qu'elle est révélatrice des formes d'assujettissement et de domination, mais aussi des modalités de résistance, de lutte et de subjectivation politique que ces affrontements mettent en jeu. Pourquoi ce parti pris ?

D'abord, pour donner à voir d'où je pars, d'où je parle, depuis quelles expériences sensibles ; donner à comprendre au travers de quelles épreuves et au détour de quelles luttes une pensée vient à se nouer et à se frayer un passage dans la théorie. Si l'expérience, suivant le sens que lui confère sa racine latine, réfère tout autant au fait d'éprouver qu'au savoir acquis par l'épreuve, il aura fallu renoncer, au fil de l'écriture, à dissocier absolument le geste littéraire qu'appelle la mise en récit de fragments d'autobiographie et le projet intellectuel d'une analyse théorique et critique du droit.

Ensuite, parce qu'une affaire singulière, en même temps qu'elle s'explique par un certain état des rapports de force, s'en écarte également. Elle fait apparaître, dans le champ d'immanence de l'histoire et de la politique, son lot de discontinuités, de résistances improbables et de marges d'erreur. Si une affaire est déterminée par une certaine histoire du présent, elle la déborde à travers les éléments de rupture qu'elle y introduit et qu'elle infléchit à son tour. Les luttes singulières, dans leur absolue contingence, ouvrent un espace propice à des inventions politiques inédites et à des formes de subjectivités imprévisibles. Ce faisant, elles nous renseignent sur un certain état mouvant des rapports de pouvoir et font saillir des lignes de fracture dans l'ordre inégalitaire[5].

Enfin, les fragments de récit qui parsèment cet ouvrage visent à tenir le registre des exactions du pouvoir. Leur donner, par la narration, une force affectante dont les dénonciations abstraites sont dépourvues. Laisser entrevoir, dans la singularité de l'expérience vécue, l'excédent et le surplus que la théorisation avait laissé échapper. Montrer de la violence là où on ne la voit plus, là où on la prend pour nécessaire ou pour inévitable. La donner à voir, à sentir. Rappeler que le pouvoir, dans toute son épaisseur historique, ses ramifications sociologiques et son échafaudage idéologique complexe, s'il est susceptible de sourdre en tous lieux et en toutes occasions, prend corps dans l'intimité même du rapport de force, dans la méticulosité impitoyable des procédures, sous la forme des rires sardoniques d'un avocat ou encore celle d'un chou à la crème qu'il fait éclater entre ses dents entre deux questions cinglantes d'interrogatoire.

Le parti pris du narratif suppose donc la mise en scène de protagonistes réels. Le pouvoir n'est pas aussi anonyme qu'on voudrait bien nous le faire croire. Il s'incarne dans des visages, il porte des noms, il existe *en chair et en os*. Ces figures, toutefois, ne nous intéressent qu'en tant qu'elles personnifient des dispositions génériques, associées à des positions occupées dans le monde social. Car c'est en tant que « personnages conceptuels », en tant que figures sociologiques et politiques qu'il convient de convoquer ces protagonistes devant la société, moins pour eux-

5. Maurizio Lazzarato, *Le gouvernement des inégalités. Critique de l'insécurité néolibérale*, Paris, Éditions Amsterdam, 2008, p. 10-11.

mêmes que pour ce qu'ils révèlent d'un certain état contemporain des choses et des êtres. Comme l'écrit Pierre Bourdieu, « dans un univers où les positions sociales s'identifient souvent à des "noms", la critique scientifique doit parfois prendre la forme d'une critique *ad hominem*. [...] Elle ne vise pas à imposer une nouvelle forme de terrorisme mais à rendre difficiles toutes les formes de terrorisme[6] ».

Cela étant dit, je me suis abstenue, autant que possible, de désigner ces protagonistes de la gent légale ou autre par leur nom. Ce livre n'est pas nourri d'un quelconque ressentiment à leur égard, ni même à l'égard des sociétés minières qui nous ont intenté des procès. Il ne vise ni la stigmatisation d'individus, ni la désignation de coupables. La révolte qui l'anime est d'un tout autre ordre. L'intention derrière cet essai n'est pas de dénoncer l'abus de pouvoir de celui-ci ou la violence de celui-là, mais la perversion d'un système au sein duquel l'abus de pouvoir reste une vertu et où la violence se drape des habits de la loi. Il ne s'agit donc pas de se livrer à un procès. Cet ouvrage ne porte pas d'accusations, pas plus qu'il ne remet en cause la présomption que chacun ait pu agir en cette affaire avec la conviction de sa légitimité. Sans doute même est-il né du sentiment de l'urgence de penser *contre* la forme-procès, *contre* la forme-tribunal. Car la faculté de juger n'est pas le privilège des professionnels de la magistrature : elle relève de la faculté de penser, et donc de la prérogative du *commun*. L'essai critique, comme forme littéraire, est une « expérience intellectuelle ouverte[7] » ; un lieu où s'*essayer* soi-même à une certaine pratique réfléchie de la liberté, à un certain effort de déprise par rapport aux mécanismes de pouvoir qui se réclament de la vérité et de la raison,

---

6. Pierre Bourdieu, *Interventions, 1961-2001. Science sociale et action politique*, Marseille, Agone, 2002, p. 129.

7. Theodor Adorno, « L'essai comme forme », *Notes sur la littérature*, Paris, Flammarion, 2009, p. 18.

à un certain « art de l'inservitude volontaire[8] ». Un essai n'a pas prétention à trancher quelque question de manière définitive. Il n'a pas la force exécutoire du jugement judiciaire. Il donne à voir une pensée en train de se faire. Politique de part en part, il vise à nourrir un dialogue de pensées. Et si la critique dont il se fait le vecteur semble dure, c'est que l'ordre social lui-même est violent et que l'écriture, précisément, a pour visée de le « rendre inacceptable[9] », soit de donner aux manifestations éparses de violence, d'exploitation et d'injustice qui le caractérisent une densité suffisamment grande pour les rendre perceptibles et en défaire le caractère d'évidence.

Du réel comme exagération

On m'objectera peut-être qu'en raison de son caractère exceptionnel, l'affaire *Noir Canada*, toute déplorable qu'elle soit, est impropre à servir de matériau à l'élaboration d'une critique générale de l'institution judiciaire. On sera prompt à la réduire à un cas isolé, à la ranger au titre des irrégularités du système, à la reléguer à la marge comme on exclurait de l'analyse statistique des valeurs aberrantes. L'exception qui confirmerait la règle, en somme.

Je ne suis pas de cet avis. L'affaire *Noir Canada* nous a certes offert un théâtre de la démesure. Aussi bien dire que l'institution judiciaire est apparue hors de ses gonds. Mais ce faisant, elle nous donne à voir notre objet non pas de manière déformée, mais sous une forme amplifiée, « exagérée », comme s'il s'était agi de l'observer à travers le prisme d'une lunette grossissante.

Günther Anders a défendu l'intérêt heuristique de l'exagération, entendue comme « l'activité de ceux qui mènent les faits minimisés

---

8. Michel Foucault, *Qu'est-ce que la critique ? suivi de La culture de soi* (édition établie par H.-P. Fruchaud et D. Lorenzini), Paris, Vrin, 2015, p. 39.

9. Luc Boltanski, *Rendre la réalité inacceptable. À propos de « La production de l'idéologie dominante »*, Paris, Demopolis, 2008.

à la hauteur du visible, qui rendent leur format approprié aux phénomènes réprimés, qui corrigent le défiguré[10] ». « Il y a des phénomènes qu'il est impossible d'aborder sans les intensifier ni les grossir, des phénomènes qui, échappant à l'œil nu, nous placent devant l'alternative suivante : ou l'exagération, ou le renoncement à la connaissance. [...] Si les philosophes, habitués à travailler à l'œil nu, rejettent l'exagération comme non sérieuse – et la plupart le font évidemment – ils ne valent nullement mieux, c'est-à-dire : ils ne sont pas moins obsolètes et ridicules que ne le seraient des virologues qui rejetteraient les microscopes, qui défendraient donc une "virologie à l'œil nu". »

Dans la foulée d'Anders, je défends pour ma part qu'en certaines circonstances, le réel lui-même se donne à voir comme « exagération ». Ou, plus précisément, le pouvoir se donne à voir sans fard, dans ses débordements, ses disproportions et sa violence, levant le voile sur ses mécanismes de domination à l'état brut. Il est alors de la responsabilité de la critique de ne pas diluer la portée des faits et des responsabilités, de ne pas céder aux tentations et aux vicissitudes de l'époque en euphémisant le réel, ou en diluant toute analyse dans des enjeux techniques.

L'entreprise ne consiste donc pas à succomber à la généralisation excessive des cas, mais plutôt à reconnaître que les cas particuliers sont médiatisés par des rapports sociaux plus larges. Ils doivent être soumis à l'analyse en tant qu'ils révèlent des tendances structurantes, qu'ils obéissent à des rationalités sous-jacentes qui les débordent, qu'ils renvoient à la manière dont se distribuent les relations de pouvoir dans une société donnée, qu'ils posent *problème*. Toute expérience limite porte en elle le potentiel de mettre en crise nos représentations des institutions sociales, dans cela

10. Günther Anders, dans Thierry Simonelli, *Günther Anders. De la désuétude de l'homme*, Clichy, Éditions du Jasmin, 2004.

même qui jusqu'alors était considéré d'ordinaire comme acceptable, comme *raisonnable*.

Les critiques radicales et conséquentes du droit sont aujourd'hui trop souvent rabattues à de l'« antijuridisme » primaire[11], l'épithète devant en elle-même suffire à les discréditer, sans que justice soit toujours rendue à l'épaisseur historique du concept. Nous nous garderons bien ici d'essentialiser le droit, dont il s'entend qu'il est traversé de tensions et de contradictions et qu'il est en lui-même un champ de batailles, susceptible d'enregistrer certaines des conquêtes des dominé.e.s, arrachées de haute lutte. L'ordre juridique renvoie aussi bien à l'ensemble des règles et des instruments qui encadrent et régissent les rapports de subordination et d'exploitation qu'à certains outils de la lutte contre cette exploitation, ainsi qu'aux modifications incessantes apportées au régime de subordination lui-même, à l'issue de ces luttes. Si les juges ne peuvent que rejeter les valeurs qui seraient totalement inacceptables aux groupes dominants[12], il arrive que le droit sanctionne certaines conquêtes des dominé.e.s ou qu'il serve de levier pour la contestation sociale. Un paradoxe qui, pour Pierre Bourdieu, a pour effet d'inscrire dans la structure même du droit « une ambiguïté qui contribue sans doute à son efficacité symbolique[13] ». Mais cela ne saurait disqualifier la nécessité du renouvellement d'une critique radicale du droit. Celle-ci apparaît d'autant plus nécessaire que l'imaginaire instituant du droit, ses narrations du monde, ses catégories agissantes, à travers lesquels se construit et se maintient

11. Entendu comme rejet pur et simple du droit, voire comme « haine » du droit.

12. « Truisme », comme elle le mentionne elle-même, qu'ont néanmoins permis de démontrer les travaux de la juriste Andrée Lajoie, professeure à la Faculté de droit de l'Université de Montréal jusqu'en 2006.

13. Pierre Bourdieu, « La force du droit. Éléments pour une sociologie du champ juridique », *Actes de la recherche en sciences sociales*, vol. 64, 1984, p. 3-19.

pour une large part la réalité sociale, jouissent d'une relative immunité critique.

Plutôt que de partir du discours du droit et des manières dont il entend se fonder et se légitimer, il s'agit donc de prendre les débordements, les excès et la démesure du judiciaire comme ce qui doit nous éclairer sur ce qu'est aujourd'hui le droit. Tenir bon radicalement sur l'immanence, refuser de jouer le jeu de la transcendance du droit, c'est aussi renoncer à chercher dans ses écrits, dans sa critique, à réhabiliter l'institution à tout prix. Ce que les professionnels du droit aiment à se représenter comme autant de « dysfonctionnements » regrettables d'un système globalement efficace – des dysfonctionnements que le droit serait susceptible de corriger en systématisant et en étendant la logique juridique elle-même – nous semble plutôt devoir être analysé en tant que révélateur d'une nouvelle rationalité, d'une nouvelle normativité politique en voie de consolidation au sein de l'ordre juridique.

Ce livre est donc une invitation à prendre l'affaire *Noir Canada* au sérieux. En tant qu'elle serait moins une exception qu'une « exagération ». En tant qu'elle permet, sur le mode de l'emphase, voire de la caricature, de lever le voile sur le rôle tactique du droit dans les technologies contemporaines du pouvoir. Et qu'elle appelle une remise en cause radicale des fondements de notre droit aujourd'hui.

PREMIÈRE PARTIE

La procédure comme dispositif de pouvoir

Et quel est le sens de cette vaste organisation?
Il consiste à faire arrêter des personnes innocentes
et à faire intenter contre elles des procédures folles.

– Franz Kafka, *Le procès*

« TOUT EST PROCÉDURE, clament les juristes. Le XXIe siècle sera procédural... ou ne sera pas[1]. » Voilà le ton donné. Terme équivoque, la procédure évoque le procès, mais aussi l'ensemble des processus, règles et formalités devant permettre, nous dit-on, la réalisation contentieuse des droits.

À parcourir la doctrine, on ne peut qu'être frappé par la vision lénifiante de la procédure qui s'y trouve dépeinte. Au « service de la justice et du justiciable », elle serait « le meilleur garant de nos droits fondamentaux », assurerait « un accès libre, égal et fraternel à la Justice », et faciliterait l'atteinte d'une « solution juste et rapide des litiges[2] ». Les plus dévots rapportent le sens de la procédure à une valeur de vérité. Il est attendu que la procédure serve la recherche de la vérité et qu'elle favorise une décision juste. D'autres, plus pragmatiques, et n'ignorant sans doute pas que moult décisions injustes acquièrent force de loi, y voient un gage de « paix sociale[3] ». L'euphémisme est commode pour convenir du rôle de la procédure judiciaire dans la gestion ordinaire du conflit. Quoi qu'il en soit, le droit processuel, naguère perçu comme un droit de second ordre, comme simple instrument technique au service du droit positif, a

1. Cécile Chainais, Frédérique Ferrand et Serge Guinchard, *Procédure civile. Droit interne et droit de l'Union européenne*, 31e édition, Paris, Dalloz, 2012, p. 3.
2. *Ibid.*, p. 2-7.
3. Cédric Tahri, *Procédure civile*, Paris, Bréal, 2007, p. 11.

recouvré ses lettres de noblesse dans la confrérie des juristes. La procédure serait l'essence même du juridique, en tant qu'elle est indispensable à la réalisation effective des droits...

Les juristes s'accordent par ailleurs, même s'ils en ont une appréciation variable, sur le constat d'une « montée des procédures[4] », soit une extension progressive du champ d'application des principes et des règles de procédure en droit comme dans le champ social, voire une prééminence désormais accordée à la procédure sur les règles de fond[5]. « Du reste, il n'est même plus sûr qu'il y ait encore des règles », relève candidement un juriste, tant celles-ci se désubstantialisent, se fluidifient et s'effacent au profit de l'élaboration de solutions adaptées aux intérêts en présence[6]. L'enthousiasme à l'égard d'une « justice procédurale » est tel, au sein d'un certain courant doctrinal formaliste, que l'on en appelle à faire du procès le « modèle du politique[7] ».

De même, la procéduralisation du droit apparaît comme un paradigme dominant de la philosophie politique contemporaine. Fondé sur le postulat selon lequel il est désormais impossible, dans un contexte de pluralisme social et idéologique, de s'entendre sur des principes substantiels de justice, ce modèle consiste en un effort visant à ramener l'ensemble du droit au droit procédural. Renonçant à toute vérité de principe, comme à toute référence à un intérêt général supérieur, les tenants de la procéduralisation du droit n'admettent plus de rationalité et de légitimité autres que procédurales[8]. Réduire la question du juste, en somme, aux seules

---

4. Dominique Terré, *Les questions morales du droit*, Paris, Presses Universitaires de France, 2007, p. 225. Voir aussi Alain Supiot, *Homo juridicus. Essai sur la fonction anthropologique du Droit*, coll. Points, Paris, Seuil, 2009, p. 199.

5. Alain Supiot, *Homo juridicus*, *op. cit.*, p. 123.

6. Xavier Lagarde, *Évolutions du droit (contractualisation et procéduralisation)*, Rouen, Publications de l'Université de Rouen (PUR), p. 142, 163.

7. Loïc Cadiet, *Pour une « Théorie générale du procès »* [conférence], <www.ritsumei.ac.jp/acd/cg/law/lex/rlr28/CADIET1.pdf>.

8. La théorie de la discussion de Jürgen Habermas est sans doute l'une des formulations théoriques les plus notoires de la procéduralisation du droit. Selon

conditions procédurales par lesquelles on en vient à régler des transactions. Pareille théorisation offre une rationalisation bien opportune pour draper de légitimité le paradigme du marché, suivant lequel le droit se confondrait à un vaste jeu autorégulé permettant d'arbitrer des volontés et des intérêts privés.

Chose certaine, les différentes fictions mystificatrices que nous servent les théories du procès et de la justice ne nous sont d'aucun secours pour appréhender notre objet. À présumer de la neutralité des procédures, à négliger ostensiblement les valeurs[9], les conflits d'intérêts et les rapports de domination qui les sous-tendent, elles masquent la fonction stratégique de la procédure judiciaire au sein de rapports de force. Ce faisant, elles n'échappent plus au risque de jouer une fonction de légitimation du pouvoir.

C'est donc contre la doctrine du droit et à rebours de larges pans de la philosophie libérale contemporaine qu'il nous faut élaborer notre critique de la procédure judiciaire. Se donner pour objet non pas ce que la rationalité procédurale dit d'elle-même, mais chercher à décrire et analyser la manière dont la procédure judiciaire agit. Esquisser un pas de côté par rapport aux théories traditionnelles de la procédure et chercher à comprendre ce que la procédure *fait*, réellement. Lui donner par la narration une force

---

le philosophe, le droit positif ne peut fonder sa légitimité que sur « une procédure de formation de l'opinion et de la volonté *présumée raisonnable* » (je souligne). Une proposition normative ne sera tenue pour vraie qu'en vertu de l'accord établi entre les participants au moyen d'un processus optimal de discussion. Ce paradigme procédural, concède Habermas, « n'anticipe plus ni un idéal déterminé de la société, ni une vision déterminée de la vie bonne, ni même une option politique déterminée. Il est formel, en ce sens qu'il se contente de désigner les conditions nécessaires dans lesquelles il est possible aux sujets de droit de s'entendre, dans leur rôle de citoyens, sur les problèmes qui sont les leurs et sur les solutions qu'il convient d'apporter. »(Cité par François Ost, *Le temps du droit*, Paris, Odile Jacob, 1999, p. 325.)

9. Dans sa critique de la théorie de la justice de Rawls, Paul Ricoeur développe l'idée selon laquelle un sens moral de la justice est toujours présupposé dans tout formalisme procédural.

affectante que jamais n'auront les abstractions autolégitimatrices des procéduralistes de tout poil.

Pour ce faire, la notion foucaldienne de « dispositif » s'avère un outil précieux, en cela qu'elle permet de réinscrire la question du pouvoir au cœur de l'analyse de la mécanique du droit. Dans un entretien célèbre, Michel Foucault définit le dispositif comme « un ensemble résolument hétérogène comportant des discours, des institutions, des aménagements architecturaux, des décisions réglementaires, des lois, des mesures administratives, des énoncés scientifiques, des propositions philosophiques, morales, philanthropiques ; bref, du dit aussi bien que du non-dit [...]. Le dispositif lui-même, c'est le réseau qu'on établit entre ces éléments[10]. » Tel que théorisé par Michel Foucault, le dispositif est indissociable d'une analyse des technologies de pouvoir à un moment historique donné. Tout dispositif a nécessairement une fonction stratégique dominante. Il organise les rapports de force, manipule en un certain sens les relations de pouvoir, gouverne les conduites et détermine le champ des actions possibles. Le philosophe italien Giorgio Agamben emprunte à Foucault cette notion-clé, qu'il définit à son tour comme « tout ce qui a, d'une manière ou une autre, la capacité de capturer, d'orienter, de déterminer, d'intercepter, de modeler, de contrôler et d'assurer les gestes, les conduites, les opinions et les discours des êtres vivants[11] ».

Analyser la procédure judiciaire à l'aune des dispositifs de pouvoir revient donc à contester à la doctrine juridique l'*illusio* propre à son champ du caractère autoréférentiel et autopoïétique du droit. À dépasser la fiction d'un univers clos sur lui-même afin de mieux lever le voile sur les rapports de pouvoir et de domination qui traversent et structurent les discours et les pratiques juridiques.

---

10. Michel Foucault, « Le jeu de Michel Foucault » (1977), *Dits et écrits II. 1976-1988*, coll. Quarto, Paris, Gallimard, 2001, p. 299.

11. Giorgio Agamben, *Qu'est-ce qu'un dispositif?*, Paris, Rivages poche, 2014, p. 31.

La procédure judiciaire est un dispositif dont les rouages agissent comme autant de micro-pouvoirs destinés à normaliser les conduites, un « appareillage dont les mécanismes internes produisent le rapport dans lequel les individus sont pris[12] ». La cible d'une action en justice se voit en quelque sorte saisie, fouillée, désarticulée, assujettie à une multitude de contraintes, soumise à un rapport bien spécifique au temps, au langage, à la *vérité*. À son corps défendant, elle est entraînée dans tout un univers de sens à rebours du sens.

Cette économie des contraintes est bel et bien de l'ordre des relations de pouvoir, en cela qu'elle oriente les conduites, mais elle n'est pas pour autant l'apanage d'un magistrat ou d'un tribunal. Elle ne saurait en aucun cas être réduite à la *loi*. Le propre des technologies de pouvoir déployées dans le cadre de la procédure judiciaire est précisément qu'elles opèrent dans les « interstices des lois, selon des modalités hétérogènes au droit et en fonction d'un objectif qui n'est pas le respect de la légalité[13] ».

La procédure judiciaire ne vise pas tant à faire appliquer le droit, en somme, qu'à soumettre ceux qu'elle prend pour cible à une mécanique de pouvoir qui déborde largement l'appareil d'État ou le modèle juridique du pouvoir. Cela apparaît contre-intuitif tant elle nous semble répondre, de par sa nature même, à un niveau élevé d'institutionnalisation, ou de *rationalisation* dirait Weber. Or le justiciable pris dans les agencements machiniques de la justice découvrira combien la procédure, en particulier dans ce régime propre à notre système dit du *hors cour*, offre à quiconque dispose des ressources nécessaires une latitude qui ne s'encombre pas de masquer son arbitraire.

À bien des égards, la procédure judiciaire agit tel un contre-droit. Un contre-droit dont les mécanismes n'en requièrent pas

12. Michel Foucault, *Surveiller et punir*, Paris, Gallimard, 1975, p. 235.
13. Michel Foucault, « L'asile illimité » (1977), *Dits et écrits II, op. cit.*, p. 275.

moins le support institutionnel et symbolique de la règle de droit. Un contre-droit dont les excès, les débordements et les manifestations hyperboliques semblent indéfiniment rattrapés, absorbés, légitimés par la règle de droit. En un mot, un contre-droit légalisé.

CHAPITRE 1

La procédure comme châtiment

*La sentence, dit l'abbé à Joseph K., ne vient pas d'un seul coup, c'est la procédure (*das Verfahren*) qui se change peu à peu en verdict.*

– Franz Kafka, *Le procès*

La loi reste inconnaissable, commenteront Deleuze et Guattari à propos de l'œuvre de Kafka. « La loi ne peut s'énoncer que dans une sentence, et la sentence ne peut s'apprendre que dans un châtiment[1]. » C'est donc à l'ampleur du châtiment que l'on mesure la gravité de sa faute.

Pris dans les mailles de la procédure, le justiciable s'étonnera en effet de rencontrer une loi qui, dans le même mouvement, accuse, condamne et châtie. Car dans l'arène judiciaire, les sanctions ne se limitent pas à la sentence rendue au terme d'un procès. Bien avant d'avoir pu s'adresser formellement à un juge, en marge, voire en dépit des lois, la procédure judiciaire prend en soi, pour qui la subit, toutes les allures d'un châtiment.

Du moment que les moyens financiers de la partie demanderesse sont pour ainsi dire illimités, celle-ci a tout le loisir de mobiliser la procédure dans une guerre d'usure. Pis, elle se découvre sur

1. Gilles Deleuze et Félix Guattari, *Kafka. Pour une littérature mineure*, coll. Critique, Paris, Éditions de Minuit, 1975, p. 79.

la partie défenderesse un ensemble de droits : l'astreindre indéfiniment à des interrogatoires hors cour, la mettre en demeure de répondre dans l'urgence à des requêtes de toute nature, la sommer de se plier à un calendrier qu'elle n'en finit plus de bousculer arbitrairement.

On nous rétorquera que la procédure ne saurait être réduite à une simple démonstration de force, à une tête d'hydre de l'appareil répressif. On croirait pourtant, dès lors que celle-ci est enrôlée au service d'un obscur désir d'*imperium*, reconnaître les vieilles disciplines brillamment décrites par Foucault comme revenues d'un autre siècle. Le supplice judiciaire prévoit en effet une multitude de rappels à l'ordre, de menaces, de menues punitions et d'humiliations quotidiennes ayant pour fonction de corriger les écarts de conduite, en même temps qu'ils cherchent à inscrire dans le corps des pratiques normalisées. Tout un art de la contrainte, une mécanique des coercitions, mis au service d'un objectif qui ne saurait être confondu avec le respect de la légalité.

Car le dispositif judiciaire ne vise pas tellement, en dernière instance, à faire appliquer la loi. Après tout, une part toujours croissante des procédures n'aboutit pas à un jugement de cour et l'on enjoint aujourd'hui ostensiblement les justiciables à mettre fin à leurs différends en ayant recours aux modes privés de règlement, dits « hors cour[2] ».

Non, la procédure fonctionne sur la base d'un pouvoir essentiellement correctif. Elle a pour véritable dessein le redressement des indociles, des insoumis, des *déraisonnables*. En cela, elle est une instance non pas tellement de justice que de normalisation. Par divers stratagèmes aussi insidieux qu'incessants, les rouages de la machinerie judiciaire font jouer sur ceux et celles qu'ils ciblent la

2. Pour des raisons avec lesquelles le lecteur aura amplement l'occasion de se familiariser au fil de la lecture de l'ouvrage, la normalisation de l'expression « à l'amiable », en tant qu'elle engage une prétention générique, me semble constituer un net abus de langage.

contrainte d'une conformité à réaliser, en fonction d'une norme aussi inaccessible qu'indéfinissable.

Dans notre système de droit civil, cette norme hégémonique porte un nom : la *personne raisonnable*. Pierre angulaire de la procédure civile, la *personne raisonnable* est la fiction de droit à l'aune de laquelle vous êtes indéfiniment jugé, tandis que l'on vous somme indéfiniment de coïncider avec elle. Immanente aux rapports de force qui la traversent et la constituent, l'injonction à la « raisonnabilité » masque des attendus qui varient opportunément selon les intérêts qui la commandent. Mais invariablement, il s'agira de faire en sorte que soit éprouvée intimement la mesure d'un écart, d'une inconduite, d'une faute. Que toute « déraison » soit l'objet d'un rappel à l'ordre. Que les « déraisonnables », par tous les moyens, soient ramenés à la raison.

Dans *Surveiller et punir*, Foucault dresse cet effroyable portrait de ce qui serait en définitive le modèle idéal de la discipline indéfinie :

> un interrogatoire qui n'aurait pas de terme, une enquête qui se prolongerait sans limite dans une observation minutieuse et toujours plus analytique, un jugement qui serait en même temps la constitution d'un dossier jamais clos, la douceur calculée d'une peine qui serait entrelacée à la curiosité acharnée d'un examen, une procédure qui serait à la fois la mesure permanente d'un écart par rapport à une norme inaccessible et le mouvement asymptotique qui contraint à la rejoindre à l'infini[3].

Or cet idéal disciplinaire, la procédure judiciaire contemporaine, dans ses manifestations les plus outrancières, n'a rien à lui envier.

3. Michel Foucault, *Surveiller et punir*, *op. cit.*, p. 264.

CHAPITRE 2

La contrainte par corps

La cible de tout pouvoir, nous enseignent les leçons de Michel Foucault, est le corps. Capté dans les rouages du pouvoir disciplinaire, le corps est intimement investi, fouillé, travaillé, désarticulé, dressé. Soumis à un contrôle de l'activité savamment orchestré[1], il est contraint de se plier à la machinerie du pouvoir, dans ce qui le saisit et le traverse.

Ainsi procède, à certains égards, la mécanique du droit.

Le justiciable, dès lors qu'il devient l'objet d'une procédure en justice, se voit assujetti à une multitude de contraintes. Se soumettre à des interrogatoires interminables; se rendre à date et heure déterminées aux convocations de la cour; se consacrer à la constitution méticuleuse d'un dossier incommensurable; répondre par l'accumulation infinie de pièces à l'exigence de preuves inassignables; en venir à établir ses quartiers dans le bureau de son avocat. La procédure oblige à la focalisation obsessionnelle de toutes ses énergies sur sa seule défense, tandis que l'existence se confond graduellement avec un procès ininterrompu.

Par la voie de techniques infimes et minutieuses, la procédure commande les déplacements des corps dans l'espace, rythme dans le détail les emplois du temps, colonise les pensées et les affects, et

1. Michel Foucault, *Surveiller et punir*, *op. cit.*, p. 159-199.

ne néglige aucun aspect de l'existence. Intrusive, elle s'immisce dans tous les segments de la vie quotidienne, commande l'ajournement perpétuel des aspirations et des désirs, et tient sans arrêt les corps en alerte, dans un amenuisement progressif, jusqu'à la disparition, de la vie hors procès.

La procédure permet au pouvoir d'exercer son emprise sur les consciences, tandis qu'elle vous prive des moyens de l'en extirper. Dans le creux de ses pensées ou l'intimité du rapport amoureux, de jour comme de nuit, se découvrir sous l'emprise d'une procédure chargée d'injonctions insidieuses, de menaces sourdes et de mises en demeure incessantes.

Par-delà sa nature répressive, la procédure investit le défendeur positivement, passe par lui, prend appui sur lui, jusque dans la lutte qu'il mène contre elle. C'est l'ingéniosité tactique ultime de la procédure que de s'efforcer de rattraper, de maîtriser, de juguler indéfiniment la résistance, en la réinscrivant dans les formes de la procédure. Cette formidable puissance de récupération vise à agir sur les corps et les subjectivités de manière à les corriger, les transformer, les domestiquer. Produire des sujets dociles, des *personnes raisonnables*.

Cette microphysique du pouvoir assigne le défendeur à une identité sociale brouillée, précarisée. Celui-ci porte les stigmates du condamné. Il reçoit les conseils plus ou moins avisés, sollicités ou non, de tout un chacun. Où qu'il aille, il est rappelé à ce statut, à cette condition. On le plaint, on s'enquiert de lui, on le regarde de haut, on le raille ou on le place sur un piédestal, mais quoi qu'il en soit, il ne peut plus, dans la vie sociale, se délester du poids des procédures qui pèsent sur lui et qui le marquent. Un verdict social l'a frappé, vertigineusement, bien en amont de tout éventuel jugement de la cour. Aux yeux de certains, il ressemble déjà à s'y méprendre à un coupable.

À corps défendant

Les technologies par lesquelles le pouvoir investit les corps ne se font sans doute jamais mieux sentir que durant ces longues heures passées au tribunal où, silencieux et immobile, on assiste, médusé et impuissant, au spectacle de sa propre affaire.

Le cérémonial judiciaire exerce sur les corps une contrainte calculée, une coercition mesurée et constante. Les jeux de normalisation par lesquels s'exerce ce contrôle ne sont que rarement explicités. Les conduites réglées se découvrent et sont engendrées presque mécaniquement. À l'entrée du juge, se lever. Puis s'asseoir, se tenir droit, ne pas courber le dos, demeurer impassible. Ne point parler. Ne point réagir. Ne rien laisser transparaître. Un huissier audiencier veille au maintien du décorum et des règles de conduite que requiert la salle d'audience. « Nous mettons un peu d'huile dans le rouage de la justice pour éviter que la machine ne se bloque », souligne cet officier de justice, à qui incombe le rôle de faire la « police[2] ». La police des conduites et des corps. Faut-il que dans un bref moment de désinvolture, ou simplement par lassitude, vous posiez le bras sur le dossier du banc de bois qui accueille le public, aussitôt vous rappelle-t-il à l'ordre : « Veuillez ne pas vous accouder à l'intérieur du tribunal, madame. » Une multitude de menues transgressions du décorum judiciaire sont susceptibles d'attirer sur le justiciable la réprimande et la culpabilisation[3]. Par-delà l'intérêt que peut avoir un pouvoir souverain à se rappeler à la conscience de ses sujets, l'on pressent que cette mise en scène, doublée d'un ordre de contraintes, vise ultimement à contenir et à résorber la violence des passions que pourrait susciter la violence symbolique du dispositif judiciaire lui-même.

2. « Huissier d'audience, un trait d'union », *La Croix*, 17 juillet 2012.

3. Antoine Garapon, *Bien juger. Essai sur le rituel judiciaire*, Paris, Odile Jacob, 2001, p. 47.

C'est qu'ici, votre propre avocat trébuche à plusieurs reprises, jusqu'à susciter le malaise, sur le nom de l'ancien dictateur du Zaïre, qu'il se contente en définitive de rebaptiser. Là, l'avocat de la partie adverse pervertit de manière éhontée le sens d'un document, sans que cela ne fasse l'objet d'un quelconque démenti. C'est qu'en définitive, il est question d'un livre que personne n'a lu en entier, d'une situation géopolitique complexe que méconnaissent absolument ceux qui prétendent aujourd'hui s'en saisir, d'une guerre meurtrière livrant toute une région à feu et à sang dans l'indifférence généralisée, de vies incomptées ou comptées pour rien, et dont les voix ne bénéficient d'aucune représentation dans ce procès, d'enjeux démocratiques, éthiques et juridiques cruciaux, dont la portée surpasse largement les questions tronquées sur lesquelles le tribunal a aujourd'hui la compétence de se prononcer.

La soumission de fait à un dispositif dont il réprouve tant les fins que les moyens place le justiciable dans un état de tension aux limites du supportable. À l'instar des sujets de Stanley Milgram, dans ses célèbres expériences sur la soumission à l'autorité, il lui arrive de manifester sa désapprobation morale par de menues insubordinations ou par la voie de compensions psychosomatiques – soupirer, chuchoter, hocher la tête, marquer son dégoût, protester à voix basse ou carrément devenir malade –, mais la psychologie sociale nous a enseigné que ces manifestations ne sont que des subterfuges pour rendre l'obéissance plus supportable et donc, paradoxalement, pour mieux demeurer dans l'état de soumission que requiert le dispositif du tribunal.

Les récits des grands procès qui ont fait l'histoire sont parsemés de ces moments d'excès cathartiques où, soudainement, quelqu'un craque, enfreint les règles de bienséance et rompt le pacte tacite qui lie les spectateurs du drame. La force de la contrainte qui pèse sur les corps se donne à voir là, en ce point de rupture, lorsque précisément elle dépasse un certain seuil de résistance. Sous la tension poussée à son paroxysme, certains corps se ploient, se cassent, obligeant même parfois le magistrat à ordonner que l'on sorte un malheureux, voire à interrompre l'audience. Endurer. Ou alors « bloquer la machine » et risquer d'être violemment éjecté pour mieux permettre à celle-ci de faire tourner ses engrenages. Voilà le justiciable placé devant une fausse alternative, qui le laisse en tous les cas de figure hors jeu.

Corps sous surveillance

La contrainte exercée sur les corps ne s'arrête pas là. La surveillance des corps et des conduites est certainement l'une des technologies de pouvoir les plus sophistiquées que permet la procédure judiciaire. On se rappelle que Foucault avait longuement analysé les modalités d'inspection incessante que prévoit le dispositif disciplinaire, dont le modèle idéaltypique demeure la figure architecturale du *Panopticon* imaginée par Jeremy Bentham. « L'exercice de la discipline, écrit le philosophe, suppose un dispositif qui contraigne par le jeu du regard ; un appareil où les techniques qui permettent de voir induisent des effets de pouvoir et où, en retour, les moyens de coercition rendent clairement visibles ceux sur qui ils s'appliquent[4]. »

Si la surveillance est insidieuse dans le cadre de la procédure judiciaire, elle n'en est pas moins soigneusement calculée. La partie qui intente une poursuite se découvre, comme par un acte de magie sociale, un ensemble de « droits » sur les défendeurs que vous êtes, et notamment celui de faire parvenir des requêtes de toute nature, visant par exemple à avoir accès aux procès-verbaux de vos réunions, à vos communications courriels, à vos états financiers, voire à vos ordinateurs.

Loin de juguler ses débordements, la procédure est un ressort pour les assauts répétés du pouvoir, sa bêtise obstinée et ses efforts

4. Michel Foucault, *Surveiller et punir*, *op. cit.*, p. 201.

pour inventer sans cesse des exigences absurdes. Les allégués les plus farfelus, y compris lorsqu'ils sont dignes d'une affliction paranoïaque – par exemple, la planification sciemment orchestrée à l'échelle internationale d'une virulente et malicieuse campagne de diffamation et de calomnie dans le but de nuire – légitiment aux yeux des demandeurs les requêtes les plus arbitrairement abusives. Celles-ci surviennent en dehors de toute forme de gestion de l'instance par un tribunal et en l'absence d'une quelconque médiation de la part d'un représentant de la justice. Soustraites au regard de la loi, elles se déploient dans ce que Foucault désigne à juste titre comme un « régime de non-droit[5] ». Ces requêtes émanent directement du bureau d'en face, elles vous sont assénées par voie de lettres d'avocats et rédigées en des termes on ne peut plus impératifs. Aucun critère objectif ne permet d'apprécier la légitimité légale de ces injonctions répétées. Celles-ci se présentent comme découlant tout naturellement des rouages de la procédure, cet appareillage du pouvoir qui vous a désignés, assignés et pris pour cible.

Le poids de cet incessant regard vous sera régulièrement rappelé par des mises en demeure ou des lettres enregistrées de toute nature. On cherchera à vous prendre en défaut. On fera la comptabilité de vos interventions publiques, de vos sorties médiatiques, de vos déplacements, des phrases que vous aurez prononcées comme de celles qu'on vous aura prêtées, des mots choisis, du ton employé. La procédure place le justiciable sous l'emprise d'une observation permanente.

L'efficacité symbolique de ce champ de surveillance est renforcée par tout un travail de compilation documentaire, d'enregistrements systématiques, de consignation et de numérotation méticuleuses des pièces. Dans la lourdeur d'une procédure à jamais inaboutie et

5. Michel Foucault, « L'asile illimité », *op. cit.*, p. 275.

l'épaisseur d'un dossier incommensurable, se constitue un archivage minutieux, « au ras des corps et des jours[6] ».

Dans une spirale digne des univers dystopiques, les parties les plus fortunées pourront même recourir à des techniques sophistiquées de surveillance par filature. Une pratique en zone grise de la légalité qui, bien que peu documentée et par définition encline au secret, n'en est pas moins attestée[7].

Au cours de sa sixième journée d'interrogatoire hors cour, les avocats d'en face lui avaient glissé sous le nez, en réfrénant mal la jouissance qu'il pouvait y avoir à provoquer pareil coup de théâtre, des extraits de *verbatim* d'une conférence qu'il avait prononcée à Paris à l'occasion d'un séjour effectué quelques mois plus tôt. Cette conférence avait été prononcée en terrain « ami », sur invitation d'une association française engagée contre le néocolonialisme en Afrique. Elle n'avait fait l'objet d'aucune captation vidéo ou audio. C'était donc à son insu que l'auteur avait été enregistré et que sa communication avait fait l'objet d'une transcription. Il y avait dans cette opération de dévoilement homéopathique de leurs techniques de surveillance un intérêt tactique ne se limitant pas au fait de confronter un témoin sur l'exactitude de sa déclaration, ni même au fait d'exhiber la toute-puissance rendant possible la tractation depuis Montréal ou Toronto d'une filature outre-Atlantique. Le véritable effet de pouvoir tient à ce que, dès lors que l'on s'immisce dans les esprits, que l'on instille le doute, que l'on inscrit dans les

6. Michel Foucault, *Surveiller et punir*, *op. cit.*, p. 222.

7. En 2005, la compagnie American Iron & Metal (AIM) intentait une poursuite-bâillon de cinq millions de dollars contre l'Association québécoise de lutte contre la pollution atmosphérique (AQLPA) pour s'être opposée à son projet d'implantation d'une usine de déchiquetage de carcasses d'automobiles à Lévis. Dans la foulée, le président d'AIM avouait candidement à une journaliste de Radio-Canada qu'il avait embauché des détectives privés pour espionner le président du regroupement écologiste, André Bélisle. Voir « Des écologistes sous surveillance », *Radio-Canada*, 18 novembre 2015, <https://ici.radio-canada.ca/nouvelle/282477/espionaim>. Voir également Pierre Trudel, « Surveiller une personne, c'est violer sa vie privée », *Journal de Montréal*, 6 juillet 2016.

consciences la possibilité de la surveillance, celle-ci devient permanente dans ses effets. Ce ne fut que le premier épisode d'une série où nous eûmes, sans jamais toutefois en avoir la preuve formelle, l'intime impression d'être épiés, surveillés, filés.

Il y avait aussi ceux que nous appelions les taupes. Des badauds, des types somme toute pas très subtils, du moins pour ceux que nous savions repérer tant ils juraient dans le décor. Ils se pointaient seuls aux événements que nous organisions – soirées anniversaires ou événements de soutien –, affichant depuis le fond de la salle où ils s'asseyaient des mines patibulaires et ne parvenant pas à performer dans la pratique les inévitables us et habitus de l'entre-soi intellectuel ou militant. Nous avions bien fini par en jouer, par en rire, et il y eut bien quelques fois où, prenant la parole publiquement, je leur adressai ironiquement mes salutations. Mais il n'empêche que le régime de suspicion et de méfiance que suscite tout ce *continuum* de surveillance est de nature à nourrir un sentiment diffus de tension permanente.

Car ultimement, vos moindres faits et gestes peuvent être mobilisés par votre adversaire dans le cadre de la constitution du dossier. La requête initiale – la poursuite – peut d'ailleurs être amendée à l'infini en fonction des éléments nouveaux découverts à la faveur de cet examen permanent de vos conduites. Cet état de fait n'est pas banal. Une partie requérante, dont les allégués de départ s'avèrent impossibles à soutenir ou dont il appert qu'ils sont carrément démentis par les faits, peut modifier substantiellement sa requête de façon à lui bidouiller de nouveaux fondements, et ce, sans subir le moindre préjudice.

Vos propres avocats se trouvent en quelque sorte enrôlés et mis au service de ce dispositif de surveillance, alors qu'ils scrutent à leur tour vos communications publiques, vos interventions, vos diverses actions à l'intérieur comme à l'extérieur de l'enceinte judiciaire, de manière à éviter une aggravation possible des dommages que l'on vous impute. En définitive, toute une économie de contraintes agit sur ceux et celles que le dispositif capte et cherche à rendre visibles, tandis que cette surveillance donne à son tour une prise sur leur conduite.

L'intérêt tactique ultime de cette machinerie de contrôle est l'assujettissement qui naît du fait de cette entière visibilité et des corrections constantes qu'elle autorise. Le justiciable, sentant peser sur lui un regard centralisateur qui l'observe, intériorise les contraintes du pouvoir au point où il en vient à exercer cette surveillance contre lui-même[8]. « Un assujettissement réel naît mécaniquement d'une relation fictive. [...] Celui qui est soumis à un champ de visibilité, et qui le sait, reprend à son compte les contraintes du pouvoir ; il les fait jouer spontanément sur lui-même ; il inscrit en soi le rapport du pouvoir dans lequel il joue simultanément les deux rôles ; il devient le principe de son propre assujettissement[9]. »

Faire corps

Le procès est le théâtre d'un pouvoir de déliaison politique, dont le présent ouvrage s'efforce à sa manière d'analyser les tours et les détours : captation et privatisation des conflits politiques ; confiscation et perversion du sens des mots et de leur pouvoir de liaison ; ratification d'une conception étroitement libérale des droits et de la responsabilité ; promotion d'un sujet de droit mû par la seule poursuite de ses intérêts ; « déliaison radicale » d'avec le réel lui-même par la voie de fictions juridiques ; disqualification et répression, enfin, des formes de subjectivité politique qui seraient nées d'une inquiétude à l'égard de l'autrui vulnérable et qui ne sauraient se soustraire à la responsabilité que ce dernier engage.

8. Michel Foucault, « L'œil du pouvoir » (1977), *Dits et Écrits II. 1976-1988*, coll. Quarto, Paris, Gallimard, 2001, p. 198.
9. Michel Foucault, *Surveiller et punir*, *op. cit.*, p. 236.

Parmi les stratagèmes de la déliaison que met en scène le procès, il y a aussi ceux, plus immédiats, qui consistent à s'efforcer de dénouer les liens de solidarité qui unissent les défendeurs entre eux. L'épreuve de la procédure en elle-même est déjà de nature à user les ressorts de la relation et à éprouver les solidarités, en raison des coûts qu'elle fait peser sur les vies et les corps. À cela s'ajoute tout un *continuum* de tactiques, vieilles comme le monde, pour isoler les individus les uns des autres et s'ingénier à casser des collectifs. Rendre, par exemple, d'éventuelles négociations avec un éditeur conditionnelles à l'« abandon » de ses auteur.e.s. Ou tenter, par le détour d'une entente de confidentialité, d'empêcher les défendeurs de communiquer entre eux. Se résigner à signer une telle entente eût signifié, pour A. et moi, de n'avoir plus le droit de discuter à la *maison* de l'affaire qui tous deux intimement nous accaparait et nouait le nœud de notre histoire commune. Faire d'un murmure sur l'oreiller une faute punissable.

Face à toutes ces tentatives de disjonction, de déliaison, de déstructuration, l'expérience de la politique se noue dans celle, subversive, consistant à faire corps. Faire de la pluralité des corps « la condition préalable à toute future revendication politique[10] ». À vif, à cor et à cri, s'assembler sur le terrain de l'engagement, de la résistance et des luttes. Dans l'urgence, dans l'épreuve, instituer des collectifs, au travers des recompositions, des nouages et des dénouages, dans l'exaltation que procure l'enchevêtrement des destinées, comme dans leur indépassable conflictualité. Nouer des « nous », au-devant de plusieurs scènes possibles, avec cette densité fulgurante des liens que confèrent les luttes communes.

10. Judith Butler, « "Nous le peuple" : réflexion sur la liberté de réunion », *Qu'est-ce qu'un peuple ?*, Paris, La Fabrique, 2013, p. 56.

CHAPITRE 3

Atermoiement illimité

Capter le temps est l'office du pouvoir.
– Cynthia Fleury, *Les irremplaçables*

Le temps du procès n'est pas un temps ordinaire. Il vient interrompre, suspendre provisoirement le cours régulier de l'existence. « La procédure judiciaire ne se borne pas à installer un temps qui serait celui des horloges. Elle veille plutôt à ralentir le temps[1]. » Elle fait se déployer dans la durée un temps hors du temps, qui semble destiné à ne jamais se boucler.

Déplorer les « lenteurs de la justice » n'a rien de bien original. La Bruyère n'écrivait-il pas déjà au XVIIe siècle ces aphorismes lapidaires : « Orante plaide depuis dix ans entiers en règlement de juges pour une affaire juste, capitale, et où il y va de toute sa fortune : elle saura peut-être dans cinq années quels seront ses juges et dans quel tribunal elle doit plaider le reste de sa vie. » Puis encore : « Le devoir des juges est de rendre justice, leur métier est de la différer : quelques-uns savent leur devoir, et font leur métier[2]. »

Aujourd'hui, les délais de la justice font autant l'objet de récriminations de la part des justiciables que de vœux pieux du côté des

1. Dominique Terré, *Les questions morales du droit,* Paris, PUF, 2007, p. 242.
2. Jean de La Bruyère, *Les Caractères ou les Mœurs de ce siècle*, 1688.

politiques. Partout en Occident, de vastes mouvements de réforme et de « modernisation » de la justice sont en cours et entendent, sur la base d'une rhétorique de l'efficience, remédier entre autres à la longueur excessive des procès. Le Québec ne fait pas exception. Mais une fois de plus, il n'y a pas là de quoi faire sourciller les historiens, si l'on considère que des velléités de réformer la justice de façon à « rendre les procès moins longs et moins coûteux » apparaissaient déjà dans le programme du Parti libéral du Québec… en 1886[3] ! N'empêche, l'idée reste largement admise qu'une justice qui se distend à l'infini constitue un déni de justice, comme le veut l'adage « justice différée est justice refusée ». Combien de fois, ironise-t-on, faut-il entendre : « Vous avez raison, mais le temps de faire juger l'affaire… »

En Europe, la Cour européenne des droits de l'homme condamne régulièrement ses États membres pour violation de l'article 6-1 qui garantit le droit de voir sa cause jugée dans un délai *raisonnable*. Au Canada, les délais judiciaires continuent de faire l'objet de rapports accablants. Bon dernier, le Québec est la province canadienne affichant les pires délais d'attente avant procès : la durée médiane de traitement de la première comparution devant les tribunaux de juridiction criminelle était de 238 jours en 2013-2014. Et il n'est pas rare qu'une affaire ne connaisse un dénouement que plusieurs années après le dépôt de l'accusation.

Si la Charte des droits et libertés garantit à tout inculpé « le droit d'être jugé dans un délai raisonnable », aucune balise claire ne venait jusqu'à tout récemment encadrer ce droit formel. La Cour suprême mettait fin à ce flou interprétatif en 2016 dans un arrêt coup de poing, connu sous le nom d'« arrêt Jordan », imposant des durées maximales de 18 mois pour les causes criminelles en Cour provinciale et de 30 mois pour celles devant la

3. Jacques Lachapelle, « Le juge et les petites créances : un rôle multiforme », *Les Cahiers de droit*, vol. 40, nº 1, 1999, p. 202.

Cour supérieure. Le plus haut tribunal du pays déplorait alors la « culture de complaisance » régnant dans l'administration de la justice : « Les procédures et ajournements inutiles de même que les pratiques inefficaces et la pénurie de ressources institutionnelles sont acceptés comme la norme et occasionnent des délais de plus en plus longs. Cette culture des délais cause un tort important à la confiance du public envers le système de justice[4]. » Comme pouvait le laisser craindre cette décision, le nombre de requêtes en arrêt des procédures a bondi dans la foulée du jugement. En l'espace de quelques mois, les tribunaux ont ordonné l'abandon des procédures dans plus de 200 affaires criminelles en raison de délais excessifs. Du point de vue de l'institution, cela constitue un aveu d'échec : « Le système de justice a manqué de discipline, admet la Cour suprême. Il a échoué. »

S'il est convenu d'accuser le « déséquilibre marqué entre le financement de la justice et celui des autres services publics[5] » pour expliquer l'incapacité chronique du système judiciaire à réduire les délais de procès, des voix dissidentes n'hésitent plus à pointer la responsabilité des officiers de justice eux-mêmes, multipliant les formules euphémisantes pour évoquer leur « faible éveil à la notion d'urgence[6] » ou leur tendance à la « procrastination judiciaire[7] ». À l'instar de la Cour suprême, de plus en plus d'acteurs judiciaires conviennent que la question des délais ne se résume pas seulement

4. *R.* c. *Jordan*, 2016 CSC 27.

5. Le Barreau demande au gouvernement qu'il « remédie au déséquilibre marqué entre le financement de la justice et les autres services publics » depuis 2009, selon Claudia P. Prémont, bâtonnière du Québec jusqu'en juin 2017. D'un gouvernement à l'autre, environ 1 % du budget du Québec est alloué à la justice. Voir Marco Bélair-Cirino, « Vers un changement de culture du système de justice », *Le Devoir*, 13 juillet 2016.

6. Brian Myles, « Des délais intenables », *Le Devoir*, 21 mars 2016.

7. L'expression est de la ministre de la Justice Stéphanie Vallée, citée dans Marco Bélair-Cirino, « Vers un changement de culture du système de justice », *op. cit.*

à une question de sous-financement de la Justice, mais a aussi quelque chose à voir avec une certaine « culture de la lenteur ».

Les juges, les premiers, sont rappelés à l'ordre. Plusieurs ne se gênent pas pour suggérer qu'ils pourraient en effet « beaucoup mieux gérer le fonctionnement des tribunaux[8] ». Les magistrats européens, en particulier, n'y vont pas de main morte quand vient le temps d'écorcher les pratiques de leurs collègues. Le président de chambre d'une cour d'appel cité par *Le Canard enchaîné* évoque ceux parmi ses semblables qui, coulant des jours heureux, « ne veulent rien faire » et « roupillent ». Eva Joly, magistrate franco-norvégienne et députée européenne, avance pour sa part qu'« ils sont rarissimes ceux qui se sentent investis et responsables ». Hervé Lehman dresse lui aussi un portrait sévère de l'*ethos* professionnel des juges français, dans un essai au titre sans équivoque : *Justice, une lenteur coupable*[9]. La justice est malade d'une « lèpre qui la ronge », et « cette lèpre, c'est sa lenteur, son incorrigible et, c'est le cas de le dire, interminable lenteur ». Mais pour l'ancien juge d'instruction, le dogme selon lequel l'État serait le seul responsable du mal endémique qui ravage l'institution ne résiste pas à l'épreuve de la réalité. La réponse serait plutôt à chercher dans la conviction nonchalamment partagée parmi les juges et les professionnels du droit que des délais de deux ans sont « raisonnables » pour obtenir une expertise ; qu'un délai de quatre ans est « optimal » pour juger d'une affaire politico-financière. Ils tiennent cet état de fait pour allant de soi, estime Hervé Lehman. Leur éthique ne leur commande pas de faire les choses autrement. Ils s'accommodent, voire se satisfont

8. L'honorable Raymond Wyant, juge doyen de la Cour du Manitoba et ancien juge en chef de la Cour provinciale du Manitoba, cité dans *Justice différée, justice refusée. L'urgence de réduire les longs délais dans le système judiciaire au Canada*, rapport final du Comité sénatorial permanent des affaires juridiques et constitutionnelles, Sénat Canada, juin 2017, p. 2, <https://sencanada.ca/content/sen/committee/421/LCJC/reports/Court_Delays_Final_Report_f.pdf>.

9. Hervé Lehman, *Justice, une lenteur coupable*, Paris, PUF, 2002.

de cette culture « archaïque » de la lenteur, de cette institution… d'un autre temps.

Au Québec, quelques signes permettent également de présumer de l'existence d'un certain malaise quant à l'indolence de la magistrature en matière de délais. En septembre 2016, la ministre de la Justice Stéphanie Vallée se désolait par exemple de voir les salles de cour « complètement désertes les vendredis après-midi[10] ». En janvier 2017, le juge Gilles Garneau faisait l'objet d'une requête du Directeur des poursuites criminelles et pénales pour avoir refusé, en pleine « crise des délais judiciaires », d'entendre des dizaines de dossiers en raison des vêtements colorés que portaient les constables spéciaux comme moyen de pression dans le cadre de leurs négociations syndicales. Un accroc au « décorum » qui avait semblé peser plus lourd que « la présence des témoins, les délais importants provoqués, les inconvénients pour les parties, les victimes et le système de justice », peut-on lire dans la requête. Du côté de la magistrature, on renvoie la balle aux avocats et à leur manque de prévoyance[11] ou au gouvernement que l'on tient pour responsable d'une « crise perpétuelle des postes vacants » en raison d'un système de nomination des juges « manifestement défaillant[12] ».

Le fait est que le temps de la justice n'est pas homogène. Il est éprouvé fort différemment selon la position occupée dans le jeu du

10. Régys Caron, « Fini les vacances pour les palais de justice, dit Stéphanie Vallée », *Le Journal de Québec*, 24 septembre 2016.

11. Isabelle Mathieu, « Les tribunaux plombés par les délais », *Le Soleil*, 7 février 2015.

12. Beverley McLachlin, juge en chef de la Cour suprême du Canada, dans le cadre d'un discours livré à l'invitation de l'Association du Barreau canadien le 11 août 2016, <www.scc-csc.ca/judges-juges/spe-dis/bm-2016-08-11-fra.aspx>. À noter que dans un rapport du Comité sénatorial permanent des affaires juridiques et constitutionnelles, on pointe aussi l'insuffisance du financement et le soutien inadéquat des programmes d'aide juridique par les gouvernements, les délais dans les procès ayant tendance à s'allonger lorsque l'accusé n'est pas représenté. Voir *Justice différée, justice refusée*, *op. cit.*, p. 9.

procès. Aussi bien dire que nous ne sommes pas tous égaux devant le temps de la loi. Si la procrastination des juges ou des avocats reste à démontrer, nous pouvons en revanche émettre l'hypothèse d'une remarquable déconnexion de ceux-ci d'avec les réalités les plus élémentaires auxquelles sont confrontés les justiciables ordinaires, dont de larges pans de l'existence se voient à la fois mis en suspens et précarisés dès lors qu'ils font l'objet d'une procédure en justice.

En matière de justice civile, hélas, les tribunaux se conçoivent toujours comme arbitrant des conflits privés entre acteurs privés. Malgré la volonté maintes fois réitérée de réaffirmer la responsabilité du tribunal et de promouvoir le rôle actif du juge dans la gestion de l'instance, la culture institutionnelle dominante veut qu'il revienne aux parties de guider *leur* affaire. Si des droits fondamentaux sont désormais reconnus aux prévenus traduits devant les cours criminelles, aucune protection juridique n'est garantie en matière de délais pour les justiciables contraints de se défendre devant les cours civiles.

Nul ne peut feindre d'ignorer pourtant tout l'intérêt et le loisir qu'ont certains plaideurs à retarder indûment le jugement d'une affaire ; à multiplier les procédures et les manœuvres dilatoires de manière à prolonger indéfiniment le cours de la justice ; à manier le déroulement de l'instance de façon à épuiser leur adversaire, à le fragiliser économiquement, moralement, psychologiquement. Le contraindre, une fois acculé à l'impasse, à concéder la victoire, de guerre lasse. Car ce qui tient lieu d'évidence semble faire l'objet d'une dénégation sociale exemplaire : c'est bien entendu le faible qui souffre en premier lieu des lenteurs de la justice. « Lorsque le bras séculier de la justice met des années à appliquer la loi, la procédure opprime le faible[13]. »

13. Hervé Lehman, *Justice, op. cit.*, p. 52.

Devant les tribunaux, l'art d'agir sur le temps est partie intégrante de l'exercice du pouvoir. « Le tout-puissant, écrit Pierre Bourdieu, est celui qui n'attend pas et qui, au contraire, fait attendre. » Et l'attente, incontestablement, est une manière privilégiée d'éprouver le pouvoir. Le profane qui se trouve malgré lui tenu de se défendre devant les tribunaux voit son existence entière soumise à une temporalité oppressante et indéfiniment distendue. Les aléas de la procédure, découvertes au jour le jour, ne semblent répondre d'aucune loi. Les contraintes qui soudainement lui incombent, et que nul n'avait su prévoir – pas même ses avocats –, n'en sont pas moins dotées d'un caractère impératif. Se présentant sur le mode de la nécessité impérieuse, elles commandent une parfaite servitude et prescrivent que l'on eût dû au fond s'en acquitter pour hier.

Faire traîner les procédures n'est donc qu'une des voies par lesquelles s'exerce la domination sur le temps du procès. Car le tout-puissant, paradoxalement, est aussi à même de soumettre l'adversaire à une cadence effrénée, une rythmique insoutenable. Exhorter l'autre de répondre dans l'urgence à une série d'engagements. Le sommer de se plier à un échéancier serré. Le mettre en demeure d'obtenir dans les plus brefs délais une myriade de documents. L'exercice stratégique du pouvoir suppose la maîtrise souveraine de ce « désordre institué ». Aussi bien différer, surseoir, renvoyer à plus tard que pressuriser, presser, comprimer le temps. Souffler le chaud et le froid, en somme. La démonstration de force culmine dans le fait d'empêcher chez autrui toute anticipation raisonnable, de neutraliser toute capacité à prévoir, de déconcerter les aspirations. « L'arbitraire absolu est le pouvoir de rendre le monde arbitraire », écrit encore Bourdieu. En un mot : rendre fou.

Il revient sans doute à Kafka d'avoir su le mieux rendre compte des rouages imprévisibles et arbitraires de la machinerie judiciaire, dans son célèbre *Der Prozess*, qu'il eût été presque sensé, au fond, de traduire par *La procédure* plutôt que par *Le procès*. Joseph K. est accusé et se découvre pris malgré lui dans les dédales bureaucratiques d'un système judiciaire oppressant, sans jamais que ne lui soient révélées les charges qui pèsent contre lui, ni l'identité de ses juges.

Au-delà de ses régulières convocations devant le tribunal, l'existence de K. tout entière semble graduellement se confondre avec un procès ininterrompu. Le dimanche et la nuit semblent même les moments de prédilection des préposés de justice pour surgir. La procédure apparaît comme parfaitement aléatoire, imprévisible et indéfiniment distendue. Son procès le suit partout où il met les pieds. Tous ceux qu'il rencontre sont d'une manière ou d'une autre en rapport avec la justice.

Le Tribunal qui entend le juger ne s'incarne en aucun lieu digne de ce nom et ne prend place en aucun temps déterminé. Les officiers de justice trouvent refuge dans des greniers d'immeubles sordides, tandis que des bourreaux sévissent dans des placards à balais. Les heures d'audience ne sont jamais communiquées, ce qui n'empêche pas que l'on reproche un jour à K. son retard. Quant à la défense, lui explique son avocat, elle n'est pas encore expressément permise par la loi. De toute manière, les officiers de justice sont corrompus. Et il n'y a pas à proprement parler d'avocats reconnus par le tribunal. Ces derniers, sans réel pouvoir, en sont réduits à soudoyer des employés vénaux et à jouer de leurs relations avec les fonctionnaires et les juges.

L'acquittement réel, apprendra K. du peintre Titorelli, n'est jamais prononcé. Pour le tribunal, nul accusé n'est innocent. Au mieux peut-il aspirer à un « acquittement apparent », soit une forme d'absolution provisoire qui le condamnerait tôt ou tard à être accusé de nouveau et à devoir tout recommencer en vue de l'obtention d'un second acquittement, tout aussi apparent que le premier. La troisième et ultime forme d'acquittement est l'« atermoiement illimité ». Celui-ci « maintient indéfiniment le procès dans sa première phase » et les procédures, à l'état de « prolongation indéfinie »... Dans l'atermoiement illimité, la sentence n'arrive jamais.

L'accusé, indéfiniment mis en demeure, est perpétuellement mobilisé, suspendu, aux aguets. Il veille à son procès comme sur un ouvrage, au prix d'un effort permanent et « chronique ».

Avec le temps, K. se découvre sous l'emprise d'une loi inconnaissable, parfaitement arbitraire, et qui ne connaît en définitive que des coupables. Le simulacre de justice qui le prend pour cible se meut en machinerie redoutable, inexorablement engagée dans l'accomplissement de ses sombres desseins.

La procédure telle que dépeinte par Kafka n'a rien d'un temps réglé par la loi. Elle apparaît comme la condition d'incertitude extrême qui s'abat sur quiconque a le malheur d'avoir été accusé et qui, dans le même mouvement, se trouve indéfiniment condamné, perpétuellement châtié. Nul ne s'étonnera que Luis Borges ait vu dans le « délai infini » le leitmotiv de l'œuvre kafkaïenne.

Le génie de Kafka tient à cette intuition, ici poussée à l'absurde, que dans une existence ainsi livrée à la procédure, les avocats chargés de vous défendre, inévitablement, œuvrent à votre asservissement. Ainsi le négociant Bloch, en procès depuis cinq ans, finit-il par devenir complètement inféodé à son avocat, qui l'enferme à clé et le contraint à travailler à son dossier tel un forcené. Devenu ni plus ni moins que son esclave, Bloch s'expose quotidiennement aux plus avilissantes humiliations, allant même, sous le regard ahuri de K., jusqu'à ramper à ses pieds « comme un chien ». Comme le dit Bourdieu, chez Kafka, l'avocat est aussi inquiétant que le juge. Quant à K., il lui semble bien que sa propre affaire n'ait pas durant tous ces mois avancé d'un iota, malgré que l'avocat, inébranlable dans la conviction de sa propre importance, fût intarissable en matière de discours creux et de semonces condescendantes. Ne pouvant admettre qu'il se heurte dans son procès à des obstacles dressés par son propre défenseur, K. estime n'avoir d'autre choix que de se défaire de son avocat.

La caricature est certes impitoyable. Mais il est vrai qu'en marge de ces quelques rituels hautement formalisés et chargés de puissance que sont l'interrogatoire et l'audience, et qui placent le défendeur dans un rare vis-à-vis avec ses adversaires, l'avocat reste pour une large part celui par qui est médiatisé le procès. Ainsi, c'est par lui et à travers lui que se révèle et se manifeste le plus souvent la violence du droit. Il est l'instrument par lequel se trouve assurée la sujétion des justiciables au théâtre de la justice. « Tout se passe comme si le Tribunal transférait sur l'avocat l'entreprise de soumission de l'accusé », écrit le magistrat Denis Salas, commentant l'œuvre de Kafka[14].

Ainsi, tôt ou tard, vos propres avocats – dont il ne s'agit pas de mettre en cause la magnanimité et le dévouement – finissent par faire malgré eux le jeu des bourreaux. S'ils s'emportent par moment contre la partie adverse, menaçant de s'en référer à un juge ou faisant valoir leurs déplorables conditions d'exercice, ce sont eux qui en définitive vous astreignent à un travail harassant, interminable et, hélas, souvent vain. Tant et si bien qu'avec le temps, le justiciable en vient, non sans effroi, à considérer l'adversité comme étant le fait de son propre camp.

✦

Un jour, notre avocat avait décrété qu'il nous fallait colliger toute la documentation critique disponible dans la sphère publique sur les activités de nos détracteurs. Nous entrerions au tribunal, se voyait-il déjà, avec « des caisses et des caisses » de documents les mettant en cause. « Des caisses et des caisses », répétait-il, en montrant bien de ses bras tendus l'ampleur de l'opération. Nous étions fort impressionnés. Ne faisant ni une ni deux, nous nous étions sur le champ attelés à la tâche. Pendant des semaines entières, j'ai trimé d'arrache-pied à chercher, colliger, puis classer des myriades d'articles et de références en tout genre. Ceux que nous surnommions

---

14. Denis Salas, *Kafka. Le combat avec la loi*, Paris, Michalon, 2013, p. 58.

les « barrickologues » – un groupe de recherche universitaire entièrement dédié à la même besogne, depuis plusieurs années – nous avaient même mis sur la piste d'une abondante documentation hispanophone, latino-américaine pour l'essentiel. L'opération s'étendit sur quelques semaines, au terme desquelles nous avions dû en quelque sorte déclarer forfait. Des caisses et des caisses il y aurait, sans l'ombre d'un doute, mais il n'y avait assurément pas assez d'une vie de justiciable entière pour rassembler tout ce que cette multinationale avait pu s'attirer de griefs de par le monde. Or, entre-temps, l'avocat s'était lancé sur une autre piste. Son flair l'avait aiguillé vers de nouvelles stratégies, plus prometteuses encore. Jamais plus il ne fut question des caisses et des caisses…

Les avocats de Barrick avaient par ailleurs soutenu avoir en leur possession, en sus des innombrables pièces déjà déposées au dossier, « des boîtes, des boîtes, des boîtes, des boîtes, et des boîtes, et des boîtes » de pièces relatives aux activités de la minière, soit des « milliers de documents[15] » d'entreprise qu'ils voulaient bien autoriser notre avocat à consulter, à la condition que celui-ci se rende dans leurs bureaux de Toronto. Or nos moyens financiers ne nous permettaient pas d'assumer les coûts d'un tel voyage, qui eût bien exigé plusieurs jours pour notre avocat, à en croire l'ampleur alléguée de ladite documentation. Au terme de plusieurs mois d'avocasseries, ces boîtes allaient finir par se muter en 13 cartables de pièces, manifestement triées sur le volet, auxquelles nous aurions enfin accès au prix d'une entente de confidentialité très stricte et de conditions d'accès fort restreintes. Celles-ci stipulaient que les pièces ne pouvaient être consultées que dans le bureau de notre avocat. Pourtant, il apparut vite aux défendeurs que ces pièces avaient bien trait au litige[i*].

---

15. Ces déclarations de l'avocat de Barrick, faites dans le cadre des interrogatoires, ont été reproduites dans une requête ultérieure des défendeurs pour résiliation d'une entente de confidentialité.

* Les notes complémentaires en chiffres romains se trouvent à la p. 337.

A. eut un jour le malheur de suggérer, pour la forme, qu'il serait possible de réécrire *Noir Canada* à partir même des pièces en question. Je ne sais au terme de quelle surenchère du zèle notre avocat et lui se sont mis d'accord pour qu'il matérialise l'ouvrage. « Réécrire[16] » un livre en entier, aux fins de la défense, pour l'exclusive attention de la cour ! Pourquoi pas, puisqu'on y était ! Fallait-il que les juges ne sachent pas lire, ou n'en n'aient pas le loisir, après tout, pour que nous en soyons réduits à devoir nous-mêmes tout souligner en grosses lettres, rendant manifestes les liens qui s'imposent au lecteur averti dès lors qu'il s'en donne la peine ? Je ne sais plus combien de semaines, combien de mois A. et cette héroïque avocate qui l'assistait[17] ont dû consacrer à ce travail de brindezingue…

✦

Quiconque dispose des ressources nécessaires a le loisir de faire en sorte que soit éprouvé ce temps indéfini de la procédure. D'astreindre des vies, des corps, à la temporalité incertaine du procès. De ponctuer, rythmer, quadriller le temps de la vie ordinaire. Le

16. Le travail consistait à traiter méticuleusement chacun des nouveaux documents, de sorte à pouvoir les intégrer à l'appareil de notes déjà considérable de *Noir Canada* en spécifiant de quelle manière ceux-ci se trouvaient à recouper, à circonstancier, à éclairer ou à compléter les sources à la base de leur démonstration. L'ouvrage a été déposé au dossier dans le cadre de la requête pour déclaration d'abus et pour rejet de la poursuite de Barrick. Dans son jugement, la juge Beaugé a toutefois estimé qu'il n'était pas du rôle du Tribunal, à ce stade, de « départager le vrai du faux » ni même de déterminer si la réputation de Barrick se trouvait ternie, mais que sa tâche se limitait plutôt à déterminer si l'action de Barrick pouvait constituer un abus. À cela, elle a répondu par l'affirmative et ordonné l'octroi d'une provision pour frais : « Toutes ces circonstances particulières convainquent le Tribunal qu'il se trouve en présence d'une action en apparence abusive, notamment par son caractère disproportionné, qui sans justifier son rejet, rend bien fondé l'octroi d'une provision pour frais. » Comme il n'y eut jamais de procès sur le fond, le document ne fut jamais débattu devant une cour de justice.

17. Il s'agit de Me Stéphanie Claivaz-Loranger.

monopoliser tout entier de telle sorte que le temps de la justice ne se distingue plus de la vie privée.

À ce pouvoir d'imposer une cadence et d'orienter positivement les conduites dans le temps, se double fatalement celui de priver d'un temps autre : le temps arraché au temps de la vie par ailleurs, le temps de n'eût-été-des-poursuites. L'entreprise de colonisation du temps par la procédure judiciaire est d'abord une entreprise de captation, de confiscation, de séquestration. La procédure permet donc en définitive d'agir sur le temps à la fois positivement - en organisant, en orientant, en colonisant - et négativement - en arrachant, en privant, en confisquant.

Les victimes de procès abusifs ou indéfiniment distendus sont nombreuses à souligner les années qu'elles ont sacrifiées à la procédure et les stigmates laissés par cette hétérochronie, cette rupture d'avec le temps réel. Ces récits sont ennuyeux de redondance. Belles années envolées, économies dilapidées, collections de symptômes traumatiques et divorces nombreux. Il aura fallu surseoir à un projet d'enfants ou à une œuvre ; voir ses chances d'accéder à un poste s'amenuiser, des liens intimes se dissoudre et son corps se plier sous le poids d'affections devenues chroniques. Prises une à une, ces complaintes apparaissent comme autant de drames intimes ayant peu à voir avec la politique. Nous rechignions nous-mêmes, durant les années d'attention publique et médiatique que nous ont values les procès, à répondre aux questions tendanciellement victimisantes, ou misant sur le *pathos*, lesquelles nous semblaient jouer le jeu de la distraction par rapport aux enjeux politiques et éthiques soulevés dans *Noir Canada*.

Mais puisqu'il s'agit ici d'analyser la fonction répressive du dispositif judiciaire, alors il devient impératif de compter ce double pouvoir de colonisation et de privation d'un temps significatif d'existence au nombre des questions radicalement politiques. Peut-être au fond s'agit-il du cœur même de la logique répressive du pouvoir ou, à tout le moins, de l'un de ses rouages structurants.

Celui d'orienter ou plutôt de désorienter des existences, de les infléchir durablement, de plier les corps, de déconcerter les aspirations et de torpiller des possibles. Soumettre des vies à l'emprise arbitraire de la procédure en faisant jouer tout un agencement de rouages, de mécanismes disparates d'ordonnancement du temps, avec la cohérence d'une tactique.

Aussi est-il toujours profondément déconcertant d'entendre les responsables politiques et les représentants de la justice s'inquiéter de ce que les délais « minent la confiance du public dans l'administration de la justice », réussissant par là le véritable tour de passe-passe discursif consistant à ériger la justice elle-même en victime de ses propres turpitudes. Peut-être le temps est-il venu de nous inquiéter de ce que l'atermoiement indéfini de la procédure judiciaire mine des existences, des aspirations, des volontés et des puissances.

Alors que j'intervenais publiquement un jour sur ces questions au sein d'un grand établissement européen d'enseignement supérieur et de recherche, un sociologue m'avait signalé que l'on ne *pouvait pas* critiquer la procédure judiciaire pour les souffrances qu'elle inflige *nécessairement* aux justiciables, car cela reviendrait à critiquer le *système* dans ses *fondements*. Or pareille affirmation m'était apparue foncièrement antisociologique. Car face aux formes de domination considérées comme inévitables, à la violence tenue pour allant de soi, le rôle de la pensée critique est précisément de problématiser ce qui se présente sous les traits de l'évidence et de la nécessité et qui se donne pour fondement d'un système.

CHAPITRE 4
Un scandale sociologique

Le système judiciaire est devenu un club privé.
– Pierre Noreau, politologue et juriste

Il est un scandale sociologique qu'il n'est pas superflu de rappeler dans sa vérité toute crue: la majorité des gens n'ont pas *accès à la justice.* La chose a été répétée à l'envi. Elle a acquis un tel caractère d'évidence qu'elle fait plus ou moins figure de marotte et appartient désormais au registre phatique. Toute scandaleuse soit-elle, cette injustice fondamentale semble avoir été vidée de son potentiel d'indignation.

Des discours d'assermentation du Conseil des ministres aux discours d'ouverture de session de l'Assemblée nationale, en passant par les allocutions de la Procureure générale du Québec et les grandes orientations du ministère de la Justice: il n'est pas une seule occasion pour les officiels et les politiques pour ne réitérer leur indéfectible engagement en faveur d'un « meilleur accès à la justice ». Les travaux, rapports, comités, enquêtes et colloques se suivent et se ressemblent; un flot de professions de foi tièdes destinées à masquer l'indifférence générale à l'égard dudit scandale.

La tentation est grande de parodier l'avocat numéro un de nos adversaires[1]: tout le monde est pour l'accès à la justice ! En fait, le

1. Lequel avait déclaré, durant les interrogatoires : « Tout le monde est pour la démocratie. »

concept suscite une adhésion si large et fait l'objet d'un consensus si marqué qu'on en vient à le suspecter de ne plus rien vouloir dire et de n'être destiné qu'à endormir les consciences. Car le système de justice dont nous disposons au Québec et au Canada demeure encore très largement inaccessible pour le contribuable moyen. Tant et si bien qu'en dépit de sa qualité de service public de l'État, dont le financement, faut-il le rappeler, est assuré par nos impôts, force est de constater qu'il n'y a que les riches qui aient aujourd'hui véritablement « accès à la justice ».

Dans ce contexte, il est affligeant de voir les sciences sociales enrôlées dans le jeu conciliant de l'expertise et de l'itération empirique, celles-ci n'offrant le plus souvent pour tout horizon de possibilité de réformes que des mesures palliatives sans grande portée déstabilisatrice ou critique par rapport à l'ordre existant.

Il faut dire que ce premier scandale en cache un autre, celui-là moins commode, et que l'on s'avise bien de tenir dans l'ombre : celui de l'asservissement de l'institution judiciaire aux logiques de l'argent et du marché.

Il est une notion empruntée au champ économique, naturalisée au point d'être devenue une véritable clé de voûte de la procédure judiciaire et d'apparaître désormais incontestable, soit celle de *client*. Or cette notion n'est pas neutre. Le « client », celui au nom duquel un avocat parle et à qui il donne, moyennant de l'argent, accès à une gamme de services juridiques, n'est pas un citoyen. Il est, en fonction de ses capitaux, un ayant-droit plus ou moins privilégié. Suivant les règles qui prévalent dans notre système de droit civil, les juges ne se saisissent que des problèmes qui leur sont soumis ; or, il faut déjà disposer de ressources financières considérables pour soumettre un problème à la justice. Et puisque l'argent intervient de manière déterminante à toutes les étapes de la procédure, le client fortuné a tout le loisir de faire jouer en sa faveur les rouages de la machinerie judiciaire. Les pleines formes de la justice s'obtiennent donc comme n'importe quel produit au sein d'une société capitaliste : elles s'achètent avec de l'argent, pour qui est en mesure de jouer au client.

Un discours marchand traverse d'ailleurs de manière décomplexée jusqu'aux rapports que produit le Barreau du Québec. Les avocats de pratique privée y sont réduits à des « marchands de droits », insérés dans un « marché concurrentiel des services juridiques », lesquels services sont assimilés à des « produits ».

Pour un grand nombre d'acteurs du monde juridique, le fait qu'une large part des citoyens n'aient pas accès à la justice renvoie à une simple contrainte d'ordre pragmatique à intégrer dans un paradigme d'efficience et de rationalisation économique. Les justiciables moins fortunés seront même encouragés, quelle que soit la balance des droits formels, à plier l'échine en se rabattant vers des modes privés de règlement des différends et à ne pas courir le risque du procès tant les coûts que suppose le fait de se défendre en justice sont prohibitifs. De quoi « expulser dans les marges des solutions officieuses[2] » les justiciables de second ordre, plus vulnérables économiquement.

Tout au long de la procédure judiciaire, est continuellement opéré ce partage, cette ratification d'un traitement différentiel entre différentes classes de justiciables, jusque dans la possibilité même de mobiliser la procédure. On vous fait vite comprendre, par exemple, que vous n'avez pas les « moyens » de vous objecter durant les interrogatoires, les questions vous fussent-elles criées par la tête. La possibilité de faire appel est également soupesée au regard de critères monétaires.

Que la justice se présente comme étant à géométrie variable est si intériorisé par les professionnel.le.s du droit que l'on exclura d'emblée de vous informer de l'existence de certains leviers procé-

2. Lucie Lamarche, « Les enjeux de l'accès à la justice à l'heure de la philanthropie, de l'*empowerment* et de l'austérité : illusions et confusion », *Nouveaux Cahiers du socialisme*, vol. 16, automne 2016.

duraux – des droits, en l'occurrence – que vous découvrez souvent trop tard, presque fortuitement, ou à la faveur de leur mobilisation avisée par la partie adverse.

Ce traitement différentiel découle évidemment d'une disparité de moyens financiers, mais il se voit institué et réinstitué inlassablement en fonction d'un ensemble de lignes de partage beaucoup plus insidieuses, liées à des formes de capital – juridique, social, culturel – qui, bien qu'indubitablement liées au capital économique, ont aussi plus largement à voir avec des visions du monde communes, des intérêts de classe et des affinités de trajectoires entre les parties plus fortunées et les professionnel.le.s du droit.

En somme, le dispositif judiciaire, dont on aurait été en droit d'espérer qu'il tende à atténuer les déséquilibres entre les parties, introduit au contraire, voire exacerbe entre les justiciables des dissymétries insurmontables. L'assujettissement de la procédure judiciaire aux logiques de l'argent est tel qu'il ratifie et reconduit une justice de classe dont les tribunaux s'emploient à nier l'existence.

L'affaire qui a opposé les multinationales Barrick Gold et Banro Corporation aux auteur.e.s et éditrices de *Noir Canada* est à cet égard un triste cas d'école. En 2008, le revenu annuel moyen des trois auteur.e.s était alors d'environ 18 000 $, avec un revenu inférieur au seuil de faible revenu pour deux d'entre eux. La petite maison d'édition indépendante, dont le modèle d'affaires et la survie dépendent classiquement des subventions gouvernementales à l'édition, affichait quant à elle un chiffre d'affaires de 200 000 $. À titre de comparatif, le chiffre annuel de Barrick Gold s'élevait pour la même année à 7,613 milliards de dollars. Quant à Banro Corporation, de taille beaucoup plus modeste, elle appartenait alors à la catégorie des *juniors*, soit des sociétés qui ne se livrent généralement qu'à l'exploration minière et qui tirent leurs profits de la spéculation boursière. En 2008, la valeur de ses gisements miniers était estimée, selon son rapport financier, à 105 millions de dollars[3].

La Cour supérieure ontarienne ne devait pas se laisser émouvoir par un manque aussi flagrant de ressources de la part des défendeurs, y compris dans un contexte d'iniquité aussi contraire aux idéaux élémentaires de justice. Rejetant leur requête en *forum non conveniens* visant à rapatrier la poursuite au Québec, elle s'exprimait comme suit :

> Bien que la demanderesse puisse avoir plus de ressources financières que les défendeurs, la preuve des défendeurs ne me convainc pas que les défendeurs ne peuvent pas se permettre de retenir les services d'un avocat ou d'aller en Ontario. M. Sacher s'est rendu à Toronto pour parler de *Noir Canada*. Il est significatif de noter que M. Deneault était présent en cour durant les deux jours de l'audition de cette requête et que son interrogatoire hors cour avant l'audience a eu lieu en Ontario. Je note également que les défendeurs étaient représentés par Me McCaffrey et Me Amos, venus d'Ottawa pour les deux jours de l'audition de cette requête[4]. (ma traduction)

Au motif que les défendeurs avaient pu se payer un billet d'autobus vers Ottawa ou Toronto et qu'ils avaient bénéficié, dans le contexte précis d'une procédure visant à rapatrier la poursuite au

3. Ces *juniors* ont notamment pour particularité d'opérer dans des secteurs à risques et des zones de conflit. Lorsqu'une junior découvre un gisement rentable, elle finit le plus souvent par le vendre à une *major*, au terme d'une juteuse opération boursière. Les *majors* mettent ainsi la main sur des gisements prêts à être exploités, tout en faisant l'économie de la mauvaise publicité que génèrent les activités d'exploration.

4. *Banro Corporation* v. *Éditions Écosociété Inc.*, 2009 CanLII 18670 (ON SC). « [37] While the plaintiff may have more financial resources than the defendants, the defendants' evidence does not satisfy me that the defendants cannot afford to retain counsel or to attend in Ontario. Mr. Sacher attended in Toronto to speak about *Noir Canada*. It is significant to note that Mr. Deneault was present in court during both days of the hearing of this motion and that his cross-examination prior to the hearing took place in Ontario. I also note that the defendants were represented by both Ms. McCaffrey and Mr. Amos who attended from Ottawa on both days of the hearing of this motion. »

Québec, du soutien circonstancié d'une clinique de services juridiques se portant à la défense de causes d'intérêt public[5], la Cour supérieure ontarienne déduisait sans rire que les trois auteur.e.s disposaient des ressources nécessaires pour assumer les coûts que supposait de mener de front sur plusieurs mois un second procès dans la province voisine.

Or le sens commun, n'en déplaise à la Cour, eût plutôt commandé de considérer que les frais exorbitants qu'implique aujourd'hui le fait de se défendre en justice, sans même compter les 11 millions de dollars réclamés par les deux géantes de l'or à titre de dommages et intérêts (plus de 55 fois le chiffre d'affaires d'Écosociété), étaient de nature à acculer les uns et les autres à la faillite[ii].

Un tel scénario du pire a pu être évité pour trois raisons. D'abord, par la mise sur pied d'une vaste campagne de soutien populaire, visant notamment à constituer un fonds de défense, à laquelle ont participé des milliers de citoyen.ne.s ainsi que de nombreuses organisations de la société civile ayant à cœur le débat public. Ensuite, grâce aux généreuses dispositions d'avocat.e.s[6] ayant consacré quantité innombrable d'heures *pro bono* au dossier. Enfin, suivant le recours aussi inespéré qu'inattendu d'un assureur qui, à partir de la seconde année de procédures, devait prendre le relais pour assurer la défense d'Écosociété[7], tandis que les auteur.e.s, eux, ne devraient compter que sur des soutiens bénévoles et sur le fonds de défense d'Écosociété jusqu'à la fin.

---

5. Cette clinique est la Clinique de droit environnemental Ottawa-Ecojustice.

6. Parmi lesquels, en particulier, Me Normand Tamaro, Me Stéphanie Claivaz-Loranger, Me Linda McCaffrey, Me William Amos, la Clinique de droit environnemental Ecojustice, Me Marie Pepin, Me William McDowell, Me Richard Dufour et Me Annie Breault.

7. Moment à partir duquel les Éditions Écosociété ont été représentées par le cabinet d'avocats Langlois Kronström Desjardins (aujourd'hui Langlois avocats, S.E.N.C.R.L) et confiées aux bons soins, en particulier, de Me Yan Paquette et Me Andrée Chamberland.

Trois leviers dont il faut bien souligner qu'ils reposent sur des dispositions philanthropiques ou contractuelles privées et, par définition, incertaines, venant pallier le désengagement de l'État en matière d'« accès à la justice ».

En juin 2011, à l'aube d'un procès au Québec qui devait durer 40 jours et mobiliser pas moins de 11 témoins experts, les avocats des auteur.e.s estimaient toujours le manque à gagner pour assumer les différents coûts liés au procès à environ 250 000 $. Les défendeurs s'adressaient alors à la Cour, dans le cadre d'une requête en déclaration d'abus, pour obtenir le rejet de la poursuite de Barrick Gold, sur la base des nouvelles dispositions du Code de procédure civile, dites *pour prévenir l'utilisation abusive des tribunaux et favoriser le respect de la liberté d'expression et la participation des citoyens aux débats publics*[8]. Dans un jugement très attendu, la Cour décidait de maintenir le droit de Barrick à un procès, tout en sanctionnant son « apparence d'abus procédural ». Elle octroyait alors aux auteur.e.s une provision pour frais dont elle estima « raisonnable » qu'elle corresponde seulement à la moitié des honoraires réclamés. Si la demi-mesure est souvent l'instrument par excellence du conservatisme social, ce jugement mi-figue mi-raisin doit aussi être lu dans ce contexte comme une exhortation aux parties à la résolution hors cour du litige, une issue qualifiée de « souhaitable[9] ».

Justice caritative

La situation d'Écosociété n'est hélas pas une exception.

Ce qu'il en coûte aujourd'hui pour se défendre en justice est de nature à fragiliser économiquement, voire à acculer à la faillite,

---

8. La *Loi modifiant le Code de procédure civile pour prévenir l'utilisation abusive des tribunaux et favoriser le respect de la liberté d'expression et la participation des citoyens aux débats publics* a été adoptée en juin 2009, à la suite d'une vaste mobilisation populaire au Québec pour réclamer une « loi anti-SLAPP ».

9. *Barrick Gold Corporation* c. *Éditions Écosociété inc.*, 2011 QCCS 4232 (CanLII).

citoyens, organisations et collectivités. Dans ce contexte, la condamnation devient presque accessoire à l'efficacité du dispositif de répression. Les frais qu'il faut engager dans la procédure judiciaire représentent en eux-mêmes des dommages punitifs préalables, exerçant un double rôle de punition et de dissuasion de la participation démocratique, en amont de tout jugement de cour.

Or, pendant ce temps, des parties fortunées ont tout le loisir de mobiliser la procédure dans une guerre d'usure, moins pour faire valoir leurs droits que pour mieux nier ceux d'autrui.

Lorsque Christine Landry et Serge Galipeau, tous deux porte-parole d'un comité local de citoyens, ont dénoncé en 2006 l'émanation de gaz nocifs provenant d'un site d'enfouissement de leur municipalité, ils se sont vu asséner par les propriétaires du site une poursuite-bâillon de 1,25 million de dollars. En plus des quelque 4 300 heures de travail non rémunérées qu'il estime avoir consacrées à son dossier, le couple a dû réhypothéquer sa maison pour couvrir les frais engendrés par la défense[10].

Après avoir obtenu de la Cour supérieure la suspension temporaire des travaux de construction d'une usine de déchiquetage de carcasses d'automobiles pour des raisons environnementales, l'Association québécoise de lutte contre la pollution atmosphérique (AQLPA) et le Comité de restauration de la rivière Etchemin (CRRE) se sont vu intenter en 2005 une poursuite de 5 millions de dollars par le promoteur, la société American Iron & Metal. Abandonnée par son assureur en pleine tourmente, l'AQLPA a dû compter sur la marge d'emprunt personnelle de son président, André Bélisle, ainsi que sur une vaste campagne de mobilisation

10. Quatre années après le début des procédures, un juge de la Cour supérieure rejetait la poursuite sur la base des nouvelles dispositions de la loi 9 contre les poursuites abusives. Voir Alexandre Shields, « Poursuites-bâillons. Un juge donne raison à deux citoyens », *Le Devoir*, 5 août 2010.

citoyenne (*Citoyens, taisez-vous!*), afin d'assurer sa survie et sa défense[11].

À l'instar d'Écosociété, Greenpeace Canada a elle aussi sollicité des dons lorsque Résolu, la plus grande compagnie forestière du Canada, lui a réclamé 7 millions de dollars en diffamation en Ontario, à la suite d'une campagne sur les pratiques d'exploitation forestière non durables de l'entreprise dans la forêt boréale. Dans un acharnement qui a pris des allures de vendetta judiciaire, la forestière a d'abord cherché à étendre la portée de sa poursuite au Canada[12], avant de dédoubler les procédures en traînant cette fois Greenpeace International et Greenpeace USA devant les tribunaux américains pour 300 millions de dollars. Au début de l'année 2018, l'ONG n'était pas toujours pas, c'est le cas de le dire, sortie du bois. Car si la cour californienne a rejeté la poursuite intentée par le géant forestier, les procédures étaient toujours pendantes devant la cour ontarienne.

Il en va jusqu'aux municipalités qui sont réduites à devoir faire appel au soutien et à la générosité de la population pour échapper à la faillite et financer leurs onéreux frais de défense. Ce fut le cas de Ristigouche-Sud-Est, poursuivie pour 1,5 million (cinq fois son revenu annuel) par la pétrolière Gastem à la suite de l'adoption en 2013 d'un règlement interdisant les travaux d'exploration à proximité de ses sources d'eau potable. Un règlement que la pétrolière a jugé « déraisonnable ». À l'aube du procès, la municipalité, qui avait reçu des dons totalisant plus de 250 000 $, estimait toujours le manque à gagner pour couvrir les frais liés à sa défense à plusieurs dizaines de milliers de dollars. Alors que la poursuite de Gastem était déboutée en première instance, en mars 2018, c'était au tour

11. Normand Landry, *SLAPP. Bâillonnement et répression judiciaire du discours politique*, Montréal, Écosociété, 2012, p. 130-134.

12. La Cour d'appel de l'Ontario a rejeté la requête de la forestière, s'opposant à ce que le procès ne soit transformé en « enquête sur l'ensemble du mouvement Greenpeace ».

de Grenville-sur-la-Rouge d'être poursuivie par la minière Canada Carbon pour avoir fait barrage à son projet de mine à ciel ouvert. Le montant de la réclamation ? Quatre-vingt-seize millions de dollars, soit l'équivalent des « profits » escomptés par la minière si le projet devait se réaliser. Il fut sans doute d'un grand réconfort pour les quelque 3 000 citoyen.ne.s de cette petite municipalité des Laurentides d'entendre la minière dire vouloir avant tout « rétablir le dialogue ». Nous en sommes là. Pétrolières et minières risquent aujourd'hui de mettre des villes en faillite pour avoir subordonné le droit privé de faire des profits à celui de protéger leur eau potable et leur territoire[13].

Les appels à la solidarité et la prolifération des fonds de défense juridique constitués dans l'urgence font désormais partie du paysage politique de la gauche. Ils s'inscrivent dans tout un *continuum* de pratiques caritatives et philanthropiques qui, en marge du système officiel de justice, sont bien souvent les seuls recours dont peuvent espérer disposer les justiciables moins bien nantis.

Cette « justice caritative » est au fond bien commode, dans le contexte d'une reconfiguration néolibérale du rôle de l'État et de son désengagement majeur dans le financement des services publics. Elle contribue à sauver les apparences, en offrant un dehors de légitimité et de respectabilité à un système proprement oligarchique. Surtout, elle brouille l'intelligence commune quant aux missions propres de l'institution judiciaire comme service public, en faisant apparaître la privatisation et la sous-traitance des services juridiques comme une solution de rechange acceptable, voire inévitable, et en faisant bon marché du projet de justice sociale et économique qui devrait être à son fondement.

En 2015, l'entreprise d'économie sociale Juripop avait annoncé en grande pompe la mise sur pied d'une clinique juridique temporaire

13. Alexandre Shields, « Canada Carbon veut rétablir le dialogue avec les citoyens de Grenville-sur-la-Rouge », *Le Devoir*, 14 mars 2018.

destinée à offrir de courtes séances de consultation juridique gratuite à la station de métro Berri-UQAM. Qualifiée de « franc succès » par l'organisation, l'initiative, réitérée en 2016, aurait permis à environ 900 personnes de rencontrer un avocat ou un notaire pendant 10 à 15 minutes.

Il fallait voir la scène. Des bureaux de fortune avaient été aménagés, derrière des rideaux noirs, dans le corridor souterrain menant aux tourniquets du métro. Des dizaines de personnes s'entassaient là, en file, en plein mois de février, debout avec leur manteau d'hiver sur le dos. Des gens pour la plupart sous le seuil de la pauvreté, ou appartenant à la classe moyenne inférieure, faisant la queue dans certains cas pendant trois heures avant de voir un avocat, tandis que d'autres allaient hélas attendre en vain. Le tout avait des airs de soupe populaire et laissait entrevoir dans sa vérité toute crue la réalité des inégalités sociales et la détresse à laquelle notre système judiciaire condamne encore trop de gens.

Le choix du métro avait été justifié par le désir de « rapprocher le droit du citoyen ». Mais lorsque l'on songe que les grandes firmes d'avocats acquièrent du prestige à se hisser, dans une course vers le ciel, au sommet des plus imposants et luxueux gratte-ciels dominant les métropoles, cette justice des bas-fonds, littéralement enfouie sous terre, renvoie malgré elle à une symbolique de la verticalité spatiale comme expression de la domination sociale, digne de la célèbre dystopie urbaine de Fritz Lang, *Metropolis*.

Le caractère charitable de l'opération n'est pas ici remis en cause. Mais la charité n'est pas la justice, pas plus qu'elle ne saurait être garante de la démocratie. Entendre l'un des fondateurs de Juripop parler de l'initiative en terme de « démocratisation » de la justice n'a rien d'édifiant.

De telles initiatives laissent tout au contraire entrevoir le vaste mouvement de « dé-démocratisation » qui affecte la Justice. Elles ne sont rendues possibles qu'au sein d'un système qui a réduit le droit à l'assistance d'un avocat et l'accès aux tribunaux à des marchandises de luxe, auxquelles un « client » n'accède pleinement qu'à condition de pouvoir y mettre le prix.

Quant aux autres, aux subalternes de l'ordre social, aux justiciables de second rang, aux dominé.e.s, ils se voient condamnés par l'État à recourir à la charité et à subir la violence du droit des riches.

« Accès à la justice » : une notion pervertie

La notion d'« accès à la justice » est aujourd'hui à ce point pervertie qu'il y a lieu de craindre qu'elle ne participe du problème plus que de la solution.

Cadenassée sémantiquement, elle en vient à n'être plus comprise qu'à l'aune de la rationalité managériale qui parasite l'ensemble des débats entourant le devenir de l'institution judiciaire. Vidée de ses fondamentaux, elle apparaît engluée sous les impératifs catégoriques d'« efficience », d'« efficacité » et de « performance » auxquels se voit désormais soumis l'ensemble de la fonction publique. Des tournures syntaxiques qui s'imposent comme autant d'évidences et qui prolifèrent avec un naturel déconcertant jusque dans la littérature la mieux intentionnée.

Le sociologue Geoffroy Lagasnerie montre, en prenant appui sur Foucault, comment certains énoncés et travaux prétendument critiques sont en fait, à l'insu de leurs auteurs, complices de l'institution et de l'ordre social qu'ils prétendent dénoncer[14]. Ceux-ci fonctionnent à l'intérieur d'un système de pouvoir et contribuent à sa reproduction, en cela qu'ils se trouvent à ratifier sa rationalité propre plutôt qu'à la mettre en cause. C'est malheureusement le cas aujourd'hui de la plupart des discours sur l'accès à la justice, qui indépendamment de la bonne foi de leurs auteurs, se déploient à l'intérieur de l'idéologie qu'il s'agirait plutôt de déconstruire.

14. Geoffroy Lagasnerie, *Penser dans un monde mauvais*, Paris, PUF, 2017.

Dans un contexte de crise de légitimité du service public et d'austérité budgétaire, la notion « d'accès à la justice » sert d'alibi pour accentuer le mouvement de « modernisation » et de privatisation du droit, qui entend faire de la voie judiciaire une solution d'ultime recours, en repoussant les justiciables ordinaires vers une justice privée[15], jugée plus « flexible », « efficace » et « abordable ». Le règlement hors cour devient dès lors la véritable clé de voûte de cette justice à deux vitesses, laquelle décourage les justiciables ordinaires de se rendre jusqu'au procès, pour épargner temps et argent. « Répéter que ça coûte cher des procès », conseille le juge Paul Vézina dans le cadre d'une formation destinée aux jeunes avocates et avocats, tombé.e.s très tôt dans la marmite du droit néolibéral.

Ce à quoi nous assistons est donc une nouvelle étape de la *disciplinarisation* des justiciables. Cet épouvantail de la « crise » de la justice, que l'on brandit sans cesse, et dont il ne fait nul doute qu'elle est réelle, est nécessaire à la réalisation de ce plan d'orthopédie sociale. Elle fait partie des tactiques permettant de justifier et de légitimer les réformes qui vont dans le sens d'un renforcement des politiques néolibérales et de la privatisation de l'État.

Au cœur des réformes menées au nom de « l'accès à la justice », se trouve donc la volonté de détourner les justiciables ordinaires des tribunaux et de la justice officielle. Une pareille inversion de sens est digne de la « double-pensée » orwellienne. Un terme en vient à désigner son exact contraire, mais le déni de ce renversement est incarné avec une telle conviction qu'il emporte l'adhésion

15. La dernière réforme du Code de procédure civile prévoit l'obligation de considérer le recours aux modes alternatifs de règlement des différends (médiation, arbitrage, règlement). Cette « nouvelle culture judiciaire » passe aussi par l'offre d'un « *continuum* souple de services juridiques » : centres de justice de proximité (fruits d'un partenariat public-privé), cliniques juridiques, représentation *pro bono*, sites web d'information juridique, développement de l'assurance juridique privée, etc.

enthousiaste, tout en neutralisant la faculté de penser. La paix, c'est la guerre ; la liberté, c'est l'esclavage ; l'ignorance, c'est la force ; l'accès à la justice, c'est renoncer à y accéder.

Le concept d'« accès à la justice » fait écran précisément sur ce qu'il a la prétention de dévoiler. Il oblitère et rend impraticable la critique dont il se targue pourtant implicitement d'être le signifiant. En cela, il appartient au registre du simulacre et représente à ce stade une forme de nuisance.

L'histoire des idées ne nous a pourtant pas laissés à ce point conceptuellement désarmé.e.s. Pourquoi ne pas plutôt parler d'une justice de classe, s'il s'agit de se référer, comme on le fait au Québec depuis au moins 2004, à un système « injuste, qui favorise les bien nantis, tout en décourageant les demandes qui sont dans l'intérêt public[16] » ?

Le système judiciaire est devenu une marchandise de « luxe[17] », un « club privé[18] », une police d'assurance pour les forces de l'oligarchie pour faire valoir en dernière instance leurs intérêts.

La vaste majorité des dossiers présentés devant les cours civiles du Québec mettent en cause des personnes morales. Les particuliers en sont pour ainsi dire exclus. Ceux qui se trouvent malgré tout devant les tribunaux sont aujourd'hui encouragés à opter pour des solutions privées, pour mieux « désengorger le système ». Et si une affaire doit opposer une société commerciale à un particulier, la première voit ses dépenses judiciaires déduites de ses impôts, tandis que le citoyen ordinaire puise à même ses revenus personnels, dont la partie imposée sert par ailleurs à financer le système.

---

16. Il s'agissait de quelques-unes des principales conclusions du rapport du Comité *ad hoc* sur les frais du Barreau de Montréal, rendu public en 2004.

17. De l'aveu même de l'ancien juge en chef de la Cour supérieure du Québec, François Rolland. Voir Christiane Desjardins, « Système de justice du Québec : le bilan du juge en chef de la Cour supérieure », *La Presse*, 1er juin 2015.

18. Pierre Noreau, « Accès à la justice et démocratie en panne : constats, analyses et projections », dans Pierre Noreau (dir.), *Révolutionner la justice. Constats, mutations et perspectives*, Montréal, Thémis, 2010, p. 13-43.

Il paye donc deux fois. Autrement dit, l'État prélève des impôts pour financer une Justice qui n'est accessible qu'aux riches et qui leur permet à terme de défendre leurs intérêts. L'État est donc complice des riches.

Nous sommes entrés dans une nouvelle ère de l'État de droit oligarchique. Cet état de fait n'est pas de nature à nous amener à conclure à un simple « dysfonctionnement » qui appellerait son lot de réformes palliatives. Parce qu'elle est assujettie à l'argent, parce qu'elle est corrompue par une logique marchande au point que les droits sont assimilés à des biens économiques et valorisés sur le marché au prix qu'un client est prêt à payer pour les acquérir, cette institution, qui se réclame du nom de Justice, se trouve pervertie en son cœur.

Dans ce contexte, nous ne saurions accueillir qu'avec la plus grande circonspection le *credo* de la nécessité de « rétablir la confiance du citoyen » en notre système de justice. Dans la mesure où le vaste mouvement de subordination des institutions et des subjectivités à la raison oligarchique traverse le droit, passe par lui et prend appui sur lui, notre défiance est au contraire la condition préalable à tout effort de « déprise » des fictions du *juridisme* ainsi qu'à la juste compréhension du rôle de l'institution judiciaire dans l'organisation de rapports inégalitaires.

CHAPITRE 5

Le hors cour, cet impensé (I) : l'interrogatoire hors cour

C'est oui ou c'est non ?

Vous n'avez pas répondu.

Non. J'ai posé une question. Si vous voulez, je peux reposer la question. Voulez-vous que je repose la question ?

C'est ma question. Et s'il le faut, je vais la répéter une fois, dix fois, cent fois, mille fois.

O.K., donc vous êtes d'accord avec moi finalement ? Ce ne serait pas la fin du monde, vous savez. Vous êtes d'accord avec moi ?

Donc la réponse est oui ?

Est-ce que c'est un refus de répondre ? Parce que, si oui, il y aura des conséquences.

C'est un refus de répondre ?

Non, il n'a pas répondu, il a donné des explications. Il y a peut-être une explication, mais moi je voudrais qu'on commence par entendre une réponse. Je n'ai pas besoin d'un exposé philosophique. Je veux juste une réponse simple à une question simple.

Non, non, non, il n'a pas répondu.

Est-ce que vous vous objectez à la question ? Est-ce que vous vous objectez à la question, parce que sinon, il doit répondre.

Non. Je vais répéter la question. Et si je dois la répéter mille fois, je vais le faire.

– Réminiscences d'interrogatoires

Le « hors cour », loin d'être un régime d'exception au sein du procès civil, apparaît plutôt comme le paradigme constitutif de la procédure judiciaire. Pour le profane, nourri depuis l'enfance aux représentations littéraires et cinématographiques du procès-audience hautement ritualisé et chargé de puissance, cet état de fait a de quoi surprendre. La machinerie dans laquelle il se voit malgré lui entraîné déploie ses rouages essentiellement hors les murs du tribunal. Dans ce simulacre de procès, le juge est absent et réduit au rang de référent symbolique. Quant à la loi qu'il découvre, elle « est toujours dans le bureau d'à côté, ou derrière la porte, à l'infini[1]... » Ni tout à fait public, ni tout à fait privé, ni tout à fait officiel, ni tout à fait officieux, le « hors cour », dont l'ambiguïté de statut est opportunément entretenue, sert d'enveloppe à tout un *continuum* de mécanismes disciplinaires qui se déploient dans les mailles et les failles du droit. La procédure judiciaire « hors cour » opère en coulisses, à l'ombre de la loi.

En droit civil privé, ce sont les parties qui introduisent et conduisent l'instance. La coutume veut qu'elles disposent d'une grande liberté procédurale. Il est d'usage d'entendre et de lire que le procès civil est « l'affaire des parties ». Une joute privée entre acteurs privés cherchant à l'emporter quant à des intérêts concurrents, dans laquelle « la très forte majorité [des] règles sont seulement facultatives ou supplétives de volonté », pouvait-on lire dans une version antérieure du Code civil du Québec[2]. Le rôle du juge, dit-on communément, est de veiller « au bon déroulement de l'instance ». Cette vision fictionnalisée du procès fait évidemment

1. Si la loi reste inconnaissable, commentent Deleuze et Guattari à propos du *Procès* de Kafka, « ce n'est pas parce qu'elle est retirée dans sa transcendance, mais simplement parce qu'elle est dénuée de toute intériorité : elle est toujours dans le bureau d'à côté, ou derrière la porte, à l'infini... ». Dans Gilles Deleuze et Félix Guattari, *Kafka*, *op. cit.*, p. 82.

2. Jean-Louis Baudouin (dir.), *Code civil du Québec*, Montréal, Wilson & Lafleur, 2002-2003, p. XIV.

l'impasse sur les rapports de force et de domination ainsi que sur l'inégale distribution du capital économique et juridique entre les acteurs du procès.

Car en ratifiant le dépôt par une multinationale toute-puissante d'une requête introductive d'instance, le tribunal place le défendeur « ordinaire » dans un vis-à-vis dissymétrique dans le cadre duquel, des mois durant, il n'apparaît plus comme tiers. C'est bien là tout le paradoxe du « hors cour ». Au moment même où l'État inscrit de force le justiciable sous son autorité, il se dérobe et l'abandonne aux mains d'une tierce puissance. Celui-ci aura tôt fait de se découvrir livré, sans médiation quelconque et avec la bénédiction de l'État, entre les griffes d'une entité privée. Cette dernière aura alors tout le loisir de quadriller jusqu'à vriller ses nerfs un espace que les lois laissent vide. C'est la chambre noire du procès, dont l'interrogatoire hors cour pourrait bien être l'une des manifestations les plus perverties et les plus sujettes à l'arbitraire du pouvoir.

✦

Au 26e étage de la Tour McGill – un gratte-ciel couronné d'une pyramide dominant le centre-ville de Montréal – il n'y a pas le moindre signe ou emblème qui puisse rappeler l'État. C'est que nos manques de moyens et le peu de ressources du palais de justice nous contraignent à subir les « interrogatoires hors cour » ici même, dans les bureaux du cabinet d'avocats de la partie adverse. Dans le grand hall, où l'attente se fait pesante, le décor est chic et froid. Les murs sont ornés ici et là d'œuvres d'art. Au centre, une cage de verre abrite l'escalier reliant les cinq niveaux qu'occupe le cabinet. Sur la façade avant, une imposante baie vitrée offre une vue imprenable sur la ville. Cette ville qu'il me semble bien ne plus reconnaître tant nous nous trouvons dans un ailleurs radical. C'est ici que s'entame un huis clos oppressant qui durera 20 jours.

L'épreuve est inquisitoriale.

Le livre, présenté sous ses angles les plus défavorables, est vidé de ses fondamentaux tant il est disséqué et mis en pièces. Chacune de ses composantes est isolée, détachée, atomisée jusqu'à altérer inéluctablement les liens logiques qui les unissent et qui nouent l'essentiel de ce qui se donne à lire. Les questions sont tendancieuses, fondées sur un certain nombre de partis pris et de fausses prémisses, tenus pour indiscutables, tant et si bien que toute réponse suppose un effort considérable de déconstruction pour démonter tous ces présupposés, en pointer les contresens et ne pas se laisser enfermer dans les termes de l'adversaire. Le tout requiert une vigilance héroïque.

Tout ce qui excède le champ de la réponse attendue est assimilé à un refus de répondre. « C'est oui ou c'est non », hurlent par moments les avocats de la partie en face. Les nuances que s'efforcent inlassablement de faire valoir les auteur.e.s sont malmenées, travesties et leur valent une mise sous pression accrue, voire des menaces de s'en référer au tribunal pour leur extirper une réponse en ces seuls termes binaires. Inversement, toute objection que pourrait vouloir soulever notre avocat supposerait de s'en remettre à la cour pour qu'elle tranche, ce qui se traduirait par des frais d'audience, des frais d'avocat ainsi que des délais supplémentaires. Aussi bien dire que nous n'avons pas les moyens de nous objecter. Nos vis-à-vis en jouent à foison.

Cette phase inquisitoire élargit par ailleurs presque à l'infini le champ de ce qui peut faire l'objet du contrôle. Tantôt il est demandé à l'interrogé d'identifier sur une carte de l'ex-Zaïre l'emplacement exact d'une concession minière, tantôt l'on s'enquiert des relations sentimentales qui unissent les défendeurs.

L'interrogatoire est mené à charge. L'enjeu n'est pas de comprendre, mais d'extorquer des réponses, de contrôler des affirmations, de sommer les défendeurs d'avouer leurs fautes. Les ressorts de l'établissement de la preuve défient toute manière conséquente de lire un ouvrage, soit en le considérant dans son ensemble, à l'aune de son objet, de sa problématique, de son hypothèse, de sa méthode, de son argumentation. Il s'agira plutôt de disséquer à tort le livre, d'isoler chirurgicalement des passages, de s'appesantir indéfiniment sur des lacunes, de faire valoir l'incertitude de certaines sources, jusqu'à introduire une distorsion quasi systématique dans l'appréciation de l'analyse et de la démonstration.

Des dizaines de documents sont glissés sous le nez des auteur.e.s, toujours doublés des mêmes questions, appelant l'itération sans fin des mêmes réponses. À notre avocat qui s'en offusque un jour où A. est cuisiné à cette sauce depuis des heures, l'avocat de la partie adverse réplique : « On verra si monsieur maintient le cap. S'il maintient le cap, il maintient le cap, c'est son privilège. »

Et puis, il y a ces incessantes diatribes accusatoires, plus près de la plaidoirie que de l'interrogatoire, et qui laisse le profane dans le sentiment qu'elles ont surtout à voir avec quelque manœuvre d'intimidation, de déstabilisation, voire de sadisme. Martelées inlassablement, ces questions-réquisitoires placent l'accusé dans un espace de tension à la limite du supportable.

Alors qu'un des auteur.e.s a déjà eu largement l'occasion de s'expliquer sur les raisons pour lesquelles ils n'ont jamais cru pertinent de contacter directement la compagnie requérante, ni aucune autre des quelque 200 firmes référencées dans l'ouvrage, l'assaut se poursuit.

✦

Étiez-vous au courant que Barrick a un site internet ?

O.K., mais est-ce que la réponse est oui ?

Est-ce que c'est oui ?

C'est barrick.com, n'est-ce pas ?

Je ne crie pas.

Donc vous n'étiez pas intéressé à connaître le point de vue de Barrick, n'est-il pas vrai ?

Vous n'avez pas téléphoné à Barrick, vous n'avez pas cherché sur le site internet de Barrick, vous n'avez pas fait d'effort pour vérifier si Barrick a des documents qui contredisent vos thèses.

Mais avant de répéter des allégations sérieuses contre Barrick, pourquoi ne pas avoir téléphoné à Barrick, juste pour voir si, peut-être, elle a des documents qui peuvent être utiles à votre recherche. Qu'est-ce que vous avez à perdre ?

Avez-vous fait le moindre effort pour vérifier ces allégués avec Barrick ? Le moindre effort.

Non, non, non, non. Il y a certainement un oui ou un non à cette question.

Est-ce que vous êtes capable de répondre à la question, oui ou non ?

Avez-vous fait le moindre effort ? Ou bien la réponse est oui, ou bien la réponse est non.

C'est oui ou c'est non ?

Non. Vous avez promis une réponse. Ça, ça n'est pas une réponse.

Non, non, non. Ça n'est pas une réponse. Je répète ma question. Avez-vous fait le moindre effort pour vérifier ça ?

Donc, vous n'avez pas fait le moindre effort ? Avez-vous fait le moindre effort pour avoir le point de vue de Barrick ?

O.K., mais c'est simplement parce que vous n'avez pas fait l'effort de téléphoner à Barrick, n'est-ce pas ?

Mais avez-vous fait le moindre effort, le moindre effort pour trouver ces informations ?

Mais vous n'avez pas posé la question à Barrick ?

– Réminiscences d'interrogatoires

✦

Dans cette triangulation classique du procès civil, nous ne faisons face qu'à de pures abstractions. Le juge, d'abord, qu'il nous est demandé d'imaginer. « Répondez aux questions comme si vous vous adressiez au juge », conseille notre avocat. Un juge générique, idéaltypique, qui ne renvoie pour l'heure à aucune identité précise. De ce juge fictif, il nous est demandé d'anticiper qu'il pourrait éventuellement être amené à considérer nos réponses si d'aventure il y avait procès et si la partie adverse jugeait lesdites réponses suffisamment favorables à sa cause (ou défavorables à la nôtre, c'est selon) pour bien vouloir les soumettre à l'attention de la cour. Car il est de son entière et souveraine prérogative de déposer ou non, en tout ou en partie, les interrogatoires qu'elle sollicite abusivement. Quant à la requérante, il s'agit d'une « personne morale », c'est-à-dire, conformément à notre droit, une fiction juridique, laquelle n'a pas à s'encombrer de sa présence autrement que par la voie de ses représentants, ici en l'occurrence de ses avocats montréalais.

Une multinationale de cette envergure peut théoriquement se démultiplier à l'infini, c'est-à-dire simultanément signer un contrat en Zambie, exploiter une concession minière au Chili, s'adresser à des actionnaires à Toronto… À côté d'elle, Goliath fait figure de géant de pacotille, tant et si bien qu'il faudrait se résoudre une fois pour toutes à abandonner cette analogie biblique au profit de celle du Kraken, tirée des légendes scandinaves, ou encore de l'Hydre de Lerne, monstre à plusieurs têtes hérité de la mythologie grecque. Assigner auteur.e.s et éditrices à 20 jours d'interrogatoires à Montréal ne freine en rien ses tentaculaires ambitions. En revanche, nous sommes bel et bien contraints à la présence physique, éprouvés en chair et en os, tandis que toutes les autres sphères de notre existence sont radicalement mises en suspens.

Quant au calendrier, il n'est jamais définitivement fixé. De celui-là qui devait initialement être interrogé un après-midi, l'on requiert finalement deux journées additionnelles, avant d'émettre un *subpoena* pour le passer au crible deux autres jours encore. En tout, il subira sept jours d'interrogatoires. En toute circonstance, se voit réitéré l'impératif de « procéder dans les plus brefs délais », suivant le *desideratum* de la partie adverse.

Ce genre d'exercice offre à nos vis-à-vis une occasion inédite de partir à la pêche en vue de peaufiner leur requête ou de lui bidouiller de nouveaux fondements. Les questions seront d'autant plus aléatoires que les allégués de la partie adverse sont farfelus. Si, dans un premier temps, de nombreuses heures sont avidement consacrées à étayer les thèses de l'orchestration d'une campagne internationale de diffamation et de l'entorse à l'éthique journalistique, les avocats de la partie adverse seront rapidement amenés à corriger le tir et à reprendre à leur compte – ou à travestir, c'est selon – le langage mobilisé par les auteur.e.s : comment en vient-on à spécifier un objet de recherche et à élaborer des hypothèses, quelles sont les méthodes qui prévalent en sciences sociales ou sur la base de quels critères en vient-on à considérer ou non des sources, etc. De pseudo-journalistes conspirationnistes engagés dans une vaste alliance internationale anti-Barrick, nos auteur.e.s se sont graduellement mutés, au regard de l'adversaire, en chercheur.e.s partiaux et négligents.

Le supplice ainsi infligé repose sur ce redoublement pervers : les interrogatoires que l'on sollicite auprès de vous abusivement, et qui vous font violence, concourent par ailleurs à affiner la requête initiale de vos détracteurs dans le sens d'un semblant de gain en légitimité ou en vraisemblance. Ils sont susceptibles, ultimement, de contribuer à armer le droit pour vous combattre sur votre propre terrain.

Comment ne pas voir dans ces technologies contemporaines de pouvoir la marque en creux de *l'examen*, tel que théorisé par Foucault au nombre des vieux procédés disciplinaires ? L'examen est cette cérémonie du pouvoir reposant à la fois sur le déploiement de la force et l'établissement de la « vérité » ; un rituel par lequel le pouvoir exerce un châtiment sur ses sujets, tout en les captant dans un mécanisme de surveillance et d'objectivation qui permet de prélever et de constituer à leur sujet un savoir. L'interrogatoire hors cour, vécu tel un supplice, permet en effet de prélever sur les justiciables un certain nombre de savoirs qui permettent à leur tour d'accroître et d'affiner les mécanismes de la répression.

La requête qui en résulte, ainsi amendée, voire réamendée potentiellement d'innombrables fois tel que le code de procédure civil l'autorise, suppose chaque fois en retour pour les défendeurs la production d'une défense amendée, et donc des heures et des heures de travail supplémentaires. Ces oscillations permanentes de la procédure servent une fois de plus de motif pour obtenir de ceux et de celles qu'elles ciblent « un travail cérémoniel non rémunéré ». Elles sont proprement aliénantes.

✦

Nos hôtes sont ici chez eux. Et nul effort n'est ménagé pour bien nous le faire sentir. Pendant les longues heures d'interrogatoires, des avocats aux costumes léchés rentrent et sortent de la pièce où se joue le huis-clos, se lèvent pour se servir du café ou commander des fruits par téléphone, consultent leurs courriels sur leurs téléphones intelligents ou sortent prendre leurs appels tandis qu'un collègue continue de cuisiner l'interrogé. Les privilèges de classe sont exhibés ostensiblement. À ce petit théâtre de l'entre-soi bourgeois, s'ajoute toute une sémiotique du mépris. Des outrages variés – soupirs, chuchotements, mines narquoises et rires sardoniques – offerts pour toute réponse aux explications que fournissent les auteur.e.s.

Sur l'heure du dîner, le supplice connaît une trêve, le temps d'aller manger. Nous ne sommes pas autorisés à discuter entre nous de l'interrogatoire laissé en suspens, précise l'avocat d'en face. Ni avec notre avocat, ni avec nos collègues, insiste-t-il, poussant l'odieux jusqu'à suggérer des sujets de conversation « autorisés ». Étonnamment, nous nous plions à cette contrainte. Il n'y a de toute manière rien à en dire. L'ambiance est pesante. L'auteur tout juste passé au crible est abattu, et c'est généralement en silence que nous nous empressons de fuir le quartier McGill et ses avocats qu'il nous semble bien voir partout, après avoir pris soin de requérir suffisamment de temps pour ce faire. « Nous, on est rapides, précise l'avocat d'en face, on va luncher ici, on ne sort pas. » Le Chinatown est à quelques reprises l'endroit de prédilection où nous nous réfugions. Les restaurants y sont abordables, et même si nous avons peu d'appétit, il semble bien qu'il n'y ait qu'ici, au milieu des tables bondées aux toiles cirées collantes de sauce aux huîtres, que nous puissions échapper à l'univers lisse du quartier des affaires.

À notre retour, les sbires de la partie d'en face n'ont pas fini de se lécher les doigts. Les restes d'un somptueux buffet traînent ici et là. Une subalterne est chargée d'apporter cafés et boissons à ces messieurs tandis qu'ils ajustent leur cravate et se remettent le nez dans leurs notes et leurs cartables de pièces. L'avocat principal débute l'interrogatoire en engouffrant, bouffi de satisfaction, quelques derniers choux à la crème qu'il fait éclater entre ses dents d'où gicle l'onctueuse crème pâtissière.

✦

Lui, l'avocat numéro un, était toujours flanqué d'une jeune avocate junior, fille-du-juge-un-tel, tout juste engagée par la firme. Elle était diplômée d'économie du collège Jean-de-Brébeuf ; j'avais été nommée « Artiste de l'année » dans une modeste école de banlieue à vocation vaguement artistique. Elle avait étudié le droit chinois à Beijing ; j'avais pour ma part troqué un prestigieux *internship* à la Cour interaméricaine des droits de l'homme pour un stage estival non rémunéré dans les locaux suffocants de la Grover, une ancienne usine de textile dans le quartier Centre-Sud de Montréal, transformée en espaces locatifs pour de petites organisations alternatives telles qu'Écosociété. Elle était *fashionably* accoutrée, tailleur jupe, chemisier plongeant et talons hauts, comme le sont toutes celles qui gravitent dans cet univers bourgeois de l'élite anglophone montréalaise ; j'étais fatalement dépourvue d'élégance en dépit d'efforts sincères. Nous avions le même âge. Nous avions dû toutes deux être du type bonne élève, fille-à-papa. Nous étions assises de part et d'autre de la grande table de conférence de ce bureau chic austère du 26e étage de la Tour McGill, chacune ayant irrémédiablement choisi son camp. Ensemble, nous rejouions en d'inépuisables occasions la mise en scène bourdieusienne de la distinction. Je la plaignais, et ne doutais pas qu'elle en fît autant.

En l'apercevant la toute première fois, il m'avait semblé voir défiler avec clairvoyance, comme si je l'avais vécu moi-même, son parcours étincelant. L'angoisse des examens à la fac de droit, la pression de l'étudiante parfaite, l'excellence scolaire confirmée par les bourses et les honneurs. La course folle aux stages, les journées carrière, les soirées réseautage, cocktails, *speed dating* et *cupcakes.* Savoir se vendre au plus offrant, multiplier courbettes et révérences, le sourire obligé, le corsage serré, la garde-robe impeccable, surtout si l'on est femme, « ne pas oublier les chaussures ni le sac », *dixit* la doyenne adjointe de la Faculté de droit de l'Université d'Ottawa[3]. En un mot, savoir séduire. Jusqu'au grand jour, la collation des grades, la fierté du devoir accompli, les parents des diplômés gonflés d'orgueil, les discours de circonstance, « Maîtres, vous êtes l'élite ! ». Puis – ultime consécration – se voir recruter par le *Corporate Litigation Group* d'un grand cabinet pancanadien, confirmation du prestige de son nom et de son rang, la vie s'ouvrant enfin devant soi, l'avenir se présentant comme un banquet somptueux de promesses de gloire. Au jour « un », faire son entrée dans la grande cour, veiller à plaire, ne pas commettre d'impairs, ne pas

3. Carolynne Burkholder-James, « 8 conseils pour préparer sa garde-robe de stagiaire », *Droit-Inc*, 20 janvier 2015, <www.droit-inc.com/article14465-8-conseils-pour-preparer-sa-garde-robe-de-stagiaire>.

compter ses heures, ne plus s'appartenir, voir se resserrer sur soi un filet de velours, acquérir ses lettres de noblesse, oui, mais à quel prix, contempler sa servitude dorée, se dire qu'il ne s'agit que d'un tremplin pour sa carrière, serrer les dents, regarder se dissiper comme la brume ses idéaux, abandonner ses convictions et une partie de soi-même dans la dure ascension de l'échelle sociale et puis savoir, ultimement, dans la marque en creux de sa conscience, car peut-on jamais vraiment se mentir à soi-même, oui, savoir intimement que l'on a vendu son âme au diable.

Des années plus tard, une autre avocate du groupe, rencontrée par hasard, viendra vers nous presque en s'excusant pour nous dire que le métier suppose parfois de mettre ses convictions au placard.

Dans les corridors de la Faculté de droit de l'Université McGill, la réputation de Davies[4] n'est plus à faire auprès des étudiants en mal de décrocher un stage, voire un *job* dans une prestigieuse firme d'avocats : *Slavies*, l'appellent-ils sarcastiquement, en référence à la surcharge de travail qui incombe aux stagiaires et aux associés[5]. J'imagine que les salaires d'entrée – qui, pour les nouvelles recrues, avoisinent les 100 000 $ dans ce type de cabinet – constituent une alléchante consolation.

Toujours est-il que cette avocate junior avait manifestement été désignée pour l'assister lui, le *top litigation lawyer* de Barrick. Les observer tous les deux ne pouvait qu'aviver votre flamme féministe. Auprès d'elle, il prenait des postures de mentor, se donnant sans doute pour mission de lever le voile sur son univers, avec les

---

4. Davies Ward Phillips & Vineberg S.E.N.C.R.L. est un cabinet spécialisé en droit des affaires, dont les bureaux sont situés à Montréal, à Toronto et à New York.

5. En 2012, Davies a cru bon d'exploiter ce surnom dans une publicité destinée aux étudiant.e.s en droit de l'Osgoode Hall Law School, suscitant l'ire de certain.e.s qui l'ont jugée « offensante » et « méprisable ». Davies avait alors retiré la publicité et présenté ses excuses dans le journal étudiant. Voir Heather Gardiner, « Slave to political correctness », *Canadian Lawyer*, 26 janvier 2012, <www.canadianlawyermag.com/legalfeeds/author/heather-gardiner/slave-to-political-correctness-4353/#tab_1>.

satisfactions égotiques que l'on imagine. Elle était à la fois son assistante, son élève, sa secrétaire et son public. Il lui fourrait son nez pointu dans l'oreille, entre deux questions cinglantes d'interrogatoire, pour lui souffler à voix basse je ne sais quel mot d'esprit désopilant. Elle ricanait docilement. Avec elle, me semblait voir se rejouer la même jouissance mal contenue que sous ses traits de plaideur impitoyable.

✦

En septembre 2011, trois années après que 20 jours d'interrogatoires hors cour eurent été menés contre les auteur.e.s et les éditrices de *Noir Canada*, la Cour supérieure du Québec statuait dans le cadre d'une autre affaire sur le caractère exceptionnel de ces interrogatoires. Le Tribunal estimait alors que la permission d'interroger des témoins hors cour ne pouvait être obtenue qu'« à condition de démontrer des motifs sérieux et valables » et qu'il était préférable, règle générale, que les témoins soient entendus directement devant le tribunal, notamment pour permettre au juge « de poser des questions et aussi de trancher sur-le-champ toute objection, sans retard inutile[6] ».

Le nouveau Code de procédure civile du Québec, entré en vigueur le 1er janvier 2016, limite désormais à cinq heures les interrogatoires dans les affaires où la valeur en litige est de 100 000 $ ou plus. Les parties peuvent convenir, en cour d'interrogatoire, de prolonger la durée de ceux-ci de cinq à sept heures. Toute autre prolongation nécessite l'autorisation du tribunal.

---

6. *Freetime Omnimedia inc./Müv inc. c. Weekendesk France*, [2011], QCCS 4776.

CHAPITRE 6

Le temps des bouffons : rire devant l'absurde

Ce n'est pas bête du tout, ce que vous dites là, madame Grubach, répondit K. Je suis du moins de votre avis en grande partie, mais je vais encore plus loin que vous; ce n'est pas seulement quelque chose de savant, c'est un néant ridicule.

– Franz Kafka, *Le procès*

La bonne nouvelle, c'est que nous avons acheté plusieurs exemplaires de votre livre.

– Un avocat de Barrick

Au fil de cette tâche vertigineuse du retour par-derrière soi et de l'analyse par le moyen de l'écriture, la nécessité d'une réflexion sur le rire et l'absurde, dès lors que j'estimai qu'il ne fallait rien chercher à dissimuler, s'est vite imposée d'elle-même. Car en dépit du supplice et de l'infâme, et malgré des heures tourmentées, il se trouve que durant toutes ces années, nous avons par ailleurs beaucoup ri.

Il faut dire que les choses de la justice regorgent d'inépuisables ressorts comiques. L'absurdité du droit et des hommes de loi, comme chacun sait, inspira certaines des œuvres littéraires et picturales parmi les mieux pourvues d'esprit et d'humour.

Et pourtant, jamais l'adage populaire « c'est pas parce qu'on rit que c'est drôle » n'aura semblé aussi juste. Car le paradoxe réside en cela que, très souvent, le grotesque et l'absurde qui nous arrachent un rire constituent dans le même temps cela même qui nous fait violence. Si l'on rit, c'est bien pour s'attacher à souligner le caractère de ce qui justement n'a pas de sens, de ce qui se présente à rebours du bon sens. Nous rions là où le sens est sens dessus dessous, quand ce qui prête à rire ne nous laisse aucune autre issue, comme au paroxysme de l'insoutenable. « Le comique étant l'intuition de l'absurde, écrivait le maître de l'insolite Ionesco, il me semble plus désespérant que le tragique[1]. » Il s'agit donc de rendre compte du rapport ambivalent à une langue, à une logique, à des procédés et à des figures qui, en tant qu'elles sont à la fois violemment risibles et désespérantes, effacent la distinction entre le tragique et le comique, nous laissant osciller entre le désarroi, le sentiment de révolte et la dérision.

Vanité de la loi

« Il n'y a jamais eu qu'une manière de penser la loi, un comique de la pensée, fait d'ironie et d'humour », écrit Gilles Deleuze[2].

Sans doute l'aspect le plus risible de la loi est-il son caractère proprement tautologique. Y a-t-il en effet quelque chose de plus comique que l'énoncé « la loi, c'est la loi » ? N'est-il pas évident qu'une loi n'est jamais fondée que parce qu'elle est une loi ? De même, n'est-il pas vrai qu'une loi ne peut être que bonne parce qu'elle est une loi ? Quel humour ! Quelle ironie !

L'ambition de la loi de se fonder en elle-même a quelque chose de comique, car elle suppose un puissant déni de l'épaisseur historique qui l'autorise à se reproduire. Pour Pierre Bourdieu, les

1. À noter que Ionesco contestait l'étiquette d'absurde accolée à ses premières pièces, lui préférant celle d'« insolite ». Il qualifiait ses comédies de « drames comiques » et ses drames de « farces tragiques ». Voir Eugène Ionesco, *Notes et contre-notes*, Paris, Gallimard, 1962.

2. Gilles Deleuze, *Présentation de Sacher-Masoch*, Paris, Éditions de Minuit, 1967, p. 75.

origines de la loi ne sont pas à chercher ailleurs que dans l'arbitraire de l'histoire ou de ce qu'on appelle communément la coutume. Cet arbitraire cherche à se faire oublier comme tel, à dissimuler sa genèse et les rapports de force qui sont à son principe, à se légitimer par tout un travail de rationalisation théorique, bref, à se fonder en raison. La loi a été introduite sans raison, dit Blaise Pascal, puis avec le temps, avec l'accoutumance, elle est devenue *raisonnable*. C'est l'amnésie de la genèse qui permet à la loi « de se fonder en raison mythique[3] ».

Si les juristes sont dotés d'une telle puissance humoristique, c'est parce que leur adhésion au champ du droit nécessite leur complicité extorquée quant à la fiction fondatrice d'une loi fondée en raison. Ils sont les défenseurs de l'orthodoxie, les croyants parmi les croyants, les « gardiens de l'hypocrisie collective[4] ». Que le comique de la loi ne leur apparaisse pas comme manifeste crée assurément un redoublement de l'effet comique. S'il y a une « vanité de la loi », comme le veut la formule de Gilles Deleuze, elle a tôt fait de se traduire par une certaine vanité des gens de justice.

✦

Avec un geste ample visant à embrasser l'univers entier de ses deux bras, notre avocat avait un jour déclaré solennellement et le plus sérieusement du monde : « Le droit, c'est tout. »

3. Pierre Bourdieu, *Méditations pascaliennes,* coll. Liber, Paris, Seuil, 1997, p. 114.

4. Pierre Bourdieu, « Les juristes, gardiens de l'hypocrisie collective », dans François Chazel et Jacques Commaille (dir.), *Normes juridiques et régulation sociale*, Paris, LGDJ, 1991, p. 95-99.

La machine absurde et ses pantins à ficelles

Bergson a relevé, dans son étude sur le rire, qu'au fondement du comique « il y a toujours un arrangement d'actes et d'événements qui nous donnent, insérés l'un dans l'autre, [...] la sensation nette d'un agencement mécanique[5] ». Le rire, selon une formule désormais célèbre, c'est du mécanique plaqué sur du vivant. Toute situation apparaissant comme le résultat d'un jeu d'engrenages et de ficelles, toute personne qui semble ne répondre qu'à des automatismes ou qui s'applique machinalement au respect des règles a quelque chose d'irrésistiblement comique. Il est d'ailleurs remarquable que le XXe siècle ait fait de la machine bureaucratique – comme de l'être humain ravalé à l'état de machine – à la fois l'objet d'analyses parmi les plus percutantes sur nos « sombres temps » et le sujet d'une inépuisable drôlerie.

C'est ce paradoxe qu'incarne parfaitement bien Chaplin dans *Les Temps modernes*, où les ressorts de l'aliénation déshumanisante du travailleur soumis à la cadence infernale des machines sont en même temps dotés d'un brillant pouvoir comique.

Cette même discordance traverse l'œuvre de Kafka. Si Orson Welles et Hannah Arendt, à l'instar de plusieurs de leurs contemporains, ont vu chez Kafka un prophète des totalitarismes du XXe siècle, d'autres inversement ont contesté cette lecture tragique de l'œuvre. C'est le cas notamment de Gilles Deleuze, pour qui l'agencement machinique kafkaïen de la justice revêt d'abord un caractère humoristique. Le premier traducteur de Kafka, Alexandre Vialatte, déplorait le sens donné à l'épithète « kafkaïen », affirmant ainsi : « Je croyais lancer un des princes de l'humour. Je retrouve un roi des ténèbres[6]. » Max Brod raconta même que lorsque Kafka

5. Henri Bergson, *Le rire. Essai sur la signification du comique*, 13e édition, coll. Quadrige, Paris, Les Presses universitaires de France, 2007 [1900], p. 53.

6. Alexandre Vialatte, « C'est kafkaïen ! », *Le Figaro littéraire*, 18-24 mars 1965, p. 1.

fit la lecture à ses amis du premier chapitre du *Procès*, « tous furent saisis d'un fou rire irrésistible et lui-même riait tellement que par instant il ne pouvait continuer sa lecture[7] ».

Ainsi, le dispositif judiciaire, dans ses rouages et ses agencements mécaniques, a-t-il paradoxalement quelque chose de risible. La répétition machinale des mêmes mots, des mêmes attitudes, des mêmes procédés, des mêmes situations est l'un des ressorts de sa drôlerie. Là où il y a répétition, écrit Bergson, là où une force s'obstine tandis qu'un autre entêtement la combat, « nous soupçonnons du mécanique fonctionnant derrière le vivant[8] ».

Ainsi avions-nous fini par rire des formules qui, bien que nous ayant fait violence dans leurs énonciations premières, avaient perdu de leur lustre à force de répétitions successives, pour ne plus apparaître que dans leur plus simple apparat, c'est-à-dire… d'un néant ridicule. Nous les parodions entre nous, en imitant l'accent anglais des avocats : « *Avez-vous fait le moindre effort ? Le moindre effort ? Avez-vous téléphoné à Barrick ?* » D'autres mots encore nous ont été irrémédiablement confisqués, tant ils ont fait l'objet d'un détournement permanent. Leur sens perverti et distordu ayant pris le pas sur leur signification commune, ceux-là sont associés pour toujours à la langue du pouvoir, et il n'est plus possible aujourd'hui de les prononcer autrement qu'avec dégoût ou ironie (« *raisonnable* » ; « *équilibré* »).

Nous avions fini aussi par nous moquer de la répétition de procédés qui, s'ils avaient été franchement intimidants de prime abord, ne parvenaient plus avec le temps à opérer le même effet de surprise. Tel un diable à ressort s'élançant inlassablement hors de sa boîte en un tour de manivelle, ils avaient acquis un certain caractère d'insignifiance. C'est donc avec un certain amusement

7. Max Brod, *Franz Kafka. Souvenirs et documents*, traduit par Hélène Zylberberg, coll. Folio, Paris, Gallimard, 1972 [1945], p. 205.
8. Henri Bergson, *Le rire*, *op. cit.*, p. 26 et 54.

et une vive conscience de l'ironie de la situation que nous reçûmes, à peine l'entente hors cour scellée et rendue publique, une énième mise en demeure de nos détracteurs qui, n'ayant pas apprécié notre ultime communiqué de presse, en exigeaient le retrait immédiat en nous menaçant de tous les maux.

Plus largement, toute la stratégie de Barrick avait quelque chose d'une itération machinale et lourdingue de procédés que ses sbires avaient maintes fois déployés à travers le monde à l'encontre de leurs adversaires : même mise en demeure déjà rédigée à l'avance, mêmes accusations toutes faites, même artillerie lourde mécaniquement déployée depuis Toronto en toute méconnaissance du contexte particulier et des cibles visées. Cela a quelque chose de risible en soi. Mais ce fut d'autant plus le cas considérant qu'il y eut cette fois, disons, quelques grains de sable dans l'engrenage.

C'est d'ailleurs sans doute la grande fragilité des forces oligarchiques : leur profonde méconnaissance de ce qui se passe « en bas », hors de l'entre-soi où se célèbre une communauté d'intérêts. Il fallût voir leur tête, en interrogatoires, lorsque nous les instruisîmes du fait que, n'eût été de leurs poursuites, nous n'aurions sans doute pas vendu plus de quelques centaines d'exemplaires de *Noir Canada*[9]...

Tout théâtre de l'absurde, enfin, connaît ses pantins à ficelles. C'est l'expression utilisée par Bergson pour désigner ces personnages de comédie qui croient parler et agir librement alors qu'ils ne sont que de simples jouets entre les mains d'un autre. Ici, en l'occurrence, les pantins à ficelles sont ceux-là qui se font les chaînons, les rouages, les relais de la domination et de l'idéologie, au premier rang desquels les défenseurs de ces multinationales. Cet avocat, par exemple, qui sans doute pour prendre à contrepied l'allégorie du géant Goliath contre David, vociférait dans une plaidoirie bien théâtrale, tel un martyr de la comédie humaine, être TRÈS fier de représenter sa cliente.

9. Le livre a finalement été vendu à plus de 7 000 exemplaires.

Les guignols de l'absurde laissent voir qu'ils jouent la comédie lorsque, après avoir férocement montré les crocs derrière des portes closes, ils deviennent tout miel devant leur cliente ou bien devant M. le juge, avec force révérences.

✦

Tactique pour mieux amadouer ou furtif éclair de sincérité ? Je serais tentée de parier sur la seconde option. Toujours est-il que l'avocat subalterne, le second de la partie d'en face, s'était retrouvé au cours d'une étape sensible des négociations hors cour tout à côté de notre auteur principal à l'urinoir du palais de justice. À l'occasion de ce bref moment de malaise et de… symbiose dans le relâchement, il s'était plaint, comme sous le sceau de la confidence, de ce que sa cliente n'était décidément pas facile…

✦

Ottawa, octobre 2008. L'auteur subit cette fois les interrogatoires que requiert Banro Corporation, qui nous intente une poursuite en Ontario. Leur avocat procède à l'interrogatoire en anglais. Conformément aux prérogatives que lui reconnaît la loi canadienne sur les langues officielles, l'auteur répond en français aux questions qui lui sont adressées. Une interprète intervient consécutivement à chaque échange verbal pour traduire ce qui vient d'être énoncé. Les échanges s'en trouvent considérablement appesantis.

Les choses se compliquent et prennent une tournure résolument comique au moment où l'avocat ontarien entend se référer à des passages de l'ouvrage, pour lesquels la minière a requis une traduction de circonstance.

« Isn't true that you wrote, at the page 118 of *Noir Canada*: "Banro took advantage of this political instability to perform a legal sleight of hand…. ?" »

Or la question est toujours suivie d'une traduction approximative de l'interprète, laquelle, fatalement, n'est jamais parfaitement fidèle au texte original, ce qui contraint notre auteur à répondre systématiquement par la négative et à rectifier, ouvrage en mains, le passage dans sa littéralité, animé par un zèle qui en d'autres circonstances aurait pu sembler déraisonnable, mais que le contexte légal justifie :

« Non, en fait, si l'on se réfère à la page 118, ce que nous avons écrit dans *Noir Canada*, c'est plutôt... »

Or, la malheureuse interprète est tenue de traduire de nouveau le passage dont l'auteur vient de faire la lecture, renvoyant l'avocat médusé à la figure du serpent qui, dans une boucle itérative infinie, se mord la queue, jusqu'à se neutraliser lui-même et ne plus pouvoir sortir de cette impasse.

La suite de l'histoire devait porter l'ironie à son comble. Car le sténographe qu'avait dépêché Banro, apprit-on par la suite, n'avait retranscrit l'interrogatoire que dans sa seule version anglaise. On décréta un vice de procédure et l'interrogatoire fut déclaré nul et non avenu.

Banro renonça à requérir un autre interrogatoire. Ceci expliquant peut-être cela.

Les gens de justice

De Rabelais à Balzac, la littérature a souvent étrillé les avocats, représentés comme des maîtres trompeurs, fourbes parmi les fourbes, embrouillant et obscurcissant les affaires de leurs palabres sibyllines et plaidant indifféremment le pour et le contre au mépris des justiciables et de la justice. Les juges ne furent guère épargnés non plus, si l'on songe à l'imbécile magistrat Bridoye de Rabelais, « lequel sentenciait les procès au sort des dés[10] ».

10. *Œuvres de Rabelais*, Éditions Variorum, vol. 5, livre III, chap. XXXIX, 1823, p. 54.

On retrouve par ailleurs aussi bien chez Racine que chez le romancier viennois Friedrich Dürrenmatt, par exemple, les figures inquiétantes et grotesques d'avocats et de juges qui, ayant perdu tout sens de la mesure et de la raison, ne songent plus qu'à plaider et à juger tout un chacun. Dans *La panne*, de Dürrenmatt, un commercial tombe en panne en rase campagne où il se voit offrir l'hospitalité pour la nuit chez un ancien juge à la retraite. Dans l'étrange villa où il atterrit, se réunissent soir après soir dans une ambiance mondaine une bande d'octogénaires concupiscents, tous retraités de la justice, dont l'appétence pour la bonne chère et la beuverie n'a d'égale que la jouissance de juger le convive du jour selon les règles de l'art du procès. Au fur et à mesure du pantagruélique repas, ce qui se présentait au départ comme la fantaisie extravagante de quelques vieux toqués prend les allures d'un supplice dont l'issue pourrait bien être sans appel.

En toile de fond, ce sont tous les travers et les abus de la haute bourgeoisie qui se trouvent dépeints dans ces portraits des hommes de loi. Imbus d'eux-mêmes, avides, corrompus ou tout simplement atteints de folie procédurière, magistrats et avocats ne palabrent que pour eux-mêmes, leur jouissance, leur gloire et leur profit.

Mais il revient sans doute à Honoré Daumier d'avoir su le mieux croquer de son génie assassin les postures et impostures des *gens de justice*. À elles seules, les 47 lithographies qui composent *Les Gens de justice* et Les *avocats et les plaideurs* auraient sans doute suffi à lui assurer la postérité. Daumier y dépeint une justice de classe, enrôlée pour la défense des seuls puissants et capable de toutes les bassesses.

Ce leitmotiv obsédant de la justice chez Daumier ne souffre d'aucun mystère. Sous le régime de la Monarchie de Juillet, les procès et les démêlés avec la justice font peser une chape de plomb sur la presse contestataire. Daumier lui-même fut condamné en 1831, puis incarcéré pour « outrage à la personne du roi » l'année suivante, notamment après avoir représenté Louis-Philippe 1er en

Gargantua glouton et bedonnant, engouffrant dans sa bouche béante les écus arrachés aux crève-la-faim et aux miséreux. Avec son rédacteur en chef Philipon, incarcéré comme lui à Sainte-Pélagie, ils préparent depuis leur cellule le lancement du *Charivari*, un journal satirique d'opposition républicaine. Puis, la loi scélérate de 1835 vint durcir encore d'un cran la censure préalable, forçant les dessinateurs à se tourner vers la caricature sociale et de mœurs. Pour Daumier, le monde du palais et sa gente chicanière deviendront les sujets de prédilection d'une critique acerbe d'un monde où dominent les bourgeois.

Vociférant au cours de grandes envolées oratoires, les avocats de Daumier, aux physionomies disgracieuses, gesticulent avec d'autant plus d'emphase qu'ils sont remplis « de la conviction la plus intime que [leur] client [les] paiera bien ». Le visage bouffi d'orgueil, le geste aussi ample que la conviction de leur propre importance, ils apparaissent parfaitement indifférents au sort des malheureux qu'ils ont pourtant le devoir de défendre : « Vous avez perdu votre procès, c'est vrai… mais avez dû éprouver bien du plaisir à m'entendre parler. » Cupides, hypocrites, fourbes et malhonnêtes, ils ne voient guère plus loin que le bout de leur bourse : « En attendant l'audience, Démosthène déjeune aux frais du client, le bifteck aux pommes pousse à l'éloquence. » En coulisse, plane un amer parfum de connivence et d'accointance entre les gens de robe, qui multiplient les « cher confrère » et la flagornerie, s'autocongratulent – « Nous avons été beaux ! Nous avons été magnifiques ! » – mais surtout, s'acoquinent aux dépens du justiciable : « Ne manquez pas de me répliquer, moi je vous rerépliquerai… ça nous fera toujours deux plaidoiries de plus à faire payer à nos clients ! »

Quant aux juges ? Léthargiques, avachis et visiblement peu émus par toute cette tartufferie, il n'est pas rare qu'ils soient gagnés en plein procès par le sommeil des justes.

✦

Si de nombreux travaux se sont attachés à souligner les analogies entre le procès et le théâtre, je dois dire qu'en certaines occasions, il eût été opportun de poser la question suivante : à quel spectacle au juste assistions-nous ? Farce ? Bouffonnerie ? Tragi-comédie ? Chose certaine, si la dramaturgie judiciaire contient des aspects tragiques, elle n'en demeure pas moins éminemment comique, tant elle enjoint chacun à tenir le rôle qui lui est prescrit selon un scénario ficelé d'avance. Ainsi, il y eut bien quelques effets de manche, jeux de toge, plaidoiries théâtrales et mises en scène soignées.

J'aime à penser que Daumier eût été inspiré de la théâtralité comique et de la pantomime emphatique de certains de *nos* gens de justice. L'un des avocats en particulier – toujours le même – avait notamment cette manie ridicule de s'interrompre ostensiblement, quasi bruyamment, et ce, en moult circonstances, pour jeter en notre direction un regard pénétrant et ténébreux. Son corps entier se raidissait comme s'il était en proie à la catatonie, tandis que s'amorçait un bras de fer psychologique consistant à soutenir, par-delà les limites du simple malaise social, notre regard de ses yeux exorbités.

Les inepties du pouvoir

Qu'ont donc de si ridicule les bouffons du pouvoir ? Ne suffit-il pas d'ouvrir les yeux ? C'est à tout le moins le parti pris du romancier et caricaturiste anglais William Thackeray, dans sa fameuse décomposition en triptyque de la magnificence royale. À droite, le roi Louis XIV, en grande pompe, perruque, habits de cour et apparats. À gauche, le même somptueux costume apparaissant seul, comme vidé de son pantin. Et puis au centre, un médiocre petit bonhomme, chauve et bedonnant, sans son vêtement. Sans doute y a-t-il là une illustration très fine de ce en quoi consiste le procédé ironique : une opération souveraine de l'esprit permettant de faire advenir au

regard ce qui se trouvait voilé. Une déconstruction comique permettant le surgissement d'une vérité nouvelle et consistant ni plus ni moins à percevoir et à proclamer que le roi est nu[11].

Il faut dire que les multinationales – ces monarques contemporains – ne craignent pas le grotesque, pas plus que de dépasser les bornes de la décence. Lorsque l'Assemblée nationale du Québec avait entrepris de mener des consultations particulières autour du projet de loi visant à prévenir l'utilisation abusive des tribunaux dans le cadre de débats publics[12] – projet de loi qui faisait suite à une vaste mobilisation citoyenne, laquelle s'était considérablement intensifiée avec l'affaire *Noir Canada* –, Barrick avait fait en sorte, au dernier moment, d'être ajoutée au nombre des intervenants dans le cadre des auditions publiques de la commission parlementaire. Tel un Ubu roi des temps modernes, résolue à étendre sa tentaculaire emprise jusqu'en l'enceinte de l'assemblée législative du gouvernement, la multinationale avait fait dépêcher à Québec non seulement son *Executive Vice President from Toronto*, mais également une délégation de trois avocats « d'élite » de leur prestigieux cabinet montréalais. Aux taux horaires exorbitants indubitablement associés à ces fonctions, il devient rapidement vertigineux d'imaginer le coût qu'a dû supposer cette simple opération de relations publiques dans la Capitale-Nationale (je travaillais pour ma part bénévolement pour Écosociété, mais la maison d'édition avait dû puiser dans notre fonds de défense pour me payer un billet de

11. En août 2016, un collectif d'artistes dispersait dans plusieurs grandes villes américaines des statues grandeur nature fort peu flatteuses de Donald Trump, représenté nu, bedonnant et affublé d'un sexe minuscule. Sur leur socle, on pouvait lire : « The Emperor has no balls. » L'artiste autralienne Illma Gore avait également représenté le futur président dans son plus simple appareil et doté d'un micropénis dans une toile intitulée *Make America Great Again*.

12. Consultations particulières sur le projet de loi n° 99 – *Loi modifiant le Code de procédure civile pour prévenir l'utilisation abusive des tribunaux et favoriser le respect de la liberté d'expression et la participation des citoyens aux débats publics* (octobre 2008).

bus pour ne rien manquer de l'affligeant spectacle). Sans complexe, la multinationale avait alors fait valoir que l'objectif de sa comparution n'était pas de s'exprimer sur le bien-fondé d'une législation visant à contrer les poursuites-bâillons – ce dont s'était indigné un parlementaire, car c'était bien là l'objet des travaux de la commission –, « mais plutôt de s'assurer que la Commission comprenne la vérité à propos de la nature de [sa] poursuite ». Elle venait ni plus ni moins plaider sa cause – ou plutôt la nôtre – jusqu'à l'Assemblée nationale du Québec ! Concernant les allégués de *Noir Canada* jugés diffamatoires, le représentant de Barrick avait notamment déclaré aux parlementaires : « These serious charges also directly and adversely affect our relations with our friends. »

Rappelé à la prudence[13] par le président de la Commission, que l'on sentait devenir nerveux au fur et à mesure de son allocution, le député du Parti québécois Daniel Turp n'avait pu s'empêcher de relever de bien verte manière l'ubuesque de la situation, réservant pour la chute de son intervention sa seule et unique question à la multinationale :

> je suis conscient de cette règle de prudence, mais je veux vous citer cette lettre du 19 septembre 2008 que vous adressiez aux Éditions Écosociété, et je cite : « Nous vous écrivons afin de mettre vos clients en demeure de cesser [...] entre autres de caractériser la poursuite de Barrick de « poursuite-bâillon ». » Alors, écoutez, ma question est la suivante. Je comprends que vous ne voulez pas que Les Éditions Écosociété mentionnent même que la poursuite qui a été intentée est une poursuite-bâillon. Et ma question, c'est... Vous savez qu'il y a 8 871 personnes qui ont signé une pétition, qui ont, en signant cette pétition, affirmé qu'il s'agissait aussi d'une poursuite-bâillon en exerçant leur liberté d'expression, et je suis moi-même signataire de cette pétition. Alors, ma question : quand est-ce que je vais recevoir

13. Selon l'article 35 paragraphe 3° du règlement de l'Assemblée nationale, « le député qui prend la parole ne peut : parler d'une affaire qui est devant les tribunaux [...] si les paroles prononcées peuvent porter préjudice à qui que ce soit ».

moi-même une mise en demeure et quand est-ce que les 8 870 autres signataires recevront-ils une mise en demeure pour avoir affirmé qu'il s'agissait d'une poursuite-bâillon[14] ?

Le rire comme résistance

En marge des ricanements mesquins que s'échangèrent durant les interrogatoires les hommes de main de la partie d'en face, il y eut donc des rires d'une autre nature.

Subversifs, ceux-là avaient pour dessein de déjouer et de se jouer des rouages du pouvoir, de railler sa bêtise, de faire l'offensive belle à tous ses faux-semblants, ses duperies et ses mensonges. Ils marquaient ces moments où, dans un effort de déprise, « la pensée reprend son souffle[15] ». Un garde-fou contre l'errance du sens, une arme contre la langue du faux et contre toutes les barrières posées aux tentatives de percevoir son temps et d'y participer en vérité.

Alors que nous nous échinions à régler le dossier hors cour, notre avocat avait suggéré que nous travaillions à des formules qui pourraient satisfaire la partie d'en face dans le cadre d'une déclaration publique conjointe. Celles-ci consistent, typiquement, en un ramassis de concessions et d'admissions plus ou moins réciproques, plus ou moins résignées selon l'état du rapport de force. Profitant d'un rare moment d'accalmie, A. et moi avions entrepris un dimanche, calepin et stylo à la main, de nous y pencher. Réduits bien malgré nous à devoir singer l'imparable médiocrité de cette langue appauvrie et avilie du *joint public statement*, nous n'avions pas su garder notre sérieux bien longtemps et l'exercice avait vite viré à la fanfaronnade. Terrassés de fous rires cathartiques, nous n'étions bons qu'à surenchérir de concessions moqueuses, de

---

14. Assemblée nationale du Québec, *Journal des débats de la Commission permanente des institutions*, mercredi 22 octobre 2008, vol. 40, nº 64, p. 12.

15. Vladimir Jankélévitch, *L'ironie*, coll. Champs, Paris, Flammarion, 1979 [1964], p. 10.

déclarations ironiques et de railleries drapées des habits de l'aveu. Je repensai parfois, alors que l'on nous arrachait vif des pans de sens comme autant de lacérations de vautours, à nos éclats de rires de ce dimanche-là. Alors, l'humiliation se faisait moins vive.

Comme l'écrit Cynthia Fleury, l'ironie et l'humour, dans leurs parodies et leurs travestissements, opèrent un renversement qui n'est pas pervers. Ils n'ont pas pour but de « nous laisser macérer dans le vinaigre des sarcasmes[16] ». S'ils décèlent le grotesque et le caricaturent, c'est pour mieux le rendre délibérément visible, le dénoncer, le mettre à distance et, ce faisant, reconquérir un espace de dignité et de liberté. « La force comique ne pervertit rien. Elle ne vide pas les fondamentaux démocratiques de leur substance. Elle ne les érode pas. Mais ne désespère pas de leur érosion[17]. »

Car en effet, contre les passions mortifères et les forces d'anéantissement, nos rires avaient quelque chose d'un entêtement à la joie. Ils n'étaient d'ailleurs pas l'affaire d'un seul. Nos rires sont nés de la reconnaissance d'un ordre sensible commun, d'une intelligence mise en partage, d'une communauté politique. La communauté de celles et de ceux qui, percevant l'obscurité de leur temps, se sont reconnus dans une parole et dans les exigences éthiques qu'elle porte. Nos rires sont nés, comme l'écrira Max Brod du rire de Kafka, *dans l'intimité des vérités dernières.*

De Socrate, Jankélévitch disait qu'il était un grand ironiste, car il « conduit les niais par la main, parce qu'il sait où il va, parce qu'il réfute un adversaire stupide[18] ». La fonction de l'humour, écrit-il encore, « n'est pas de restaurer le *statu quo* d'une justice

16. *Ibid.*, p. 186.

17. Cynthia Fleury, *La fin du courage*, Paris, Fayard, 2010, p. 92.

18. Déclaré coupable par ses juges et invité à proposer la peine qu'il croyait mériter, Socrate aurait suggéré d'être nourri au Prytanée, ce qui constituait en fait la plus haute récompense qui soit à Athènes, réservée à ceux qui avaient particulièrement honoré la cité. Les juges de Socrate ne s'en trouvèrent pas amusés et le condamnèrent à mort.

close ni d'opposer une force à la force, mais plutôt de substituer au triomphe des triomphants le doute et la précarité, de tordre le cou à l'éloquence et à la bonne conscience un peu bourgeoise des vainqueurs[19] ».

Si, comme l'écrit Jankélévitch, « ironiser c'est choisir la justice[20] », alors nous aurons su en quelques occasions heureuses rendre à celle-ci nos plus beaux hommages.

✦

William le premier avait sauté sur l'occasion trop belle qu'offrait la polysémie du terme « avocat » pour jouer de quelques mots d'esprit visant à désacraliser la fonction. En fouillant dans ma correspondance, je retrouve ce mot de A., adressé au plus fort des négociations hors cour, dans un moment où la tension et l'épuisement étaient à leur comble.

> *Ma mie,*
> *Mon légume gras me dit idem que le tien.*
> *Ton légume gras recevra d'ailleurs une enveloppe, c'est confirmé.*
> *Bon courage – je reste de tout cœur avec toi…*
> *A*

Quelle ne fut pas ma déception, plusieurs années plus tard, quand un correcteur du *Huffington Post* m'indiqua que l'avocat n'est pas un légume, mais un fruit[21].

19. Vladimir Jankélévitch et Béatrice Berlowitz, *Quelque part dans l'inachevé*, coll. Blanche, Paris, Gallimard, 1978, p. 156.

20. *Ibid.*, p. 155.

21. Anne-Marie Voisard, « La justice, ce n'est pas de la marmelade », *Huffington Post*, 1er mars 2016.

CHAPITRE 7

La mise en demeure : une figure de l'interpellation

Mardi, 10 heures précises. Jeudi, 10 heures précises. Samedi, 10 heures précises. Les jours où elle est convoquée, la narratrice d'Herta Müller ne voudrait penser à rien, car, dit-elle, « je ne suis qu'une personne convoquée ». Dans le tramway qui la mène au bureau de la Securitate, où elle sera de nouveau interrogée, elle anticipe avec angoisse les petits jeux sadiques et les humiliations perverses auxquels se prêtera son tortionnaire pour la briser.

Elle observe les voisins de l'immeuble, les gens dans la rue, dans le tramway ou à l'usine, se demandant qui parmi eux a été convoqué et qui le sera un jour. Peut-on déceler sur les visages, sur *son* visage, l'ombre portée par l'agent de la Securitate ? Lorsqu'elle apprend que son voisin est également convoqué « à cause d'elle », elle s'étonne et lui demande pourquoi il y est allé : « Moi, je dois y aller parce que je suis convoquée. Si c'était à cause d'un autre, je n'irais pas. » J'ai du mal à le croire, lui répond-il.

À la lecture de *La convocation*, d'Herta Müller, on n'a de cesse de s'étonner de ce que le pouvoir est opératoire, de ce qu'il fonctionne et engendre presque mécaniquement ses effets. Sous le régime de terreur du dictateur Ceaușescu, une femme parcourt quotidiennement la route qui la sépare du bureau de la police politique secrète roumaine, où elle est convoquée. Ses longs trajets en tramway donnent à l'anticipation et à l'angoisse une densité quasi insupportable. Ils étirent le temps de la résignation jusqu'au déchirement, portent la peur à son comble. Pourtant, elle s'avise bien de ne pas être en retard. Et de répondre, stoïque, aux perfides questions de son bourreau. « Tu vois, tout ça se recoupe », lui dit-il tantôt après un long silence calculé, tantôt en hurlant. « Tout ça se recoupe[1]. »

S'il est un fait social absolument remarquable, et dont on ne s'étonne pas suffisamment, c'est celui de l'assujettissement au pouvoir. Les appareillages de pouvoir fonctionnent en produisant de complexes processus d'assujettissement, qui ne sauraient se limiter aux seuls effets d'obéissance que suppose le fait d'être ployé sous la contrainte. Tout dispositif de pouvoir, entendu dans une perspective foucaldienne, vise à dérouler la mécanique de la subjectivation, c'est-à-dire à produire un sujet. Un « sujet assujetti », marqué corporellement et mentalement par le pouvoir, travaillé intimement par lui. Une femme est convoquée et par là appelée à se reconnaître comme le sujet d'un pouvoir. Elle est définie par ce pouvoir-machine, intimement constituée par les convocations qu'il lui adresse, tant et si bien qu'elle pourra éprouver n'être plus qu'« une personne convoquée ». C'est la subordination à un pouvoir qui transforme l'individu en sujet.

Cela n'est pas sans rappeler – le parallèle a été maintes fois souligné – la célèbre leçon d'Althusser, pour qui l'idéologie se rappelle à tout moment aux individus au moyen de l'*interpellation*. L'allégorie althussérienne est bien connue. Un policier hèle quelqu'un dans la rue : « Hé, vous, là-bas ! » pousse cet individu à se retourner et à se reconnaître lui-même comme le sujet de cette interpellation. L'interpellation transforme l'individu en sujet, elle est l'entreprise d'assujettissement qui, pour le philosophe, est propre à toute idéologie. « C'est une même chose que l'idéologie et

1. Herta Müller, *La Convocation* [1997], Paris, Métailié, 2001.

l'interpellation des individus en sujets[2] », écrit Althusser. Sauf qu'*a contrario* de ce petit théâtre théorique, l'interpellation a toujours déjà été lancée, les individus sont *toujours-déjà* interpellés en sujets. De la même manière, tout individu est *toujours-déjà* convoqué par le pouvoir, intimement constitué et marqué par lui, assujetti à ses normes, placé sous la contrainte de ses injonctions. Nul ne peut entièrement s'y dérober ou s'en déprendre. C'est cela qui faisait dire à Foucault que le sujet n'est pas la cible, mais l'un des effets premiers des dispositifs de pouvoir. En effet, le sujet est sans doute l'une des productions les plus abouties et insidieuses du pouvoir.

Didier Éribon a montré comment l'injure, la désignation stigmatisante, agit tel un puissant mécanisme d'interpellation. L'injure un jour proférée à Violette Leduc, enfant, « Tu es une bâtarde », fait porter sur elle le fardeau d'une faute qu'elle n'a pas commise. Cette interpellation injurieuse agit à la manière d'un verdict de culpabilité sociale, qui la condamne à la stigmatisation, à la réprobation, à l'exclusion. Pis, elle découvre de cette sentence qui la frappe qu'elle fut toujours *déjà-prononcée*, qu'elle précéda même sa naissance. « C'est le monde social qui la nomme, la frappe d'un "mot vertigineux" (selon le vers de Genet: "Un mot vertigineux, venu du fond des âges"), violemment et pour toujours, mais qui l'avait déjà frappée silencieusement et depuis toujours[3]. » De la même manière, Pierre Macherey indiquera que l'interjection visant Franz Fanon, « Tiens, un nègre ! », est une figure de l'interpellation, en tant qu'elle assigne celui-ci à une place subordonnée dans l'ordre social et qu'elle lui fait porter les stigmates d'une identité infériorisée dans laquelle il est forcé de se reconnaître[4]. Les injures, écrira

---

2. Louis Althusser, « Idéologie et appareils idéologiques d'État (Notes pour une recherche) », *Positions*, Paris, Éditions Sociales, 1976, p. 113-114.

3. Didier Éribon, *Principes d'une pensée critique*, Paris, Fayard, 2016, p. 101.

4. Pierre Macheray, « Deux figures de l'interpellation : « Hé, vous, là-bas ! » (Althusser) – « Tiens, un nègre ! » (Fanon) », exposé présenté le 10 février 2012 dans

Éribon, sont telles de multiples convocations au tribunal de l'ordre social.

Il n'est évidemment pas ici question de comparer notre affaire à la dictature roumaine, ni à l'héritage dévastateur qu'a laissé le système colonial en Afrique et que *Noir Canada* prend en partie pour objet. Mais s'il s'agit de nous pencher sur le pouvoir assujettissant de la procédure judiciaire, nous pourrions dire de la mise en demeure et de la poursuite en justice qu'elles agissent comme de puissantes figures d'interpellation. Le sujet de droit est produit par l'interpellation culpabilisante de la Loi. Il est *toujours-déjà* inscrit de force sous son autorité. Comme l'agent qui vous hèle et vous pousse à vous retourner, la mise en demeure et la poursuite vous somment de vous reconnaître comme le sujet de l'interpellation. Elles vous exhortent à vous reconnaître comme le sujet d'un droit dont il n'est pas certain qu'il emporte votre adhésion. Elles vous interpellent, en fait, non plus seulement en sujet, mais également en coupable, en responsable d'une faute quelconque[5] : « Vous avez diffamé. » Vous voilà simultanément convoqué devant la Loi et mis en demeure de répondre d'une faute. « Le destinataire est contraint de se retourner vers la Loi avant d'avoir la moindre possibilité de poser des questions : qui parle ? Pourquoi devrais-je me retourner ? Pourquoi devrais-je accepter les termes dans lesquels je suis appelé[6] ? »

Je me suis souvent demandé *a posteriori* pour quelles raisons nous avions obtempéré à certaines des injonctions les plus manifestement exagérées de nos détracteurs. Pourquoi même nous étions-nous pliés à tout ce cirque, comme frappés d'accablement

---

le cadre de la journée d'études « Le sujet et le pouvoir » de l'Unité mixte de recherche « Savoirs, textes, langage » de l'Université de Lille, <https://philolarge.hypotheses.org/1201>.

5. Franck Fishbach, *Sans objet. Capitalisme, subjectivité, aliénation*, Paris, Vrin, 2009, p. 219.

6. Judith Butler, *La vie psychique du pouvoir*, Paris, Léo Scheer, 2002, p. 167.

et de prostration. En repensant à certaines scènes, j'eusse souhaité que nous ayons su mieux rire à la barbe des imposteurs, que nous ayons opposé plus vigoureusement quelque conscience ironique à la mauvaise conscience et quelque ruse de l'esprit à la bêtise rampante. Que nous eussions plus souvent, surtout, exprimé un refus net. Ou mieux encore, qu'un savant mélange d'ironie et d'irrévérence nous eût conduits à reprendre à notre compte la fameuse formule de Bartleby, célèbre personnage de Melville: *I would prefer not.*

Il serait aisé de balayer ces réflexions du revers de la main, y compris dans le secret de sa conscience propre. D'une part, nous avons livré bataille avec une combativité et une détermination maintes fois relevées et saluées. Mais la question n'est pas morale et n'a rien à voir avec la distribution des mérites et des fautes, ni avec l'exaltation d'une quelconque éthique sacrificielle. Il s'agit plutôt de voir comment opère la mécanique du pouvoir, de quelle manière s'exercent ses effets, dans quelle mesure nous nous y soumettons et quelles marges de résistance sont susceptibles d'être ménagées. D'autre part, il y a bien quelques raisons objectives qui puissent nourrir *a posteriori* la justification ou la rationalisation de notre posture d'alors: nous étions pour le meilleur et pour le pire conseillés par un avocat; nous restions par ailleurs convaincus que la véritable bataille se jouait autre part, sur la scène politique, et que l'enceinte judiciaire ne pouvait nous être que fondamentalement hostile. Or, ces considérations ne me semblent pas épuiser le problème de la sujétion au pouvoir. Bien au contraire, elles gagneraient à être intégrées à l'analyse en tant que ressorts mécaniques ou psychiques de l'assujettissement.

Ce premier automne de procédures, où eurent lieu les interrogatoires hors cour, fut sans doute celui où l'emprise de la partie adverse sur nos conduites et nos subjectivités fut la plus grande. Les petits manèges des gens de chicane, que nous découvrions alors, exerçaient sur nous une impression très incisive. Durant ces quelques mois, nous nous sommes pliés confusément à de nombreuses requêtes dont le Tribunal lui-même estima trois années plus tard qu'elles avaient constitué un « comportement procédural en apparence si immodéré » et « empreint de démesure » qu'il y voyait matière à inférer que « Barrick sembl[ait] chercher à intimider les auteurs[7] ».

Il y avait notamment cette pratique courante dans la conduite des interrogatoires qui consiste à requérir de l'interrogé divers « engagements » en lien avec son témoignage. Or, nos 20 journées d'interrogatoires donnèrent lieu à plus d'une centaine d'« engagements », nous exhortant à fournir, toujours dans les délais les plus brefs, les copies de nombreux échanges courriels, les procès-verbaux de nos réunions, les différentes versions du manuscrit de *Noir Canada*, moult références, explications et notes de recherche, les états financiers d'Écosociété, les adresses personnelles des membres de son conseil d'administration, des précisions sur nos liens avec telle ou telle personne, telle ou telle organisation, et ainsi de suite. Dans ce dispositif où rien ne doit en principe échapper au regard, où tout est motif à surveillance et à contrôle, les « engagements » se trouvaient à faire fonctionner un système d'inspection et d'examen minutieux des conduites ; une entreprise de collecte et de compilation documentaire d'autant plus savamment orchestrée qu'elle reposait sur le travail gratuit qu'il s'agissait par ailleurs de nous extorquer.

La décision de déposer en tout ou en partie les interrogatoires devant le tribunal aux fins de la preuve, nous l'avons déjà dit, est l'entière prérogative de la partie qui sollicite et conduit lesdits interrogatoires. En clair, nous n'avions pas la moindre certitude que les « engagements » ainsi produits apparaîtraient en définitive au dossier remis à la cour, et il était tout aussi probable qu'ils n'y figurent pas. De certains de ces « engagements », l'on peut douter

---

7. *Barrick Gold Corporation* c. *Éditions Écosociété inc.*, 2011 QCCS 4232.

sérieusement qu'ils eussent pour finalité de soutenir les allégués de la partie adverse. Mais quoi qu'il en soit, dans ce type d'exercice, cette dernière partait à la pêche avec d'autant plus de zèle qu'elle disposait des effectifs et des ressources nécessaires pour traiter toutes ces liasses de documents. Nous étions manifestement face à une équipe de lèche-bottes de luxe, à qui leur cliente avait dû faire comprendre qu'elle déliait allègrement les cordons de sa bourse en échange de résultats. Aussi bien dire qu'ils avaient les moyens de leur ambition.

Un jour qu'il était criblé de questions très pointues relatives à l'existence ou à la non-existence de documents qu'aurait pu émettre une société déterminée sur un cas précis et à l'intérieur d'une période de temps donnée, notre auteur avait tenu à indiquer qu'il répondait pour autant qu'il s'en souvienne et sous toute réserve, rappelant qu'il travaillait normalement en toute quiétude, entouré de ses livres et muni de ses notes et qu'« un intellectuel sans ses notes, c'est un peu comme un ouvrier sans ses outils ». Il n'en fallut pas davantage pour que la partie adverse requière l'engagement de « produire l'ensemble des notes et des copies faisant partie du dossier de recherche pour les trois auteurs », une requête qui apparaîtra à quiconque a l'ombre d'une idée de ce que peuvent supposer trois années de recherche non seulement incroyablement intrusive, mais pour tout dire carrément insensée.

Cette situation tendait à se normaliser. Bien que parfaitement révoltés par les méthodes de la partie d'en face – et en dépit de la conviction que nous partagions de leur illégitimité fondamentale, y compris même au regard des préceptes de l'État de droit –, nous en étions venus en quelque sorte à les considérer comme inévitables. La révolte s'était graduellement muée en résignation. Je pense qu'à un certain point, il nous a semblé qu'il était impossible de nous soustraire à l'emprise du pouvoir qui s'exerçait sur nous, sauf à nous saborder nous-mêmes juridiquement.

Un jour, l'escalade des requêtes impérieuses et des manifestations de puissance conduisit les sbires de la partie d'en face à requérir la saisie des ordinateurs des trois auteur.e.s. Cette menace eut pour effet de plonger ces derniers dans un désarroi réel, et je pense qu'ils furent saisis d'un véritable effroi de les voir parvenir à leurs fins. Cette inquisition arbitraire ne souffrait-elle donc d'aucune limitation ? Dans un sursaut de révolte, ils s'y opposèrent avec véhémence auprès de notre avocat, et après une intervention de sa part, cette requête n'eut aucune suite. Nous exigeâmes aussi des interrogatoires qu'ils prennent place ailleurs que dans les bureaux du cabinet de la partie adverse, comme nous contestâmes auprès de la Cour la requête visant à interroger un militant torontois, avec succès.

À quoi donc tenait cette joute perverse, cette mécanique incertaine, où se côtoyaient et se soutenaient à la fois l'obéissance et le refus ? Loin de s'opposer comme elles le paraissent, la soumission et l'insoumission fondent le « socle mouvant des rapports de force[8] », elles sont immanentes aux relations de pouvoir, constitutives de leur exercice et de leur emprise sur les subjectivités. Là où il y a pouvoir, il y a résistance, écrit Foucault dans *La volonté de savoir.* Autrement dit, il n'y a pas d'en-dehors absolu du pouvoir. Tout au plus y a-t-il, en de multiples points de résistance, des stratégies d'affrontement possibles.

Aurions-nous pu mieux faire barrage aux requêtes excessives de nos détracteurs ? Aujourd'hui, cela me semble ne faire aucun doute. Mais c'eût été encore largement jouer le jeu de la procédure et jusqu'à un certain point, être assujettis à sa loi de fer. Face au pouvoir de la procédure, les tentatives de déprise ne sont jamais que partielles, les stratégies de lutte, diffractées en de multiples points de résistance. La procédure n'admet pas d'échappatoires.

8. Michel Foucault, *Histoire de la sexualité I. La volonté de savoir*, Paris, Gallimard, 1976, p. 122.

Elle est telle qu'elle rattrape et englobe sans cesse la contestation dans cette formidable machine à produire de l'ordre. Sans écarter complètement le rôle joué par quelques dispositions psychiques et modalités stratégiques, il me semble que nous aurions tort de faire l'impasse sur la nature proprement engageante de la procédure judiciaire, sur ses modalités d'assujettissement complexes, sur ce qui la caractérise irréductiblement comme foyer de pouvoir.

Luhmann : la procédure judiciaire comme « absorption des protestations »

On retrouve sous la plume du sociologue allemand Niklas Luhmann l'une des problématisations les plus sophistiquées et puissamment cyniques du caractère proprement engageant de la procédure judiciaire. Son fonctionnalisme radical, aux antipodes de toute visée critique ou émancipatrice, apparaît davantage comme une ratification implicite des mécanismes assurant la perpétuation du système. Une apologie du *statu quo*, en somme, recouverte du vernis de la théorie. Mais tout détestable qu'il soit, il faut reconnaître à Luhmann le mérite de prendre définitivement congé du mythe de la procédure comme instrument de réalisation des droits et d'admettre que les institutions sociales ont toujours une fonction objective qui diffère de leur fonction autoproclamée.

Pour Luhmann, la procédure a pour vocation non pas de servir la vérité ou la justice, mais de renforcer la disposition du justiciable à accepter comme contraignantes des décisions qu'il réprouve et qui sont contraires à sa vision de la justice. Aussi coupe-t-il court à toutes les fictions mystificatrices du procès « juste et équitable » : la procédure n'a pour toute ambition que la légitimation du pouvoir.

Le fait d'être plongé dans une procédure finit par enchaîner et piéger les justiciables dans un mode d'agir, un jeu de rôle, une langue qui n'est plus la leur mais celle du tribunal et du droit et qu'ils sont néanmoins forcés d'assumer comme une partie d'eux-mêmes. La psychologie sociale a déjà largement démontré comment, en vertu de mécanismes psychiques et sociaux complexes, le fait de s'engager dans un cours d'action rend hautement probable la persévération dans cet engagement. Or, ces effets sont redoublés dans le cadre de la procédure judiciaire où, en fonction de tout un jeu de règles et d'un réseau d'écriture, chacune des déclarations et des pièces se trouve méticuleusement numérotée et consignée au dossier de sorte qu'il devient de plus en plus improbable de modifier sa ligne de conduite ou de s'opposer à l'édifice ainsi échafaudé, à moins, précise Luhmann, que *la procédure elle-même* n'en offre la possibilité. Telle apparaît la mécanique d'un univers clos sur lui-même et dont le mouvement est celui d'une spirale rétrécissante verrouillant graduellement les possibles. Quant à l'incertitude qui prévaut tout de même relativement à l'issue du procès, elle est pour Luhmann le moteur même de la procédure et son facteur proprement légitimant. « La tension doit être maintenue jusqu'à la prononciation du jugement[9]. » Les procédures, commente-t-il, « fonctionnent désormais comme des industries de masse[10] » et l'incertitude quant à leur issue sert de motif pour extorquer de celui qu'elles ciblent « un travail cérémoniel non rémunéré[11] ».

Au même titre que les disciplines analysées par Foucault, la procédure agit donc comme instrument pour dresser le justiciable. L'objectif est d'amener celui-ci à restructurer ses attentes, à renoncer à tout engagement trop existentiel et à « prendre ses distances par rapport à la vérité et au droit[12] ». Par sa collaboration au jeu de la procédure, il aura suffisamment « confirmé la valeur des normes et les décideurs dans leur fonction » pour « qu'il ne

9. Niklas Luhmann, *La légitimation par la procédure*, Québec, Les Presses de l'Université Laval, 2001, p. 112-113.
10. *Ibid.*, p. 91.
11. *Ibid.*, p. 110-113.
12. *Ibid.*, p. 100-101.

dispose même plus de la possibilité de souffrir publiquement d'une injustice morale[13] ».

Luhmann admet volontiers, dans ce contexte, que les procédures génèrent des « déceptions durables » et « inévitables », mais il précise que leur fonction n'est pas de les prévenir, mais plutôt de leur donner « la forme d'un ressentiment diffus et privé qui ne peut s'ériger en institution ». Nous voilà donc au cœur de l'affaire. Pour le théoricien, la procédure ne vise pas tant à engager intimement la personne concernée par quelque mécanisme d'intériorisation psychique des normes et des valeurs de l'institution, mais plutôt à « désarmer symboliquement » celle qui, ayant perdu son procès, « se cantonnerait dans une identité négative ». Les procédures servent à « l'isoler en tant que source de problèmes et à rendre l'ordre social indépendant de son accord ou de son refus », bref, à priver sa critique de toute résonance sociale et à empêcher la politisation de son affaire. C'est ce que Luhmann désigne - appréciez l'euphémisme - la « dissémination des conflits » et « l'absorption des protestations[14] ».

Ultimement, la procédure fournirait des ressorts singulièrement ingénieux pour confiner les récalcitrants dans le rôle de « déviants ». Elle doit veiller à ce qu'il en coûte cher à quiconque s'entêterait obstinément dans sa vision du vrai et du juste. On appréciera d'ailleurs toute la sagacité et la bienveillance avec lesquelles Luhmann dresse le portrait de ces indomptés, ces rebelles, ces exclus.

> La personne déçue réorganisera et radicalisera ses expériences, ses modes de comportement et ses buts à l'intérieur d'un rôle « déviant ». Elle tentera à l'avenir d'apparaître, de manière cohérente, comme quelqu'un de blessé, d'asservi, de violenté, d'incompris, comme une personne dupée, sinon carrément comme quelqu'un de malade. Elle [...] finira par trouver un coupable : le juge, son avocat, un témoin qui

13. *Ibid.*, p. 113.
14. *Ibid.*, p. 108-118.

> a fait une fausse déclaration [...] et l'avenir de cette personne sera hypothéqué par une frustration permanente qui ne pourra s'effacer que lentement. [...] Le perdant devient un être bizarre, un éternel plaignard, quelqu'un dont on connaît le sujet de conversation favori et que l'on évite autant que possible[15].

Il est même des cas, parmi les plus irrécupérables, qui feront tout un livre de leur affaire...

Un attachement passionnel à la loi?

Il y aurait donc une première forme d'assujettissement, qui s'exercerait depuis l'extérieur, et que produirait mécaniquement le dispositif judiciaire en marquant mentalement et corporellement ceux et celles qu'il prend pour cible. Celle-ci concernerait la fabrique d'un « sujet assujetti », plié, façonné par les dispositifs de pouvoir, « désarmé symboliquement » pour reprendre l'expression luhmanienne. Le dispositif judiciaire requiert un sujet qui soit tout entier pris dans son rôle, complètement absorbé par les impératifs que déroule la procédure. Le sujet de droit est d'abord un sujet requis du dehors.

Or, les théories de la domination se sont traditionnellement attachées à analyser un second versant des relations de pouvoir, celui-là dit « interne » ou « psychique », et qui aurait plus à voir avec l'adhésion inconsciente des dominés à leur domination, soit leur ratification implicite des structures de pouvoir. C'est la vieille question de la participation active des dominés au maintien des structures de l'ordre social. Pourquoi les dominés consentent-ils à leur propre subordination? Pourquoi en viennent-ils à accepter comme normale la domination dont ils font l'objet? Ces approches postulent qu'il y aurait, par-delà l'obéissance, une *surobéissance* à chercher du côté de la légitimité que le dominé ne peut manquer

15. *Ibid.*, p. 107-108, 114.

d'accorder au dominant et que Pierre Bourdieu a amplement théorisée sous le concept de violence symbolique.

Judith Butler radicalise ces assomptions en postulant l'existence chez les sujets d'un attachement passionnel à la loi, « un désir originaire de la loi, une complicité passionnée avec elle, complicité sans laquelle aucun sujet ne saurait exister[16] ». Le sujet se verrait contraint d'effectuer ce retournement vers la loi qui le hèle car il dépend fondamentalement d'elle, car sa subordination « se révèle centrale » à son devenir[17].

Cela me rappelle la contrariété que j'avais ressentie à la lecture d'une nouvelle de Rose Meller, *La sentence*, et du sentiment d'inachèvement chronique auquel je m'étais butée dans l'attente vaine d'une allégorisation quelconque, d'une clé explicative, d'un retournement critique qui se dérobait sans fin. Le récit débute en 1938. Un Juif viennois, M. Schmidt, est accusé de vol à la suite d'une insignifiante querelle avec un commerçant. Se voyant refuser la réparation de son monocle par ce boutiquier malcommode[18], Schmidt lui subtilise un autre monocle pour mieux exercer une pression sur lui. La triviale dispute s'envenime et se retrouve devant les tribunaux. Or, l'arrivée d'Hitler fait avorter le procès. L'affaire eût pu s'arrêter là, mais Schmidt, blessé dans son désir de justice, ne l'entend pas de cette manière. L'homme exige qu'on lui fasse son procès. Pris de passion dévorante pour une loi qui viendrait l'absoudre, sa quête est celle de l'obsession maladive d'être jugé.

Ce roman de Meller a de quoi susciter l'agacement, en cela qu'il dépeint une idolâtrie insensée de la loi, tout en étant dépourvu de la charge critique que l'on voit se dessiner en creux, par exemple,

---

16. Judith Butler, *La vie psychique du pouvoir*, *op. cit.*, p. 168.
17. *Ibid.*, p. 29.
18. La nouvelle ne le précise pas, mais la thèse de l'antisémitisme est probable au vu du contexte. Le cas échéant, le terme « malcommode » ne conviendrait pas, il va sans dire.

dans *La colonie pénitentiaire* de Kafka quant à l'attachement et à la soumission proprement morbides de l'officier à la loi du commandant. Mais il faut bien reconnaître qu'il ne fut pas complètement étranger à l'esquisse de ma réflexion sur ce désir de la Loi, cet amour du signifiant de la Loi, et sur les manifestations qu'ils avaient pu revêtir durant nos années de luttes. Car force est d'admettre que l'on ne se défait pas si aisément du fantasme d'une absolution devant la loi.

Cet attachement à la loi, je l'ai observé en soubassement chez certains camarades qui, sur la base d'une foi quasi théologique en une justice immanente appelée à triompher devant les tribunaux, restaient farouchement convaincus, malgré tous les revers que nous avions essuyés, que nous ne pouvions qu'obtenir gain de cause lors du grand Jugement final.

Nous l'avons observé, de manière plus diffuse, partout où régnait l'idée qu'il n'y *a pas de fumée sans feu*; chaque fois que nous attirions la suspicion du seul fait d'être la cible d'une poursuite, comme si la seule procédure engendrait mécaniquement un effet de légitimation des prétentions déroulées devant la loi, quelles qu'elles soient.

Je me rappelle aussi de ce juriste qui, soumis en principe à un certain devoir de réserve, avait pris des engagements publics très courageux durant notre affaire, condamnant de but en blanc ce qu'il estimait être une «poursuite-bâillon». Or, après une vaste mobilisation populaire qui avait entraîné une modification au code de procédure civil, nous pouvions enfin requérir des tribunaux le rejet de la poursuite sur la base de ces nouvelles dispositions législatives visant à contrer les «poursuites abusives». Dans l'esprit de chacun, il ne faisait aucun doute que la loi comme les tribunaux seraient alors mis à rude épreuve, la première dans sa portée déstabilisatrice réelle, les seconds dans leurs dispositions – généralement plutôt conservatrices - à consentir à interpréter la loi dans le sens d'un changement de culture procédurale. Or ce juriste, dont le soutien n'avait pas vacillé, m'avait néanmoins candidement signalé, à la faveur de cette requête devant les tribunaux, qu'enfin nous saurions, au fond, quelle était la véritable nature de la poursuite, « bâillon » ou non. Une telle propension à suspendre son jugement et à déléguer à l'État et à ses représentants sa souveraine faculté à penser le réel reste pour moi un insondable mystère.

Mais s'il est quelque chose comme un attachement passionnel à la loi, peut-être est-il à chercher plus radicalement dans la relative immunité critique dont jouit encore aujourd'hui l'institution judiciaire ; dans l'inclination toujours dominante à neutraliser toute expérience de pensée en se réfugiant derrière la tautologie « la loi, c'est la loi », mieux connue sous une forme dont il faut lui reconnaître qu'elle offre l'avantage de mieux dissimuler sa brutale autoréférentialité : « oui, mais… c'est légal. »

La honte de Joseph K.

Il est une expérience psychique qui témoigne de l'introjection fort insidieuse des normes du pouvoir, de l'inscription en soi des mises en demeure qu'il nous adresse et des verdicts auxquels il nous assigne. Cette expérience, c'est la honte. La honte est une manière très intime d'éprouver la marque en soi du pouvoir. Et s'il est un art auquel la procédure judiciaire œuvre sournoisement mais de manière acharnée, c'est bien celui d'instiller la honte.

Joseph K., le héros de Kafka qui avait d'abord cru à une plaisanterie de ses collègues, dénie dans un premier temps toute importance à son affaire, sûr de son bon droit. Puis, sans cesse inquiété par un tribunal qui, sans pour autant jamais recourir formellement à la contrainte, le rappelle à son autorité en tout lieu et en toutes circonstances, il finit par clamer son innocence, haranguer ses juges et pourfendre une justice corrompue ! Assujetti de manière croissante à la mécanique d'un procès sans loi, livré à ses implacables rouages, K. en vient à s'éprouver comme prisonnier d'un système opaque et absurde qui ne prévoit pas de dehors et auquel nul effort de volonté ne saurait permettre d'échapper. Lorsque K. est finalement conduit à la mort, il n'oppose aucune résistance. Résigné à son destin, convaincu que toute résistance est « sans valeur », il se laisse abattre « comme un chien », « comme si la honte dût lui survivre ».

Hannah Arendt, à l'instar de plusieurs de ses contemporains, propose que l'abdication de Joseph K. est fondée sur l'intériorisation d'un sentiment croissant de culpabilité qui, parallèlement au « fonctionnement de la sournoise machine bureaucratique », est « suscité [...] par une accusation vide et infondée[19] ».

Pourtant, la première phrase du *Procès* est sans équivoque : « On avait sûrement calomnié Joseph K., car, sans avoir rien fait de mal, il fut arrêté un matin. »

Peut-être faut-il ici prendre au sérieux l'invitation de Deleuze à lire Kafka « littéralement ». Or si *Le procès* s'ouvre sur l'affirmation de la non-culpabilité de Joseph K., il se clôt en revanche sur la honte appelée à lui survivre. Le sentiment de culpabilité naît d'une réprobation que l'on s'adresserait à soi-même, dans le secret de sa conscience propre, et il ne fait nul doute dans mon esprit que Joseph K. s'estime innocent jusqu'à la fin et réserve son désaveu au système qui le condamne. La honte, elle, « est éprouvée *devant les autres*[20] ». Elle naît du sentiment de précarisation ou de dénégation de sa propre existence, lequel nous est infligé depuis l'extérieur et à la face du monde. La honte est la part introjectée du verdict qui nous frappe. Elle est une manière de se soumettre à la violence de ce verdict, de le ratifier, de l'inscrire en soi[21]. Il est

19. Hannah Arendt, *La tradition cachée*, citée par Pascale Casanova, *Kafka en colère*, Paris, Seuil, 2011.
20. Pierre Bourdieu, *La domination masculine*, Paris, Seuil, 2002, p. 77.
21. Didier Éribon, *Principes d'une pensée critique*, *op. cit.*, p. 105.

possible d'échapper à tout sentiment de culpabilité et néanmoins d'éprouver de la honte.

Cet aveu inavouable ne fut murmuré qu'une seule fois entre nous, à mots étouffés, presque indistinctement, aux abords du silence. C'était au sortir d'une journée d'audience qui avait été singulièrement disgracieuse, tant les charges avaient été virulentes, unilatérales, martelées violemment sans droit de réplique.

« J'ai honte... »

La honte est la part déniée de l'offensive judiciaire. Cela est particulièrement flagrant et paradoxal dans le cadre de procédures qui prétendent avoir pour objectif de « réparer » un tort fait à l'honneur, et qui n'en sont pas moins structurées de sorte à exacerber et à institutionnaliser la calomnie. La honte – qui est l'envers de l'honneur – est le poison que distille la procédure judiciaire.

Après des semaines du manège décrit précédemment, ponctuées d'interrogatoires écrasants et de requêtes aussi impérieuses qu'incessantes, Barrick avait mis les défendeurs en demeure de ne plus utiliser l'expression « poursuite-bâillon » pour qualifier son action. En cas de refus, menaçait-elle, les défendeurs s'exposaient à ce que leur « comportement [rende] d'éventuelles rétractations, excuses publiques, ou actions réparatrices *encore plus difficiles et embarrassantes* ». (je souligne)

L'une des stratégies de déprise face aux tentatives d'instiller la honte est d'œuvrer à réfracter celle-ci vers l'extérieur, comme par ricochet. Refuser l'opprobre, le stigmate. Donner à voir, à entendre, ce qui nous frappe vertigineusement.

Dans l'édition du *Devoir* du 23 septembre 2008, on pouvait lire : « L'auteur principal du livre a répliqué hier à cette nouvelle mise en demeure en soulignant que les personnes visées n'allaient pas obtempérer. « Cette mise en demeure relève d'un méta-SLAPP, c'est-à-dire d'une tentative de gêner le débat public sur les conditions mêmes selon lesquelles le débat public peut avoir lieu. Il s'agit d'un SLAPP au carré », a-t-il illustré[22]. »

Réfracter la honte. Faire qu'elle change de camp.

La remballer à qui de droit.

---

22. Alexandre Shields, « Barrick Gold met Écosociété en demeure de ne plus utiliser l'expression "poursuite-bâillon" », *Le Devoir*, 23 septembre 2008.

DEUXIÈME PARTIE

Pouvoir des mots, force du droit

Le pouvoir produit; il produit du réel; il produit des domaines d'objets et des rituels de vérité.

– Michel Foucault, *Surveiller et punir*

IL FAUT VOIR dans le dispositif juridique autre chose encore qu'une instance strictement répressive, chargée d'exercer son pouvoir sous la forme négative de l'interdit, de la punition et de la censure. La force du droit tient à bien davantage qu'à une puissance qui dirait non et ferait s'abattre sur les dissidents sa kyrielle de sanctions.

Le droit est un pouvoir essentiellement producteur. Il produit des savoirs, des discours, des catégories, des principes de vision, un récit surplombant la réalité du monde social. S'il joue un rôle stratégique dans la manipulation des rapports de force, le dispositif judiciaire doit son efficacité symbolique au fait de s'appuyer sur tout un régime d'évidence, tout un ensemble de règles de production de sens, de principes de catégorisation du vrai et du faux qui entendent s'imposer à la reconnaissance commune. Les rapports de force que l'appareil judiciaire met en jeu sont indissociables des discours qui les soutiennent et qui sont soutenus par eux[1].

La force du droit tient donc à ce redoutable pouvoir d'imposer un système de représentations et de valeurs, déguisé en principe universel. Instrument de normalisation par excellence, il détient le pouvoir d'inculquer et d'instituer les manières légitimes de penser et d'être, tout en repoussant dans les marges du *déraisonnable* toute rationalité alternative, toute subjectivité contraire. Si le droit

1. Michel Foucault, « Le jeu » [1977], dans *Dits et Écrits II. 1976-1988*, coll. Quarto, Paris, Gallimard, 2011, p. 300.

a les moyens de « rendre vraie sa vérité », il le doit autant à sa force coercitive qu'au consensus derrière lequel il se réfugie, qu'il concourt à produire, à reproduire et à faire fonctionner comme vrai.

Et si la langue du droit contribue à façonner le réel, elle révèle très tôt ses affinités électives avec les formes de pouvoir de notre temps. Dans le litige constitutif de la politique, où s'affrontent des visions du monde antagonistes, le droit ratifie et consacre une vision du monde, une *raison*, qui ne s'oppose en rien de décisif à celle des groupes dominants[2].

Quant aux subalternes de l'ordre social, aux justiciables de second rang, « ils sont voués à subir la force de la forme, c'est-à-dire la violence symbolique que parviennent à exercer ceux qui, grâce à leur art de mettre en forme et de mettre des formes, écrit Bourdieu, savent mettre le droit de leur côté, et, le cas échéant, mettre l'exercice le plus accompli de la rigueur formelle [...] au service des fins les moins irréprochables[3] ».

---

2. La juriste Andrée Lajoie démontre à partir d'une analyse systématique des décisions de la Cour suprême du Canada que les juges ont la possibilité d'intégrer au droit en toute quiétude les valeurs dominantes mais ne peuvent que rejeter celles qui sont totalement inacceptables aux groupes dominants, sous peine de mettre en péril leur légitimité et l'effectivité de leurs prononcés. Et si, paradoxalement, les juges entérinent par moment certaines valeurs non dominantes, portées par des groupes minoritaires, c'est parce que celles-ci coïncident au moins en partie, ou à tout le moins ne sont pas incompatibles, avec les valeurs dominantes. Voir Andrée Lajoie, *Jugements de valeurs. Le discours judiciaire et le droit*, Paris, PUF, 1997, et *Quand les minorités font la loi*, Paris, PUF, 2002.

3. Pierre Bourdieu, « La force du droit. Éléments pour une sociologie du champ juridique », *Actes de la recherche en sciences sociales*, vol. 64, septembre 1986, p. 18.

CHAPITRE 8

De la censure à la *sensure*: faire l'économie du discours

À rebours de la censure-événement et des manifestations de puissance qu'elle met en scène, il est une censure autrement plus invisible et insidieuse constituant la toile de fond régissant l'expression. Celle-ci n'a guère à voir avec l'interdit judiciaire jeté sur les ouvrages séditieux. Constitutive de l'espace où prolifèrent les discours, elle est l'ordre réglé qui prélude à toute prise de parole. Cette censure vise moins à faire taire qu'à constituer le domaine du dicible à partir duquel chacun est autorisé à parler. Elle cherche moins à interdire qu'à nous engluer dans le régime d'évidence que l'on nous donne comme allant de soi et pour indiscutable. Elle dicte les normes suivant lesquelles s'organise le champ restreint du pensable, du dicible, du publiable. Diffractée en de multiples dispositifs de filtrage et de formatage des opinions admises, elle est l'indépassable agencement du sens toujours et partout à l'œuvre. Elle vise à ce que chaque situation réglée de parole engendre quasi mécaniquement les discours qu'il convient précisément de faire entendre. Que ceux-ci prolifèrent, s'organisent, soient captés au travers d'un certain nombre de procédures destinées à en conjurer les potentialités subversives et les dangers. Cette censure « structurale » doit son efficacité à ce qu'elle s'exerce en toute méconnaissance de ceux qui la subissent et souvent même à l'insu de ceux qui l'exercent. « La censure, écrit Bourdieu, n'est jamais aussi parfaite et aussi invisible que lorsque chaque agent n'a rien à dire que ce qu'il est objectivement autorisé à dire[1]. »

Cet ordre consensuel que rien ne doit troubler condamne les esprits dissidents à « l'alternative du silence ou du franc-parler scandaleux[2] ».

Il se pourrait bien que le Canada et ses oligarques – dès lors qu'on les considère sans fard et dans leur brutale vérité – soient au nombre des refoulements qui parasitent la conscience collective. Gare à celles et ceux qui entreprendraient de démasquer les conflits enfouis, les secrets inavouables dont la censure se fait la gardienne. Ce *retour du censuré* est susceptible de déclencher d'autant plus de pulsions répressives que ce qu'il révèle est entaché de violence.

L'humoriste anarcho-syndicaliste Fred Dubé devait l'apprendre à ses dépens. Dans une chronique particulièrement caustique sur la première chaîne de Radio-Canada, il s'était intéressé de près à la composition du conseil d'administration de la Société des célébrations du 375e anniversaire de Montréal, écorchant l'un après l'autre les représentants de l'oligarchie canadienne qu'on y avait dépêchés en rappelant à leur sujet quelques faits connus[3]. Et comme il n'allait pas s'arrêter sur une si belle lancée, il en avait également profité pour remémorer à la conscience collective que le massacre

---

1. Pierre Bourdieu, *Langage et pouvoir symbolique*, Paris, Seuil, 2001, p. 345.

2. Pierre Bourdieu, *Ce que parler veut dire. L'économie des échanges linguistiques*, Paris, Fayard, 1982, p. 169.

3. Au nombre desquels l'ancien recteur de l'Université de Montréal Guy Breton qui, appelant à une intensification des liens entre l'université et le secteur privé, avait déclaré que « les cerveaux [devaient] correspondre aux besoins des entreprises ». Mentionnons également la présence de France Chrétien-Desmarais, fille de l'ancien premier ministre du Canada Jean Chrétien et belle-fille de feu le magnat des affaires et propriétaire de *La Presse* Paul Desmarais. À noter que ce dernier avait siégé au Conseil consultatif international de Barrick Gold. Comme le disait Fred Dubé dans sa chronique, « le monde est petit, surtout si on est riche et ultra libéral ».

des Amérindiens et la traite négrière avaient fait le lit de l'expansion du capitalisme sauvage en Amérique.

Rien d'inédit, donc, si ce n'est l'articulation avisée de trois registres que l'orthodoxie médiatique requiert de ne pas superposer : l'humour, une critique conséquente du capitalisme et un mandat radio-canadien. Mention d'honneur au chroniqueur pour son sens de la répartie au moment où l'animatrice, manifestement mal à l'aise, a cherché à dissoudre la critique en suggérant qu'il « allait loin » et en demandant « quelle école il avait fréquentée », admettant bien involontairement par là qu'il est une histoire officielle, une histoire des vainqueurs, renforcée et reconduite par toute une épaisseur de supports institutionnels, qui fait l'économie de celle des vaincus ; Dubé répliquait alors que c'est le genre de faits que l'on apprend dès lors « qu'on fait des recherches ailleurs que dans *La Presse* ». Cette chronique devait lui coûter sa résidence à la société d'État, sans que ce congédiement, ici et là relayé, ne suscite plus de réprobation qu'il ne faut.

S'il est bien un noir Canada, les obstacles restent nombreux pour celles et ceux qui entendent dire cet écart et faire entendre ces cris dans un silence empli de bruit.

Confiner au silence

Dans nos démocraties libérales, la disparition de la censure préventive a permis aux gouvernements de se dédouaner en grande partie de la violence effective que constitue le fait de confiner au silence. Cette fonction disciplinaire a largement été confiée aux tribunaux, lesquels se sont vus chargés, sur la base notamment du principe de responsabilité civile, de sanctionner les « abus de droit » en matière de liberté d'expression.

Or si, formellement, la liberté d'expression est garantie constitutionnellement et ne peut être restreinte que par une règle de droit, dans les faits, l'interdit législatif et judiciaire reste *a priori* inconnaissable. Les lois censées encadrer l'exercice de la liberté d'expression s'énoncent en des termes d'une telle généralité et couvrent des domaines d'application si vastes qu'elles laissent nécessairement le champ libre à une bonne part d'indétermination. Le sort que l'on réserve à la liberté d'expression devant nos tribunaux est tributaire moins de la lettre de la loi que de la culture juridique qui en fonde l'interprétation et la signification pratique. Or nous vivons dans une culture juridique prompte à réprimer radicalement la liberté d'expression, tout particulièrement lorsqu'elle se déploie dans le champ de la critique sociale. Le professeur de droit à l'Université d'Ottawa Jean-Denis Archambault pointe une tendance lourde au sein de l'institution judiciaire et législative québécoise consistant à réprimer de manière « disproportionnée, voire inconstitutionnelle[4] » la liberté d'expression et de presse.

Dans un contexte de judiciarisation croissante du politique, l'on a vu ces dernières décennies poindre de nouvelles modalités de répression de la parole, lesquelles présentent l'avantage non négligeable de revêtir les traits de la violence légitime et d'agir sous le couvert de la légalité. Elles se déploient sous la forme d'un vaste arsenal de dispositions législatives et d'outils juridiques plus ou moins opaques dont peuvent se prévaloir les détenteurs de capitaux, avec l'assurance confortable d'être dans leur « droit ».

Les poursuites-bâillons (en anglais SLAPP - *Strategic Lawsuits Against Public Participation*[iii]) apparaissent comme symptomatiques de cette censure légalisée contemporaine. Elles consistent en des actions en justice, intentées le plus souvent en diffamation, visant à neutraliser, à censurer et à réprimer des personnes ou des groupes ayant pris part au débat public dans le cadre de controverses sociales et politiques. Constitutive du répertoire d'action

4. Jean-Denis Archambault, *Le droit (et sa répression judiciaire) de diffamer au Québec*, Montréal, Éditions Yvon Blais, 2008, p. 981.

d'acteurs fortement dotés en capitaux juridiques et financiers, cette stratégie d'intimidation judiciaire repose ordinairement sur la menace d'une condamnation au versement de dommages et intérêts exorbitants, tandis que l'institution judiciaire est enrôlée pour nier des droits qu'elle a paradoxalement vocation à protéger. Au motif que leur réputation a été endommagée, des ayants droit fortunés pourront, en fonction de leurs capitaux, charger le tribunal de se pencher sur leur affaire, faire jouer en leur faveur les rouages de la machinerie judiciaire et, avec un peu de chance, réduire leurs opposants au silence. Les réduire au silence, donc, au nom des intérêts d'une poignée d'actionnaires, surtout si le silence permet d'occulter que l'on pille, que l'on exploite, que l'on exproprie, que l'on attise de sanglants conflits, que l'on corrompe, que l'on porte atteinte à la santé, à la sécurité et à la souveraineté des peuples. Les poursuites-bâillons révèlent en définitive l'existence de dispositifs légaux destinés à protéger le droit de faire taire les critiques de ceux qui peuvent en payer le prix.

La censure judiciaire apparaît donc sous une forme doublement privatisée. D'abord au sens où ce n'est guère plus l'État, mais des acteurs privés qui mobilisent les tribunaux pour faire valoir une prétention à arbitrer la parole, au nombre desquels des entreprises pour lesquelles il n'est de loi que subordonnée à celle de l'accumulation infinie du capital.

Ensuite, parce que la judiciarisation des conflits politiques relève en elle-même d'une opération de privatisation du débat public. Pour rappel, le mot privatisation, que son omniprésence tend à normaliser jusqu'à en faire oublier la charge violente, signifie soustraire à l'usage commun. Il désigne la confiscation et l'appropriation privées d'un bien jusqu'alors destiné à chacun. Le déplacement d'un litige d'une arène politique publique vers une arène judiciaire privée agit de telle sorte qu'il arrache à l'usage commun certaines questions, certains problèmes. Il a pour effet d'exclure du périmètre de la délibération démocratique des enjeux dont le caractère collectif, précisément, est disputé. « Ceci n'est pas votre affaire », dit la société qui traîne ses opposants en justice, revendiquant par là d'en faire son affaire privée. Ainsi, un débat public sur l'impunité des entreprises extractives canadiennes à l'étranger se verra rabattu à un litige privé sur le caractère diffamatoire d'un ouvrage.

Accaparer la sphère commune et la dépolitiser est l'un des ressorts fondamentaux de la domination oligarchique. Or, le droit est aujourd'hui l'indispensable complice de cette entreprise de spoliation et de privatisation.

Ce qui doit disparaître sans reste dans cette opération de diversion est le conflit lui-même, arraché à la grammaire politique, perverti et reconverti en un dialogue d'experts. Cette mainmise du droit sur la nature même de ce qui fait conflit, de ce qui pose problème, de ce qui relève ou non de la sphère publique, agit à terme de manière à contrôler l'ordre du discours et du sens et à s'en réserver le monopole de fait.

L'expérience d'une dépossession

Pour le justiciable pris dans les mailles du procès, la procédure judiciaire est à l'origine d'une dépossession. Elle est en soi une expérience d'usurpation de la parole et du sens. Lorsque vous êtes poursuivi, les avocats désignés pour parler en votre nom se « saisissent », comme le veut l'expression consacrée, de votre affaire. Vous vous en trouvez du même coup dépossédé.

Les justiciables qui se trouvent malgré eux contraints de devoir se défendre dans l'arène judiciaire, bien qu'ils s'y trouvent jetés, écrit Bourdieu, en restent toujours dans les faits exclus, dépossédés du sens que revêt pour eux leur affaire, disqualifiés dans leur vision « profane » du juste, contraints de transformer, au prix de le pervertir, leur discours dans la langue du droit, tandis que se voit réservé aux seuls experts le monopole du discours légitime[5].

Ils se découvrent soumis à une rationalité qui leur apparaît à rebours du sens, dans un univers où la logique aussi bien que les principes intuitifs de la justice sont tenus en échec. Combien de fois faut-il entendre: « Vous avez raison sur le fond, mais en droit… » ?

Et si l'on se trouve dans ce contexte dépossédé, c'est sans doute moins, comme les juristes se complaisent à le croire, parce que ces derniers seraient les garants d'une langue savante, hautement spécialisée et parfaitement indéchiffrable pour le profane. L'enjeu est moins d'être privé des compétences linguistiques et lexicales permettant de comprendre que de la langue légitime permettant d'être *entendu*.

En dernière instance, ce qui disqualifie véritablement le profane n'est pas sa méconnaissance du droit, mais son indisposition fondamentale à méconnaître – ou *re-méconnaître* – ce que le discours du droit refoule, nie, occulte, masque. Le « ce qui va sans dire », le « ce qui va de soi », pour peu qu'on reste entre soi ; tout ce qui ne saurait être dit, vu ou su ; cette part du réel frappée d'une cécité qui confine au déni institutionnalisé. C'est le refus de se laisser prendre au jeu de la dénégation, dont les juristes seraient les « gardiens[6] », qui signe l'exclusion du profane du cercle institutionnalisé de la « méconnaissance collective[7] ». Ce qu'on lui reproche, au fond, c'est son manque de foi.

---

5. Pierre Bourdieu, « La force du droit. Éléments pour une sociologie du champ juridique », *op. cit.*

6. Pierre Bourdieu, « Les juristes, gardiens de l'hypocrisie collective », dans François Chazel et Jacques Commaille (dir.), *Normes juridiques et régulation sociale*, Paris, LGDJ/Lextenso éditions, 1998, p. 95-99.

7. Pierre Bourdieu, « La production de la croyance. Contribution à une économie des biens symboliques », *Actes de la recherche en sciences sociales*, n° 13, février 1977, p. 3-43.

Ainsi, malgré le bon vouloir dont nous avons pu faire preuve, ici et là, pour nous plier au cérémonial de la justice ou pour « y mettre les formes », nous restions fatalement des impies parmi les croyants.

La police jusqu'en notre bouche : l'autocensure

Si la censure judiciaire, telle qu'elle s'exerce en régime démocratique, se présente bel et bien comme une restriction à la libre parole, elle est toutefois frappée d'un redoublement paradoxal. D'abord, elle s'accompagne généralement de toute une vague de protestations et de condamnations, escortées d'une campagne de presse qui est rarement favorable aux requérants. Si l'histoire a jeté à tout jamais l'opprobre sur les censeurs d'Alexandre Soljenitsyne, de Franz Fanon et de Marie Vieux-Chauvet, la censure contemporaine qui s'exerce par la voie des tribunaux est elle aussi le plus souvent frappée de déshonneur, déclenchant souvent un scandale plus grand que celui qu'elle cherchait à faire taire. Certains l'ont appris à leurs dépens.

D'autre part, il est une portée du texte soumis à la censure qui excède le censeur et déborde ses efforts désemparés pour le contenir. Il y a quelque chose de pathétiquement vain à frapper d'interdit un ouvrage en espérant en anéantir les traces et en conjurer la force. Révélant « davantage la hantise du pouvoir qu'elle ne sert son ambition[8] », la censure ne réussit bien souvent, lorsqu'elle s'avère efficace, qu'à être contournée. La répression des écrivains a souvent été propice, dans l'histoire, à l'émergence d'une infra-politique des lettrés, à la multiplication de stratégies sous-terraines de résistance et à la subversion des formes ordinaires de la censure. « La censure

8. Emmanuel Wallon, « La censure par la moyenne », dans Pascal Ory (dir.). *La censure en France à l'ère démocratique*, Bruxelles, Éditions Complexe, 1997, p. 323-332.

est la mère de la métaphore », écrivait Borges[9]. Nous savons en effet que pour déjouer les censeurs, certains auteurs ont manié le verbe avec ruse et audace, multipliant les sarcasmes, ironies et sous-entendus, et produisant ainsi certaines des œuvres parmi les plus belles de la littérature[10]. Que de tout temps, les écrivains ont recouru à des réseaux clandestins pour diffuser les livres frappés d'interdiction. Et ultimement, que tout interdit jeté sur un livre ne fait qu'attiser la soif des lecteurs.

Si le déploiement de stratégies de résistance est absolument coextensif à la censure, si l'un et l'autre se nourrissent réciproquement, l'étendue des effets de la censure ne saurait pour autant se limiter à la part visible des sanctions qui s'abattent sur les dissidents. C'est d'ailleurs là tout l'intérêt de la dissuasion judiciaire, tactique dont l'efficacité peut sembler au premier abord pour le moins douteuse tant elle opère en pleine lumière, jetant le discrédit sur les censeurs et participant à attirer l'attention précisément sur ce que l'on souhaitait dissimuler. Mais si le châtiment de quelques-uns peut s'avérer coûteux, il poursuit en revanche l'objectif camouflé d'obtenir par là le silence du plus grand nombre.

Là sans doute réside le véritable pouvoir de la broyeuse judiciaire : dissuader les plus téméraires de se mêler des affaires communes, certes, mais aussi, plus insidieusement, inculquer dans les pratiques et les consciences un certain sens de l'orthodoxie et de la bonne conduite. Inscrire au cœur des structures mentales les règles implicites du discours légitime, de la langue consensuelle, de la parole *raisonnable*. Ainsi, il y a lieu de craindre des « poursuites-

9. Cité par Norman Manea, dans *Les clowns. Le dictateur et l'artiste*, Paris, Seuil, 2009, p. 43.

10. Beaumarchais ne faisait-il pas dire à Figaro : « Pourvu que je ne parle en mes écrits ni de l'autorité, ni du culte, ni de la politique, ni de la morale, ni des gens en place, ni des corps en crédit, ni de l'opéra, ni des autres spectacles, ni de personne qui tienne à quelque chose, je puis tout imprimer librement, sous l'inspection de deux ou trois censeurs » ?

bâillons » qu'elles ne fassent en sorte d'élargir chaque jour un peu plus le spectre de l'illicite, de l'indicible et de l'informulable. Que par crainte de représailles judiciaires sévères et par quelque obscur mécanisme d'autocensure, de plus en plus d'universitaires, d'intellectuel.le.s, de citoyen.ne.s évitent de diffuser leurs résultats de recherche et passent sous silence des questions d'intérêt public. Que soient resserrées encore davantage les limites du domaine de la chose publique, par la voie de l'adhésion extorquée du plus grand nombre à un certain ordre du discours.

En matière de recherche universitaire, les tribunaux n'ont pas le monopole des injonctions à l'autocensure. Dans un contexte où la mainmise du secteur privé sur l'orientation et la commercialisation de la recherche va grandissant, la censure apparaît sous des formes d'autant plus privatisées qu'elle vient se loger au cœur même des dispositifs institutionnels, dans un mouvement de normalisation gestionnaire venu en quelque sorte se substituer à la loi. Non seulement les impératifs liés au financement des universités orientent la recherche vers les domaines financièrement rentables du savoir, tout en dévalorisant des disciplines et des thèmes de recherche dont le potentiel économique est faible, mais il n'est pas rare que des recherches fassent l'objet d'ententes de confidentialité et soient soumises à des brevets ou à des embargos rendant impossibles la divulgation et la publication de résultats qui mettraient à mal l'image de sociétés privées[11]. Quant aux scientifiques canadiens à l'emploi du gouvernement fédéral, ils se sont vus soumis, sous le règne du gouvernement Harper (2006-2015), à une telle ingérence politique et à des pratiques de surveillance et de contrôle à ce point orwelliennes[iv] qu'ils en étaient venus à alerter en sous-main leurs homologues étatsuniens, les priant de faire connaître publique-

11. Simone Landry, « La liberté académique et l'autonomie universitaire : un recueil de citations », *Les Cahiers de la FQPPU*, n° 6, avril 2001, <http://fqppu.org/assets/files/publications/cahiers/cahiers_fqppu_6.pdf>.

ment la situation qui prévalait au Canada[12]. Le scandale avait trouvé écho jusque dans la prestigieuse revue britannique *Nature*, qui avait ainsi conclu un éditorial lapidaire sur le bâillonnement des scientifiques canadiens : « il est temps pour le gouvernement canadien de cesser de museler ses scientifiques[13]. » (ma traduction) Ce gouvernement s'est aussi fait connaître pour s'être attaqué inlassablement et, dans certains cas, irréversiblement à des organismes non étatiques qui menaient des recherches indépendantes et proposaient des contre-discours s'opposant à terme à l'idéologie conservatrice, et notamment au projet de « faire du Canada le pays le plus attrayant au monde pour les investissements et les projets d'exploitation dans le domaine des ressources[14] ».

Dans ce contexte, où l'indépendance des chercheurs fait d'ores et déjà l'objet de préoccupations sérieuses, la peur de représailles judiciaires fait peser une chape de plomb supplémentaire sur la liberté académique et la fonction critique de la recherche. À cet égard, le Canada jouit à ce point d'une mauvaise réputation qu'un collectif d'universitaires étatsuniens avait protesté en 2008 contre la tenue à Toronto de la conférence annuelle de l'Association américaine de science politique (APSA). Jugeant que le Canada était devenu une « destination problématique », ils affirmaient que le droit à la liberté d'expression y est à ce point « précaire » qu'il exposait certains de leurs membres au risque de poursuites[15]. Le professeur de droit à l'Université de Montréal Pierre Trudel révélait

---

12. Suggéré par la députée libérale Kirsty Duncan lors des débats à la Chambre des communes, 41e législature, 1ère session, vol. 146, n° 225, 20 mars 2013, <www.parl.gc.ca/HousePublications/Publication.aspx?DocId=6049662&Language=E&Mode=1>.

13. « It is time for the Canadian government to set its scientists free », dans « Frozen out », *Nature*, vol. 483, n° 6, 1er mars 2012, <www.nature.com/nature/journal/v483/n7387/full/483006a.html>.

14. Tel qu'énoncé dans le Plan d'action économique du gouvernement Harper en 2013.

15. Kevin Libin, « Academics fear speaking freely in Canada », *National Post*, 23 août 2008.

pour sa part en 2009 que des chercheurs de son institution en étaient réduits, toujours par crainte de poursuites, à devoir taire des résultats de recherche qui mettaient à mal l'image de sociétés privées[16].

S'il est impossible de mesurer avec exactitude l'ampleur des effets inhibants et dissuasifs sur le débat public de poursuites telles que celles intentées contre les artisans de *Noir Canada*, il ne fait nul doute qu'elles contribuent à façonner cette culture du silence qui prévaut dès lors que des questions d'intérêt public relatives à des intérêts privés sont en jeu. Invité à présenter *Noir Canada* sur les ondes de Radio-Canada, le journaliste Bernard Faucher déclarait en 2008: « Comme il y a une poursuite en cours, c'est difficile de parler de certains aspects et pour ne pas s'exposer à des poursuites, on va éviter d'être trop précis[17]. » Dans un autre registre, les réalisateurs Robert Monderie et Richard Desjardins, dont les charges contre les « prédateurs des ressources naturelles » et le « vandalisme corporatif » ne donnent pas l'impression pourtant de pêcher par euphémisation, reconnaissent sans ambage que ces poursuites sont intimidantes. Dans une entrevue livrée au journal abitibien *La Frontière* en 2010, ils concédaient que leur documentaire à venir sur les mines serait moins incendiaire que les précédents: « L'industrie minière, ce n'est pas rien. Il faut faire très attention lorsqu'on parle de cela. On n'a qu'à voir ce que la publication de *Noir Canada* sur l'industrie minière canadienne en Afrique a provoqué pour s'en rendre compte[18]. »

En coulisse, c'est le festival de l'aveu. C'est là un des effets collatéraux inattendus de nos déboires avec la justice. « *Off the record* » dans les salons du livre, à l'université et autre part, collègues et

16. Pierre Trudel, « Ouvert le samedi » [entrevue], *Radio-Canada*, 23 mai 2009.

17. Bernard Faucher et François Rebello, « Un livre qui dérange les minières » [entrevue], *Christiane Charrette*, Montréal, Radio-Canada, 20 mai 2008.

18. Agence QMI, « Un film sur les mines de Richard Desjardins ? », *Canoe*, 18 février 2010.

camarades s'épanchent et livrent les récits de leurs histoires d'intimidation judiciaire. Mises en demeure et menaces d'en référer aux tribunaux sont légion. La plupart du temps, brandir le spectre de poursuites aura suffi à obtenir l'effet escompté. C'est là la part cachée et insuffisamment soupçonnée du phénomène d'intimidation judiciaire. En soubassement des quelques scandales qui éclatent ici et là – et marquent au fond l'échec du censeur à étouffer dans l'œuf un débat qu'il a intérêt à juguler –, un nombre par définition incalculable de cas ne franchit jamais le seuil formel de la plainte en justice.

Les médias n'échappent pas à cette culture du silence. Lorsqu'ils ne sont pas asservis à une poignée d'oligarques, ils restent sous le joug mortifère d'une course à l'audimat et à la rentabilité économique, dans un contexte où la presse est globalement en voie de stérilisation politique. Dans l'espace atrophié de la presse indépendante, tenir tête à la domestication marchande, à l'orthodoxie néolibérale et au culte de la médiocrité met à risque ceux et celles qui s'y hasardent encore[19]. La menace de mise en demeure plane par ailleurs toujours au-dessus des journalistes et des médias, eux aussi vulnérables aux manœuvres d'intimidation judiciaire.

Si *Le Devoir*, la presse indépendante en général ainsi que, paradoxalement, certaines radios privées n'hésitèrent pas à couvrir l'affaire *Noir Canada* plutôt généreusement, relayant nos communiqués, publiant des lettres de soutien, s'intéressant de près aux différents développements du dossier et nous accordant des entrevues de fond, un certain malaise fut en revanche plus manifeste du côté de certains grands groupes médiatiques du Québec.

Dans le cadre d'une couverture médiatique qui nous a été globalement favorable, les deux seules attaques en règle furent le fait

19. Voir notamment Kristina Borjesson, *Black List*, Paris, 10/18, 2003, ou plus récemment Aude Lancelin, *Le monde libre*, Paris, Les liens qui libèrent, 2016.

de ténors de *La Presse*[20], fleuron de l'empire Gesca, une filiale de la Power Corporation du Canada, contrôlée jusqu'à son décès en 2013 par le richissime magnat de la presse Paul Desmarais. L'homme d'affaires, dont les accointances avec le pouvoir politique au Canada sont connus, a siégé durant plusieurs années au Comité international consultatif de Barrick Gold[21].

L'affaire *Noir Canada* sembla aussi susciter un certain inconfort du côté de Radio-Canada. À l'occasion du 60e anniversaire de la Déclaration universelle des droits de l'homme, en 2008, la société d'État souligna à gros traits les vertus de la liberté de presse et de la liberté d'expression dans le cadre d'une semaine consacrée à cette thématique… tout en annulant les entrevues pourtant déjà prévues avec les auteur.e.s de *Noir Canada*.

Il faut dire que dans les médias comme ailleurs, une censure préalable qui ne dit pas son nom est en voie de consolidation. Elle doit son efficacité symbolique au fait de n'être plus le fait d'une quelconque autorité administrative relevant de l'État. Organes de presse, maisons d'édition et autres maillons de la production intellectuelle et culturelle s'astreignent en effet désormais de leur propre chef à la censure préventive, en intégrant en leur sein un service de conseils juridiques ou, à tout le moins, en recourant à des avocats chargés d'appliquer la loi… du moindre risque. Il y a là la concrétisation d'une utopie libérale-totalitaire à laquelle Orwell n'avait pas songé : chacun se dotant de son propre censeur privé, dont l'expertise se négocie à haut prix sur le marché des services juridiques.

---

20. Patrick Lagacé, « Bon sujet, mauvais livre », *La Presse*, 21 juin 2008 ; Yves Boisvert, « Le droit avance plus vite que la liberté », *Le Trente*, 1er novembre 2008.

21. Desmarais a aussi fait partie des rares invités à la fameuse soirée du Fouquet's qui marqua la victoire de Nicolas Sarkozy à la présidentielle de 2007. Celui-ci l'a décoré en 2008 de la plus haute distinction de l'État français, la Grand-Croix de la Légion d'honneur, avant de remettre, trois ans plus tard, la même distinction à son épouse Jacqueline Desmarais.

L'épisode le plus significatif en la matière devait se produire au moment de l'annonce publique du règlement hors cour avec Barrick Gold, le 18 octobre 2011. Nous avions été invités le jour même, sur les ondes de la Première Chaîne, à commenter l'entente. C'est harassés par une journée de relations publiques et des mois de négociations hors cour qu'A. et moi nous étions rendus à la Maison de Radio-Canada, tard en soirée. Nous nous étions engouffrés dans un taxi en silence et étions partis seuls tous les deux, avec nos fiches de notes pour tout courage, en nous serrant les coudes et en nous usant encore un peu davantage.

À notre arrivée, la tension était palpable, le recherchiste s'enquérant à plusieurs reprises de ce que nous avions le « droit » de dire. Quant à l'animateur, il ne daigna jamais marquer notre présence des salutations d'usage, trop accaparé au téléphone par l'interlocuteur qui lui tenait la jambe et le chargeait de temps à autre de valider auprès de son recherchiste que nous étions bien au fait de nos obligations légales. Je présumai à l'époque qu'il s'agissait d'un conseiller juridique de la boîte. Tous ces échanges inquiets, où nous étions désignés à la troisième personne comme si nous n'y étions pas, avaient lieu devant nous. Ces tracasseries légales mobilisèrent entièrement nos hôtes jusqu'à la toute dernière minute avant l'enregistrement. Ce climat de suspicion générale et de fétichisation de l'expertise juridique, cette disposition, surtout, à donner corps et crédit au mythe de la multinationale toute-puissante prête à dégainer à tout vent, tout cela était profondément lassant et, après des années à n'avoir que trop goûté à cette médecine, confinait à la nausée. L'entrevue dura une vingtaine de minutes. L'animateur, manifestement, n'avait pas pour consigne ou pour intention de faire preuve de complaisance à notre égard. Il était tout au contraire curieusement acrimonieux, cherchant du début à la fin à nous mettre en défaut et à nous faire admettre que « Barrick a gagné », jusqu'à produire une désagréable impression de dissonance. Rappelons que la nouvelle qui retenait l'attention ce jour-là était le retrait de *Noir Canada* du marché et que, jusque-là, cela ne nous avait guère valu qu'une solidarité implicite et triste – tout au moins une sorte de gravité respectueuse – de la part des journalistes.

À l'époque – je ne devais l'apprendre que beaucoup plus tard –, la grande patronne des Services juridiques et avocate-conseil de CBC/Radio-Canada était nulle autre qu'une ancienne « associée superstar » du cabinet d'avocats qui pilotait l'offensive de Barrick Gold. Négociatrice redoutable sur le marché des fusions-acquisitions, elle était aussi, accessoirement, la conjointe de l'avocat senior de la multinationale, celui-là même qui enténébrait notre quotidien depuis bientôt près de quatre ans. La présence de cette experte en « gestion du risque » à la tête du service juridique avait-elle pu se traduire par un « excès de prudence » à notre égard ? Je n'en ai pas la moindre idée.

Chose certaine, l'entrevue enregistrée ce soir-là et marquant la fin des procédures intentées par Barrick Gold ne fut jamais diffusée. Non pas que quiconque nous en avisa. Nous constatâmes simplement qu'autre chose avait finalement été diffusé en lieu et place de ce segment de l'émission, sans autre forme de procès.

Intimer de dire et pervertir le sens

La censure aurait donc à voir avec le silence, le tabou, l'interdit. Dans notre esprit, les images qu'elle évoque ont quelque chose du texte caviardé, du bâillon qui musèle, du procès mortifère, d'Anastasie l'acariâtre entaillant un ouvrage de ses longs ciseaux : « Coupons, coupons, il en restera toujours trop[22]. »

Et pourtant, les injonctions au silence ne sont que la part visible de ce qui dans nos sociétés donne sa forme à l'ordre du discours.

22. Jean-Jacques Brochier, « Les arguments contre la censure », *Communications*, vol. 9, 1967, p. 64.

La censure, pour peu que nous en acceptions le sens métaphorique, ne se limite pas à la répression des voix dissidentes. Elle est également et surtout prescription à parler dans un certain sens. Elle est cette injonction implicite à reprendre à son compte, toujours et partout, la langue du pouvoir. « La langue est [...] fasciste », affirmait Barthes dans sa fameuse leçon inaugurale au Collège de France, « car le fascisme, ce n'est pas d'empêcher de dire, c'est d'obliger à dire ». À la manière de Foucault nous enjoignant de penser le pouvoir autrement que sous la forme négative de l'interdit, de la répression et de la loi, il nous faut considérer la censure dans son envers « positif » en tant qu'elle prescrit, impose, produit des discours « vrais[23] ».

Cette censure insidieuse tire sa force de ce qu'elle parvient à masquer une part importante de ses mécanismes. « Invisible », elle suggère autant qu'elle occulte, exhibe et amplifie pour mieux voiler. Elle procède simultanément du trop de bruit ici et du trop de silence là. Elle est l'affirmation qui dissimule la négation d'autre chose[24]. Constitutive du pouvoir, elle exhorte les individus à se soumettre en masse à l'ordre hégémonique, moins par la contrainte, la matraque et la peur que par le recours systématique et généralisé à d'ingénieux mécanismes de propagande. La servitude volontaire s'obtient d'autant plus facilement que se trouve exaltée l'illusion de la liberté, soigneusement entretenue par la mythologie des libertés individuelles comme fondement de la démocratie[25]. La violence exercée est donc symbolique, en ce qu'elle opère le plus souvent à l'insu et avec la complicité extorquée de ceux qui la subissent.

Cette censure agit par dévoiement de la parole, abus sémantique et perversion du sens. Le poète Bernard Noël – dont le premier roman lui valut d'être condamné en France pour outrage aux

23. Michel Foucault, *La volonté de savoir*, *op. cit.*
24. Pascal Durand, *La censure invisible*, Arles, Actes Sud, 2006.
25. Voir à cet égard les travaux de Jean-Léon Beauvois en psychologie sociale.

mœurs – propose le néologisme *sensure* pour référer à ce qui constituerait moins une privation de parole qu'une privation de sens. La *sensure* serait donc d'abord violence faite au langage[26].

Nous devons à George Orwell l'une des dystopies les plus fameuses sur la manière dont l'appauvrissement de la langue – et son corollaire, le rétrécissement de la pensée – est à la fois l'émanation et l'instrument de la domination. Tant les travaux philologiques de Victor Klemperer et de Dolf Sternberger sur la langue du Troisième Reich que les écrits d'Aleksander Wat sur la sémantique stalinienne ont révélé comment le dessein totalitaire a besoin du langage pour se fonder et pour exercer son emprise sur les subjectivités et les conduites. « La langue, écrit Pierre Bourdieu, est sans doute le support par excellence du rêve de pouvoir absolu[27]. »

Or, loin d'être l'apanage des régimes totalitaires, la novlangue contemporaine serait l'idiome du néolibéralisme triomphant qui règne en maître. Promue sans relâche par une oligarchie prédatrice et ses « chiens de garde[28] » – une constellation d'idéologues du capital, économistes, publicistes, journalistes, conseillers en communication, experts en relations publiques et consultants en management –, elle colonise et étend son emprise à toutes les sphères du social.

Énième avatar du capitalisme, elle poursuit plusieurs objectifs : présenter l'ordre économique actuel comme étant l'inexorable aboutissement d'une loi universelle du progrès, occulter et légitimer tout à la fois les rapports d'exploitation et de domination sur lesquels il se fonde, intimer que soit généralisée à l'ensemble des faits sociaux la rationalité du marché et surtout, neutraliser la possibilité de toute critique.

---

26. Bernard Noël, *L'outrage aux mots*, Paris, Pauvert, 1975.

27. Pierre Bourdieu, *Langage et pouvoir symbolique*, coll. Points, Paris, Fayard, 2001, p. 66.

28. Référence à l'ouvrage de Paul Nizan du même titre, ainsi qu'à celui, paru ultérieurement, de Serge Halimi, intitulé *Les nouveaux chiens de garde*.

Cette langue aliénée, nous en avons les oreilles et les yeux chaque jour encombrés. Langue du vide, elle nous offre des mots sans cesse pervertis et dont le potentiel subversif a été dérobé. Langue du faux, elle a pour fonction de rendre les mensonges crédibles, lorsqu'elle daigne seulement se soucier de vraisemblance. Langue gestionnaire, elle fait de l'euphémisme une arme contre la politique au profit de la technique. Langue policière, elle permet aujourd'hui de défendre l'indéfendable et de déclarer la guerre tout en ayant l'air raisonnable.

Cette langue est bel et bien indispensable à la technologie moderne du pouvoir en ce qu'elle a un caractère performatif qui la rend redoutable. Plus elle est parlée et plus il semble que ce qu'elle défend inlassablement devienne réalité. Cette *sensure* se trouve chaque jour distillée dans le brouhaha incessant de la culture de masse, simulacre de spectacle qui trouve son plein effet dans la télévision. Entre deux spots publicitaires, détendre le téléspectateur ; au plus offrant, vendre du « temps de cerveau disponible[29] » ; aux maîtres du monde, garantir l'hypnose cathodique et l'apathie des masses. Faire le vide par saturation, faire silence tout en faisant du bruit, faire disparaître par le biais d'une exaspérante présence.

Ultimement, il s'agira de rendre le conflit inaudible ou de brouiller l'intelligence de ses enjeux, à coups de clichés rabâchés, d'amalgames confus et de thèses essentialistes héritées de l'ethnologie coloniale. Alors, « un matin, on se réveille et on pense que le Congo est un pays pauvre, d'où son malheur. On ne s'étonne pas de voir l'ombre du prédateur tourner autour de ses richesses fossiles.

29. Référence à une déclaration controversée de Patrick Lelay, ancien PDG de la chaîne TF1, parue dans l'ouvrage *Les dirigeants face au changement*, aux Éditions du Huitième jour en 2004. Plus près de nous, en octobre 2014, Pierre-Karl Péladeau rappelait quelques « leçons de journalisme » sur les ondes de Radio-Canada, à savoir que des « formules simples à comprendre » faisaient en sorte « de pouvoir récupérer le plus de clientèle, le plus d'auditoire possible ».

Et [celles et ceux] qui dérogent à la règle sont vite bâillonnés[30]. » Le monde dès lors se donne à voir comme le lieu d'une scission fondamentale entre ceux que l'évolution idéologique a portés jusqu'au seuil de la *fin de l'histoire*[31] et les autres qui, en proie au chaos, au fanatisme et à des guerres tribales sanglantes, n'y seraient toujours pas entrés[32]. Et si les premiers devaient être les « derniers hommes », alors l'on se demande bien au nom de quelle légitimité les seconds sauraient prétendre pleinement à l'humanité.

Les voix absentes

> *Le râle de la faim, arraché des entrailles de millions d'humains, est inaudible.*
>
> – Paul Chamberland, *Nous sommes en guerre*

De l'hémorragie de verbiage, que le bruissement médiatique fait proliférer dans l'indifférence, aux retentissants procès-bâillons et leurs plaideurs vociférants, un même diapason règle le concert assourdissant de la pensée dévastée. Or tout cela n'est encore que du bruit.

Le vacarme qui règne en notre époque est hanté de millions de voix tues, réduites au silence ou dont la parole est rendue inaudible, au terme d'un partage entre ceux légitimés à se faire entendre et ceux dont le droit à se faire entendre est nié dans les faits.

Ce sont encore les voix absentes qui révèlent, par leur absence même, la violence d'une censure qui, tandis même que les ayants droit discourent, produit de la *disparition*.

---

30. Soeuf Elbadawi, « Censure, sensure, autocensure », dans Anne Bocandé et Soeuf Elbadawi, *Objet sous séquestre. Censure et autocensure*, Paris, Africultures nº 105/Éditions L'Harmattan, 2017, p. 20.

31. Francis Fukuyama, *La fin de l'histoire et le dernier homme*, Paris, Flammarion, 1992.

32. Dans le discours qu'il a prononcé à Dakar en juillet 2007, Nicolas Sarkozy, alors président de la République française, déclarait notamment : « Le drame de l'Afrique, c'est que l'homme africain n'est pas assez entré dans l'histoire. »

Il fallut voir par quels procédés d'effacement et d'oblitération du sens on en vint, dans le cadre de poursuites intentées contre un livre prenant pour objet le pillage institutionnalisé de l'Afrique, à occulter ostensiblement le sort des principaux concerné.e.s.

À rebours de toute complaisance qui ferait du racisme un vice des seules forces ouvertement réactionnaires, la philosophe Delphine Abadie, coauteure de *Noir Canada*, relève que la mécanique de minoration et d'invisibilisation des enjeux africains fut également à l'œuvre dans l'espace public. Si l'affaire devait faire grand bruit, encore y a-t-il lieu de se demander si ce n'était pas pour mieux voir une fois de plus l'essentiel confiné au silence.

> À mesure que « l'affaire *Noir Canada* » traçait sa route dans l'opinion publique, j'ai pu observer le déploiement graduel des mécanismes d'invisibilisation des concerné.e.s. Des millions de vies africaines fauchées par les soins de notre temporisation collective, on en venait peu à peu à ne s'intéresser qu'à ce que nous aurions pu avoir à dire sur la liberté d'expression au Québec ou sur l'activité minière au Canada. D'ailleurs, quoiqu'on peine à imaginer les conditions dans lesquelles un livre, animé par des prétentions de justice globale, ait pu faire plus de remous, les Africain.e.s peuvent toujours attendre un changement d'attitude de la part du Canada ou des Canadien.ne.s/Québécois.es. Sur cette question, mon avis est que l'opinion publique n'a pas suivi, en partie pour des motifs de racisme systémique[33]…

Le racisme se révèle aussi dans le silence de mort dans lequel sont maintenues certaines voix. Dans l'indifférence réservée à certaines vies dont on ne parle pas, qui ne sont pas prises en compte dans la presse ni dans le discours politique. Or l'indifférence est toujours susceptible de se transformer en haine. La disparition de l'Autre se fait toujours d'abord par les mots, par la représentation partagée d'un monde où il n'existe pas.

---

33. Delphine Abadie, « Être ou passer pour blanche et philosopher avec l'Afrique », *Raisons sociales*, 30 janvier 2017, <http://raisons-sociales.com/articles/dossier-blanc-he-s-neige/etre-passer-blanche-philosopher-lafrique/#_ftnref8>.

CHAPITRE 9
Le conflit des facultés

> *Moi, je pense comme un avocat et vous pensez comme un philosophe. Ce n'est pas mauvaise chose, c'est la vie, c'est la beauté de la vie.*
>
> – Un avocat de Barrick

> *Il vous répond. Et malheureusement, c'est un docteur en philosophie, et les choses sont moins simples pour lui que pour d'autres individus.*
>
> – Notre avocat

L'affaire *Noir Canada* eut entre autres singularités le fait d'opposer des philosophes et intellectuel.le.s à des gens de justice, révélant les antagonismes irréconciliables entre leurs présupposés éthiques, leurs méthodes, leurs finalités et leurs visions du monde. En nous gardant bien de céder à la caricature, il n'empêche que cet affrontement permanent entre des logiques de champ propres à la philosophie et à la théorie critique, d'une part, et au droit, d'autre part, devait par moments donner au litige des allures d'irréductible conflit des facultés.

Le clivage entre les différents ordres de vérité[v] que met en scène le procès a déjà fait couler beaucoup d'encre. La « vérité » judiciaire, tributaire de tout un dispositif de la preuve, d'un ensemble de règles de caractérisation du vrai et du faux, ne saurait se confondre avec la vérité scientifique, philosophique, historique ou même éthique. En France, autour des années 1990, les procès Barbie, Touvier et Papon pour crime contre l'humanité avaient posé avec acuité la question de savoir si la rhétorique et la stratégie judiciaires n'instrumentalisaient pas, voire ne risquaient pas de dévoyer un savoir historique ou scientifique aux fins de la construction d'une « vérité » qui n'est pas de même nature que celle de l'historien ou du chercheur[1]. « Les enchaînements dans lesquels les faits incriminés trouvent leur place et leur sens, résumait l'historien du droit Yan Thomas à propos de cette querelle, sont extraordinairement complexes et ne se laissent pas réduire aux grilles interprétatives auxquelles la procédure soumet les événements dont elle se saisit[2]. » « Le jugement juridique, écrit pour sa part le philosophe Daniel Bensaïd, n'est pas à la hauteur du jugement historique. Il s'enlise dans la chicane. Il noie la "simple probité" dans les complications de la procédure, la simple administration des preuves dans l'incertitude des arguments et des discours. Il soumet les subtilités et les nuances à une instance judiciaire incapable d'en satisfaire les exigences[3]. »

La vérité judiciaire concerne toujours des jugements normatifs, qui sont en rapport étroit avec la violation d'une norme que le droit a lui-même édictée. Les faits traités par le droit sont donc toujours subordonnés à des opérations de qualification juridique, à des catégories préconstruites et en quelque sorte déjà préjugées (la *faute*, la *diffamation*, etc.). Comme l'écrit encore Yan Thomas, « les faits traités par le droit et portés à la connaissance des juges n'ont aucune consistance propre, s'ils n'ont d'abord reçu leur signification d'une loi. En droit, la question de fait est toujours posée après

1. Ces débats se sont notamment cristallisés autour du refus de l'historien Henry Rousso de témoigner au procès Papon.

2. Yan Thomas, « La vérité, le temps, le juge et l'historien », *Le Débat*, n° 102, 1998, p. 17.

3. Daniel Bensaïd, *Qui est le juge ? Pour en finir avec le tribunal de l'Histoire*, Paris, Fayard, 1999, p. 51.

la question de droit[4]. » Or ces catégories et ces opérations de qualification ne sont pas neutres.

Pour le dire autrement, il y a en droit tout un ensemble d'assomptions, toute une série de procédures et de techniques, toute une économie des discours de vérité à partir et au travers de laquelle sont examinés les faits et les problèmes. Il est temps de rompre avec la fiction d'une présomption irréfragable de vérité que le jugement imposerait. La vérité judiciaire n'est pas hors pouvoir. Comme tout dispositif de pouvoir, le dispositif judiciaire a son régime de vérité. Il charrie tout un régime d'évidences, tout un ensemble de discours qu'il accueille et fait fonctionner comme vrais.

Déjà, le propre de la procédure judiciaire est de réduire au carcan d'une question unique le paquet de nœuds parfois inextricables qui se trouvent soulevés par une affaire. Dans le cadre du procès civil, cette question unique est tout entière déterminée par le demandeur, qui requiert de la cour de trancher un différend juridique précis au-delà duquel elle ne saurait se prononcer. Ici, en l'occurrence : l'éditeur et les auteur.e.s ont-ils ou non diffamé les minières ? C'est donc bien le litige et non la vérité, en dernière instance, qu'il s'agit de trancher, selon une alternative dont la pertinence est parfois loin d'être évidente pour le sens commun. Les questions d'interrogatoires, nous l'avons vu, sont caractéristiques de cet inflexible schéma qui impose une logique de la solution exclusive (*c'est oui ou c'est non*). Il n'y a rien d'étonnant à ce que des intellectuel.le.s dignes de ce nom, dont la démarche consiste par ailleurs à problématiser ce qui déborde, ce qui excède les limites du judiciaire, avec l'indispensable liberté intellectuelle que requiert la recherche, refusent de se laisser ainsi cadenasser et s'estiment admis à exprimer des doutes, des nuances, voire à suspendre leurs conclusions.

4. Yan Thomas, « La vérité, le temps, le juge et l'historien », *op. cit.*, p. 22.

« *Res iudicata pro veritate habetur* », enseignaient classiquement les juristes. « La chose jugée est tenue pour vraie. » Voilà l'une des innombrables fictions dont regorge le droit et qui sont nécessaires à l'exercice de sa violence symbolique. S'il ne s'agit pas de nier que le jugement judiciaire puisse en partie reposer sur la déduction et la réfutation empirique, force est d'admettre qu'il se fonde prioritairement, en matière civile, sur la joute rhétorique contradictoire de deux parties dont l'objectif, en dernière instance, est de susciter l'adhésion d'un juge. Or, dans ce contexte, la vérité court le risque d'être malmenée par des parties qui manifestent un mépris de la vérité, qui ont tout intérêt à ce que celle-ci ne soit pas dévoilée et qui se livrent à des argumentations fallacieuses, destinées à tromper, à désorienter, à « dérégler en nous le sens de la preuve, à faire qu'on se trouble sur ce qui en requiert[5] ». Ainsi, la nature du jugement a-t-elle moins à voir avec le fait de constater une quelconque vérité qu'avec la déclaration d'une vérité proprement judiciaire, reposant sur l'appréciation d'un juge, et dont le pouvoir performatif consiste à faire partiellement advenir ce qu'elle déclare[6].

Du reste, il n'est même pas certain que la manifestation de la vérité soit au fond l'une des finalités du procès civil. La prolifération des modes privés de résolution des différends qu'encourage explicitement le nouveau Code de procédure civile permet déjà d'en douter, tant le souci de la vérité, dans le cadre de cette justice négociée, s'efface derrière l'impératif utilitaire de parvenir à un règlement en fonction des intérêts des acteurs. Le profane s'étonnera peut-être par ailleurs de ce que la libre expression de la vérité ne constitue pas non plus au Québec une défense absolue en matière de droit de la diffamation, la crainte de l'expression de la vérité semblant toujours perdurer chez les juges.

---

5. Patrice Loraux, « Consentir », *Le Genre humain*/Seuil, nº 22, novembre 1990.

6. Michel van de Kerchove, « La vérité judiciaire : quelle vérité, rien que la vérité, toute la vérité ? », *Déviance et société*, vol. 24, nº 1, p. 95-101.

Comme le déplore vertement le professeur à la Faculté de droit de l'Université d'Ottawa Jean-Denis Archambault, c'est la notion de *faute* qui est au Québec le fondement du régime de *diffamation*. Ainsi, la véracité d'un propos ne suffit pas en elle-même à légitimer sa libre expression publique dans notre société démocratique. Encore faut-il que le défendeur ne soit pas reconnu coupable d'une « faute » ayant causé dommage à autrui. Une doctrine « inquiétante » qui, pour le juriste, ne manque pas de « [trafiquer] sciemment le droit constitutionnel à la liberté d'expression », tout en malmenant « l'utilité primordiale de la vérité en elle-même ». Pour le professeur Archambault, les dés, en droit privatiste québécois, sont à ce point « pipés en faveur de la faute » qu'il en résulte une « censure à triple tour » traduisant une « conception archaïque et dévote de la démocratie puis de la liberté d'expression et de presse[vi] ».

De quoi venir éclairer les propos de la juge Guylène Beaugé qui, dans le jugement qu'elle rendait à la suite du dépôt par Écosociété d'une requête en déclaration d'abus et en rejet, ratifiait et reconduisait cette idéologie doctrinale et judiciaire « anachronique » tant décriée par Archambault :

> Le test en matière de diffamation ne requiert pas nécessairement la démonstration de la fausseté de chacune des allégations ; il peut suffire d'établir que les propos litigieux ternissent la réputation de la victime selon un standard objectif, soit font perdre l'estime ou la considération pour elle, ou suscitent à son égard des sentiments désagréables ou défavorables. La diffamation peut même, à la rigueur, résulter de propos défavorables, mais véridiques, tenus sans juste motif. Cependant, l'expression doit découler d'une conduite fautive de son auteur. Ainsi, en droit civil québécois, la communication d'une information fausse n'est pas nécessairement fautive, alors que la transmission d'une information véridique peut constituer une faute[7].

7. *Barrick Gold Corporation* c. *Éditions Écosociété inc.*, 2011 QCCS 4232.

Les auteur.e.s de *Noir Canada* n'ont, cela dit, jamais eu pour prétention de détenir *la* vérité. D'entrée de jeu, dans leur introduction, ils donnent à lire l'ouvrage à la lumière d'un discours de la méthode qui doit jouer comme une clé musicale et en déterminer l'appréciation.

> Il s'entend que toutes les lignes de cet ouvrage restent, au sens juridique, des allégations. Celles-ci nous proviennent de sources crédibles et réputées, de Goma à Kinshasa, en passant par Berlin, Bruxelles, Londres, Paris, New York, Washington, Toronto, Ottawa ou Montréal. Il s'agit de données relevées dans des rapports d'organisations reconnues, articles d'organes de presse réputés, mémoires consignés par des autorités dans le cadre d'auditions d'experts, documentaires fouillés et témoignages circonstanciés. Le plus souvent, ces données se sont recoupées. Leur nombre est effarant. […] L'idée que tous ces témoins, reporters, acteurs sociaux médiraient à l'unisson contre d'honnêtes Canadiens qui œuvrent pour la croissance de l'Afrique, manquera tout simplement de sérieux. Ces allégations dont nous faisons la synthèse, nous ne prétendons pas les fonder au-delà des travaux qui les ont avancées. […] Il ne serait pas convenable d'exiger d'un collectif d'auteurs sans financement d'aller sur tous ces sujets au-delà de ceux qui les ont déjà péniblement mis au jour dans leurs efforts respectifs. C'est d'ailleurs en ce sens que se formule notre seule requête auprès des autorités publiques, si elles donnent encore quelques raisons d'espérer d'elles, soit d'instaurer une commission dont l'indépendance des membres serait au-dessus de tout soupçon pour faire le point sur les effets des investissements politiques, industriels et financiers en Afrique depuis une vingtaine d'années.

Au régime de la preuve judiciaire, les chercheurs opposent donc celui des enchaînements plausibles et des scénarios vraisemblables, un travail sur les traces et les indices, dans une conjoncture historique où, en ce qui concerne les enjeux africains, les masses d'informations se présentent encore largement sous une forme morcelée et lacunaire, dont il faut découvrir à quelles conjurations d'intérêts elles obéissent.

Aussi l'intérêt du livre consiste surtout dans l'analyse qui découle de toutes ces données en rapport avec les rôles du gouvernement du

Canada et de ses agences, de la diplomatie et de la Bourse, institutions dont la rationalité propre est soutenue par tout un appareil rhétorique et discursif de légitimation, à travers de termes tels que « gouvernance », « aide au développement » et « sécurité humaine » dont les auteur.e.s entendent dévoiler le caractère idéologique.

Ainsi l'ouvrage n'a pas pour objet les deux requérantes, mais bien un système politique, financier, légal, diplomatique et idéologique qui se trouve à légitimer et à soutenir coûte que coûte l'industrie extractive canadienne, que l'on se plaît à présenter chez nous comme étant au-dessus de tout soupçon. À cet égard, la « lecture » pour le moins parcellaire, voire déformante de *Noir Canada* qu'en ont faite les minières témoigne en elle-même d'une conception étroitement juridique de la responsabilité. Si l'accusation, dans la perspective du procès pénal, isole des actes pour lesquels il est possible d'imputer une responsabilité individuelle, la perspective du chercheur se déploie dans un champ d'investigation beaucoup plus large. Cela est particulièrement vrai dans un contexte géopolitique de déstabilisation chronique et de guerres larvées où, dans un enchevêtrement de causes multiples dont il faut encore débrouiller les enchaînements, les responsabilités sont inextricablement partagées.

La fonction politique de l'intellectuel, disait Michel Foucault, n'est pas de parler en tant que maître de la vérité, mais de voir s'il est possible de « constituer une nouvelle politique de la vérité[8] » qui serait détachée des formes hégémoniques à l'intérieur desquelles pour l'heure elle fonctionne. Pour autant, il faut nous garder de céder à une espèce de constructivisme radical qui, exaltant un certain scepticisme postmoderne, nous entraînerait à renoncer à toute visée de vérité.

---

8. Michel Foucault, « La fonction politique de l'intellectuel » [entretien] (1976), *Dits et Écrits II. 1976-1988*, coll. Quarto, Paris, Gallimard, 2010, p. 109-114.

En prenant le contre-pied de l'idée selon laquelle le Canada ne serait capable que du bien de par le monde, le chemin emprunté par les auteur.e.s dans cette affaire est moins celui de la proclamation ou de la révélation du vrai que celui de la mise à nu des fausses certitudes et du refus des simulacres. Contre les mystifications réconfortantes que nous servent les propagandistes de tout poil, ils ont préféré affronter des sources qui parlent en faveur d'une réalité beaucoup plus sombre et d'un Canada occulte. Contre les mécanismes idéologiques visant à présenter une image lisse et pacifiée du monde social, ils ont pris le parti de mettre au jour la conflictualité, l'irrationalité et la violence de ce même monde. En jetant quelque lumière sur l'obscurité du présent, ils ont œuvré aux conditions d'émergence d'une connaissance plus étendue sur notre temps et attesté d'une volonté d'y participer en vérité.

Une démarche qui ne saurait en aucun cas les soustraire, aux yeux de la Cour supérieure du Québec, au régime inquisitorial de la « faute », celui-ci fût-il de nature à entraver radicalement un effort, certes provisoire et fatalement inabouti, pour avancer en vérité.

> Le Tribunal ne peut ici remédier à l'apparence d'abus procédural par le rejet de l'action, car devant la gravité des imputations de *Noir Canada* [...], les auteurs n'offrent à première vue pour seule défense, au demeurant peu convaincante, que la rhétorique de l'allégation. Or, ils ne sauraient y trouver une immunité, ni se retrancher derrière la mise en garde contenue à l'introduction de *Noir Canada*.

Nous aurions pu imaginer la cour éprise de libertés constitutionnelles et soucieuse de protéger la liberté d'expression, en particulier dans un contexte de participation au débat public. Il n'en est rien. À la Cour supérieure de l'Ontario, l'esquisse cède le pas à la dénégation pure et simple, tandis que l'affaire est explicitement rabattue à un conflit de nature privé et le caractère démocratique des questions qu'elle soulève, vigoureusement réfuté. La dénégation prend un tour pervers, alors que l'esprit démocratique qui anime les défendeurs est dépeint comme le dada personnel de quelques agités du bocal.

> Bien que je ne doute pas que les défendeurs considèrent leur travail comme une cause d'importance vitale, cela ne suffit pas à les classer dans la catégorie des plaideurs publics [*public litigants*] ou à faire de cette action un enjeu d'intérêt public. Les sujets débattus dans le cadre de cette action sont très importants pour les parties; cependant, il s'agit d'une affaire privée entre eux, comme les milliers d'autres procédures qui existent devant les tribunaux. Cette action et la requête des défendeurs ne soulèvent pas de questions nouvelles ou de circonstances factuelles qui n'ont pas déjà été examinées par les tribunaux de cette province[9]. (ma traduction)

Si cette dénégation du caractère d'intérêt public de l'affaire participe en elle-même de la violence du verdict, elle ne peut s'exercer qu'au prix d'une incroyable dénégation de la violence du monde social lui-même. La guerre, dit la machine en sous-texte, n'est pas ici notre affaire: «[elle] n'a lieu qu'ailleurs et autrefois: dans les pays encore soumis à la loi obscure du sol et du sang[10].» Une telle manière de refouler, de maintenir au loin, de se dessaisir des problèmes réels qui devraient pourtant hanter les consciences, *a fortiori* celles des hommes et des femmes de loi, relève d'une opération de diversion et de dépolitisation telle qu'elle confine à la haine de la vérité et de la démocratie.

Bien sûr, nous ne saurions attendre des Cours supérieures du Québec et de l'Ontario qu'elles départagent dans l'absolu le vrai du

9. «While I do not doubt that the defendants see their work as a vitally important cause, this is not sufficient to elevate them to the category of public litigants or raise the subject-matter of this action to a matter of public importance. The subject-matter of this action is very significant to the parties; however, it is a private matter between them, like the thousands of other proceedings extant before the courts. This action and the defendants' motion do not raise any novel issues or factual circumstances that have not already been considered by the courts in this province.» Voir *Banro Corporation* v. *Éditions Écosociété Inc., 2009 CanLII 18670 (ON SC)*, 30 mars 2009.

10. Jacques Rancière, *Chronique des temps consensuels*, Paris, Seuil, 2005, p. 9.

faux quant aux nombreuses allégations sérieuses et circonstanciées qui pèsent sur les sociétés canadiennes présentes en Afrique. Sur ce point, nous ne pouvons que convenir, avec les auteur.e.s de *Noir Canada*, que seule une commission indépendante d'enquête serait en mesure d'apporter quelque lumière sur toutes ces allégations et qu'il revient en dernière instance aux citoyen.ne.s de se saisir de toutes ces questions.

Mais en manifestant aussi peu d'attachement envers des pratiques de recherche de la vérité pourtant nécessaires à la poursuite de l'idéal égalitaire, aussi peu de considération à l'égard des conditions mêmes de possibilité du débat démocratique ; pis ! en assujettissant la recherche à l'imprimatur judiciaire et au dogme privatiste de la « faute », nos tribunaux n'échappent plus au risque de participer à la « fausseté du monde », c'est-à-dire de contribuer à faire taire des faits, des injustices et des violences que des adversaires aux moyens démesurés ont tout intérêt à travestir ou à dissimuler.

Notre justice serait en définitive si insensible à la valeur fondamentale de la vérité qu'elle consacrerait, selon le juriste Jean-Denis Archambault, « une vision orwellienne de la société, dans laquelle l'histoire est réécrite, le passé altéré, les dossiers [et les faits] disparaissant et de nouveaux prenant leur place[11] ». De quoi préfigurer ce monde que redoutait Kafka, où le mensonge serait érigé en ordre universel : « la loi comme mensonge et le mensonge comme loi[12]. »

11. Jean-Denis Archambault paraphrase ici le tribunal dans *Desrosiers c. Groupe Québécor inc.* [1994]. Voir Jean-Denis Archambault, *Le droit (et sa répression judiciaire) de diffamer au Québec*, *op. cit.*, p. 779. Voir également Kathleen Lévesque, « Édouard Desrosiers débouté. La cour n'adhère pas à la thèse "orwellienne" de l'ex-député », *Le Devoir*, 19 janvier 1994.

12. Pascale Casanova, *Kafka en colère*, Paris, Seuil, 2011, p. 423.

Conflit des méthodes

S'interdisant de rechercher quelque pertinence au regard du débat démocratique, pas plus que quelque vraisemblance ou adéquation au réel du travail d'enquête et d'analyse des auteur.e.s de *Noir Canada*, le tribunal n'en suspend pas pour autant sa faculté de juger. Privé de tout repère quant à la complexité des enjeux que soulève l'ouvrage, c'est à la méthode qu'il s'en prend et sur sa « validité » qu'il entend exercer sa juridiction. Dès lors, l'enjeu annoncé d'un procès au Québec qui doit durer 40 jours devient « la prudence ou la témérité de leur essai[13] ». Alors qu'on croyait la recherche susceptible d'éclairer notre jugement, c'est elle qui se retrouve au banc des accusés.

Hormis les évidentes menaces qu'une telle jurisprudence est susceptible de faire peser sur l'indépendance de la recherche et sur la liberté académique, l'on ne peut que déplorer que des juges s'estiment compétents à juger de la qualité méthodologique d'un travail de recherche, surtout après qu'il fut décrété que ces questions de méthode seraient éviscérées, purgées de tout rapport à une conjoncture historique et politique qui appelle en elle-même une *praxis* et un rapport à l'éthique.

Car pour l'intellectuel critique, l'activité de recherche et d'écriture ne saurait prendre la forme d'une investigation abstraite et désincarnée, dont les contours seraient machinalement et dogmatiquement déterminés à l'avance en vertu de la soumission aveugle à un ensemble élaboré de règles et de techniques dûment consignées dans un petit catéchisme de la méthode.

« Un auteur, rappelle Geoffroy de Lagasnerie, doit se penser et penser sa pratique d'une manière concrète : on n'écrit pas de la même façon, et sur les mêmes sujets, dans les mêmes formes, selon le monde dans lequel on écrit, en situation coloniale ou en situation

---

13. *Barrick Gold Corporation* c. *Éditions Écosociété inc.*, 2011 QCCS 4232.

démocratique, en temps de guerre ou en temps de paix, en conjoncture de terrorisme ou non. La situation politique et sociale doit intervenir dans le choix des modalités de l'activité (d'écriture, de publication, de circulation) mais aussi dans la définition même des notions de vérité, de méthode, d'objectivation[14]. »

Que serait une philosophie adaptée à la République démocratique du Congo, terre ruinée et dévastée, livrée aux prédateurs miniers et à de vaste réseaux de spoliation dans le cadre de ce qu'un panel d'experts mandatés par le Conseil de sécurité des Nations unies a estimé être un pillage « systémique », « systématique » et « mondialisé » ? Que serait une *praxis* éthique dans le contexte de la guerre des Grands Lacs quand, dans les entrailles du Kivu, sous ses terres jonchées de cadavres, de corps violés, d'enfances mutilées dans un silence assourdissant, on continue d'extraire les minerais du sang, objets de toutes les convoitises ?

C'est en toute ignorance que le tribunal s'estimera autorisé à donner des leçons de méthode et de déontologie, à dicter à des auteur.e.s les références qu'il estime convenables, à départager parmi un ensemble de sources congruentes ce qu'il estime être le bon grain de l'ivraie, bref à juger. Et s'il entend s'abreuver aux arguments contradictoires des parties et des experts, le seuil acceptable est en dernière instance laissé à sa souveraine discrétion.

Plus inquiétante encore est l'idéologie doctrinale au nom de laquelle l'on tend à rabattre tout projet intellectuel, toute démarche d'écriture, toute recherche en sciences sociales, toute contribution critique à un seul critère doxal de jugement, un seul impératif catégorique, agissant comme broyeuse normalisatrice et s'imposant indifféremment à toute tête forte et à tout empêcheur de tourner en rond. Ce critère hégémonique se décline en droit civil sous la forme d'une polysémie lexicale : l'on vous enjoint d'être

14. Geoffroy De Lagasnerie, *Penser dans un monde mauvais*, Paris, PUF, 2017, p. 21.

« raisonnable », puis « prudent » et encore « équilibré ». Tout un brouillage sémantique dont on comprend vite qu'il renvoie indistinctement à un même mot d'ordre, un même impératif, celui de la modération et de la soumission à l'ordre institué, contre toute pensée trop critique, déstabilisatrice, transformatrice ou insurrectionnelle.

La rhétorique de l'équilibre, en particulier, est un héritage de la pensée libérale qui se trouve au fondement de la *ratio legis* contemporaine et qui voudrait que « pour tous les sujets sur lesquels une différence d'opinion est possible, la vérité dépend[e] de l'établissement d'un équilibre entre deux groupes d'arguments contradictoires[15] ». Or, un tel sophisme du juste milieu ne saurait résister à l'épreuve élémentaire des faits. Car à vouloir ainsi réduire la valeur de la vérité à un nécessaire compromis négocié entre deux antagonismes, l'on risque surtout de compromettre la vérité elle-même.

Sous ce principe en apparence incontestable d'« équilibre », symbolisé canoniquement par la balance de Thémis, se trouve donc concentré tout un régime de fausses évidences.

L'une d'entre elles, vigoureusement plaidée par nos détracteurs, eût voulu que les auteur.e.s « contactent » leur cliente, lui « téléphonent » ; qu'ils « fassent un effort » et s'enquièrent auprès d'elle de la nature de ses activités au Congo ou en Tanzanie, de la véracité des allégations qui pèsent sur elle et de l'existence d'éventuels documents en sa possesssion susceptibles de les éclairer dans leur travail de recherche.

En interrogatoire.

Saviez-vous que Barrick a un site internet ?

Étiez-vous au courant que sur le site internet de Barrick, sous l'onglet « Contact us », on trouve très facilement un numéro 1-800 sans frais ?

O.K., mais est-ce que la réponse est oui ?

C'est oui ou c'est non ?

---

15. John Stuart Mill, *De la liberté* [1859], Paris, Press Pocket, 1990, p. 55.

Saviez-vous que sur le site internet de Barrick, sous l'onglet « Contact us », on peut trouver le nom d'une personne responsable des relations avec les investisseurs, qui est formée pour répondre aux questions du public ?

Non, il y a des gens qui téléphonent à Barrick tous les jours.

O.K., mais vous saviez que Barrick a un site internet ?

C'est www.barrick.com, n'est-ce pas ?

Femmes et hommes épris de justice et de vérité, effarés de ce que la foi dans l'infaillibilité des marchés condamne à la paupérisation, à la violence et à l'exclusion la multitude des sans-part dont les vies sont sacrifiées sur l'autel de la financiarisation économique, tenez-vous-le pour dit : les entreprises multinationales de ce monde ont généralement un numéro sans frais et des experts en relations publiques mis à votre disposition pour apaiser vos angoisses morales.

La doctrine du traitement juste et équilibré (*fair and balanced*) de l'information est une norme journalistique dont il a été maintes fois relevé qu'elle n'est pas sans poser problème. Tout se passe en effet comme si le champ médiatique avait repris à son compte le principe cardinal du contradictoire qui prévaut en droit. Or, s'en tenir à l'impératif de présenter machinalement toutes les questions sur la base d'un affrontement symétrique entre deux points de vue opposés, présumés équivalents en termes d'importance et de crédibilité, est susceptible en moult circonstances de conduire à la distorsion des faits. Sur ce terrain, les forces engagées ne manquent pas.

Par ailleurs, il s'entend qu'une contribution au débat public ne saurait s'apprécier autrement qu'au regard de son contexte d'énonciation et de l'espace discursif spécifique dans lequel il s'inscrit. En 2008, *Noir Canada* s'inscrivait explicitement en faux contre un discours apologétique sur le Canada et son industrie extractive, lequel avait pour lui la force du consensus ambiant et toute une horde d'ardents prédicateurs : diplomates, hommes d'État et autres affairistes. Il est pour le moins paradoxal d'entendre les chiens de garde du discours officiel prétendre s'alarmer de ce que des contributions critiques telles que *Noir Canada* fausseraient « l'équilibre » du débat démocratique, alors précisément que celles-ci s'échinent à opérer des brèches dans l'ordre hégémonique du discours.

La démarche des auteur.e.s a consisté à recenser l'abondante documentation critique sur le rôle des sociétés canadiennes en Afrique telle qu'elle se présente dans la sphère publique, dans des contextes où des conflits sanglants, des expropriations violentes et de multiples exactions sont en grande partie motivées par une « ruée vers les ressources naturelles[16] » et où l'exploitation des ressources est marquée par une forte corruption, de la fraude, des pillages et un manque de transparence avéré. L'on conviendra dans ce contexte que les logiques souterraines que font agir et qui font agir des acteurs intéressés, et que le chercheur prend pour objet, ne sont pas susceptibles d'être éclairées par le service de relations publiques de ceux-ci. Toute recherche féconde et originale en sciences sociales ne se donne pas pour tâche en dernière instance d'ordonner, de classer et d'accepter les faits tels qu'ils se donnent à voir, mais s'appuie sur la conviction qu'il convient plutôt de les interpréter de manière critique et d'en saisir la portée théorique[17].

> Puisqu'une des visées de la recherche est de mettre en lumière les mécanismes (pratiques et rhétoriques) de voilement aux acteurs de leurs conditions, ce que l'ordinaire de la tradition critique en sociologie appelle la critique de l'idéologie, le chercheur ne peut se limiter qu'à répéter le langage des acteurs et leur auto-interprétation toujours faite à partir de leur position sociale et de leurs intérêts. On comprendra, dans cette perspective, que l'interprétation du point de vue des

16. Global Witness, *Exploitation des ressources naturelles et droits de l'homme en République démocratique du Congo de 1993 à 2003*, décembre 2009, <www.globalwitness.org/sites/default/files/library/drc_exploitation_and_human_rights_abuses_93_03_fr.pdf>.

17. Theodor Adorno, *Le conflit des sociologies. Théorie critique et sciences sociales,* Paris, Payot, 2016, p. 396.

entreprises minières n'est pas pour le chercheur une source de données, mais elle devient l'objet même de son analyse en tant que leur auto-interprétation est partie prenante de l'idéologie, des mécanismes et processus de justification et de voilement. [...] Aussi ne saurait-on leur reprocher de ne pas avoir communiqué avec les représentants des entreprises minières ni avec d'autres acteurs dans ce dossier. S'ils l'avaient fait, leur démarche, telle qu'envisagée, réalisée et explicitée dans la publication, aurait perdu en crédibilité tant sur le plan scientifique que sur le plan éthique[18].

En dépit des réprobations qu'ont suscitées ces poursuites dans le milieu universitaire, la partie adverse devait néanmoins réussir à dépêcher deux experts patentés – des universitaires – mobilisés aux fins de disqualifier et ultimement de condamner des pairs devant un tribunal. Que des critiques puissent être formulées à l'encontre d'un collectif d'auteur.e.s et de leur méthodologie n'a rien de choquant en soi. Le champ universitaire et intellectuel a l'habitude d'accueillir en son sein des critiques qui sont parfois acerbes, voire d'être traversé par de véritables querelles de méthodes. Ces débats, stériles ou féconds, sont pour le meilleur et pour le pire constitutifs du champ et de son fonctionnement.

On conçoit moins aisément toutefois que des universitaires puissent consentir à vendre leurs services à des sociétés multinationales, alors qu'il n'a pas échappé à nombre de leurs pairs que les poursuites que celles-ci intentaient constituaient « une attaque directe contre la liberté de recherche universitaire et la quête de vérité, essentielles à toute société démocratique[19] ». Pour le juriste Pierre Noreau, président de l'Association francophone pour le savoir et chercheur au Centre de recherche en droit public de l'Université de Montréal, « les poursuites-bâillons (SLAPP) entreprises

18. Jean-Marc Larouche et Anne-Marie Voisard, « *Noir Canada*. Une recherche socialement responsable », *Éthique publique*, vol. 12, n° 1, 2010, p. 105-121.

19. Collectif d'auteurs, « Le discours orwellien de Barrick Gold », *Le Devoir*, 29 septembre 2008.

par l'industrie minière contre les auteurs de l'ouvrage *Noir Canada* et la maison d'édition Écosociété révèlent la fragilité du statut du chercheur et le risque que courent les intellectuels et les penseurs dans notre société. Chercher à comprendre notre monde devient une activité risquée, surtout si on a le mauvais goût de faire savoir ce qu'on y découvre[20]… »

Noir Canada rompt certes radicalement avec un certain « académisme », c'est-à-dire avec des modalités de discussion, des formes, des normes de publication et des méthodes d'objectivation neutralisantes qui dominent dans le champ universitaire. Pis, les auteur.e.s font montre, disons, d'un certain style, mordant, ludique et ironique, qui manifestement a constitué un facteur aggravant. L'essai s'inscrit en effet dans une certaine tradition de la théorie critique qui, bien qu'ayant toujours cru nécessaire de s'appuyer sur l'empirie, seule à même de « faire advenir à la conscience la dureté de ce qui est[21] », prend néanmoins ses distances avec une sociologie positiviste qui aurait renoncé à toute entreprise de théorisation critique de la société et qui, ce faisant, ne ferait plus que légitimer et ratifier l'ordre social.

Or, la théorie critique a souvent mieux prospéré hors les murs de l'université, pour la simple et bonne raison qu'elle y a souvent été mise à l'écart, marginalisée, voire combattue. Ainsi peut-on imaginer la déconvenue de certains « savants corporatifs », comme les appelle Kant, de se sentir indûment concurrencés sur le terrain de la production et de la diffusion d'idées, dont ils revendiquent le monopole, par des intellectuel.le.s qui affichent une relative autonomie par rapport à l'ordre académique ou qui à tout le moins se dispensent des sanctions qu'il prévoit.

Mais quelles qu'aient pu être les critiques de ces experts à l'égard de *Noir Canada*, elles ne sauraient en aucun cas les exonérer de la

20. Pierre Noreau, « Savoir et se taire », *Le Devoir*, 21 août 2008.
21. Theodor Adorno, *Le conflit des sociologies*, *op. cit.*, p. 392.

responsabilité éthique qu'engage leur parole comme chercheur. Car il n'est plus question ici de travaux qui, parce qu'ils s'emploieraient à produire des connaissances neutralisées et sans grande portée déstabilisatrice, laisseraient intacte, voire joueraient le jeu de la reproduction de l'ordre institué et de ses valeurs fondamentales. Nous parlons d'interventions qui concourent positivement à la perpétuation des systèmes de domination, qui se placent explicitement au service de ceux-ci, qui se font les relais de l'appareil de pouvoir et de sa répression. Que des « technocrates », comme les aurait désignés Pierre Bourdieu, puissent par je ne sais quelle recherche de gratification se livrer à d'aussi basses besognes, au nom même de l'orthodoxie de la méthode et de l'éthique de la science, donne la mesure des périls démocratiques auxquels nous expose la tyrannie des experts. Comme l'écrivent Pierre Dardot et Christian Laval, « l'orthodoxie, ça peut rapporter gros[22] ».

Mais peut-être faut-il y voir également le symptôme d'une tendance plus générale qui pousserait les sciences sociales à agir sous l'emprise croissante du modèle judiciaire, la véritable menace consistant en cette « consternante confusion des genres et des fonctions[23] » qui conduit l'expert à vouloir dire le droit et le juge, à s'arroger le pouvoir de juger de la validité scientifique d'une recherche.

Si les auteur.e.s de *Noir Canada* annoncent d'emblée dans leur introduction que leur démarche consiste non pas à « condamner », mais à lancer un « appel à des solutions de recherche », c'est bien parce que le travail du chercheur ne saurait s'achever à la manière surplombante et autoritaire du dénouement judiciaire, comme s'il s'agissait de trancher une fois pour toutes une question, de juger définitivement un cas ou de clore un dossier. Le travail qui consiste à faire porter l'analyse sur les indices et les traces, sur le

22. Pierre Dardot et Christian Laval, *Ce cauchemar qui n'en finit pas. Comment le néolibéralisme défait la démocratie*, Paris, La Découverte, 2016, p. 208.
23. Daniel Bensaïd, *Qui est le juge ?*, *op. cit.*, p. 22.

recoupement des sources, sur des conjonctures croisées ainsi que sur une certaine histoire du présent est nécessairement provisoire et toujours inachevé, puisqu'il accompagne le mouvement continu de l'histoire et de la politique elles-mêmes.

La République démocratique du Congo est le cœur saignant de la guerre la plus meurtrière depuis l'Holocauste, le théâtre d'un consensus global qui a laissé mourir des millions de Noir.e.s en Afrique. Les liens existant entre l'exploitation des ressources naturelles et la poursuite des conflits sont attestés notamment par les travaux conséquents d'un panel d'experts des Nations unies. Des sociétés canadiennes sont citées de manière récurrente dans leurs rapports. « Comment se fait-il que des sociétés canadiennes soient présentes comme acteurs économiques dans des régions à feu et à sang où l'on se dispute précisément les ressources minières[24] ? »

Des sociétés canadiennes engrangent aujourd'hui, au Congo et ailleurs en Afrique, des profits faramineux dans un contexte de misère et de paupérisation alarmante. « [Congo is] elephant country », s'enfièvre le *chief executive officer* de Banro, maniant l'expression consacrée dans l'industrie pour désigner des gisements colossaux. « C'est un marché pour gros joueurs. Les opportunités sont immenses, au plan géologique[25]. » Le *Globe and Mail* titre : « Les profits des entreprises canadiennes en hausse au Congo *malgré* la violence. » (ma traduction) À pleurer. Je souligne car ici, le marqueur de relation – auquel on réfère aussi dans le champ linguistique par l'expression « mot charnière » – est utilisé en quelque sorte à contre-emploi, de façon à opérer une disjonction entre les deux énoncés et à faire écran précisément sur la nature de leur relation.

---

24. Alain Deneault et William Sacher, *Paradis sous terre. Comment le Canada est devenu la plaque tournante de l'industrie minière mondiale*, Montréal/Paris, Écosociété/Rue de l'échiquier, 2012, p. 111.

25. Cité par Geoffrey York dans « Canadians firms turn bullish on Congo despite its violence », *The Globe and Mail*, 20 mars 2017.

Or, s'il s'en trouve pour ne jamais amorcer de réflexion sur les liens logiques qu'entretiennent l'un et l'autre des énoncés contenus dans cette proposition, d'autres refusent de céder à une telle compromission. « Qu'est-ce qu'il en coûte, parallèlement, aux populations du Sud pour qu'une action grimpe à la Bourse de Toronto au profit des grands actionnaires et au bénéfice relatif des petits épargnants[26] ? »

Nous n'en sommes aujourd'hui qu'au balbutiement de la recherche quant à ces questions parfaitement légitimes et nécessaires. Une masse d'informations converge dans le sens de la thèse des auteur.e.s de *Noir Canada* et laisse penser, par exemple, que les sociétés minières étrangères participent directement ou indirectement au conflit des Grands Lacs africains. Laminées entre le discours du droit et celui des experts, ces questions n'en finissent plus d'être dépolitisées, tandis que ceux et celles qui les soulèvent péniblement à la hauteur des enjeux éthiques et politiques qu'elles appellent s'exposent au risque d'être sévèrement intimidés ou réprimés.

Le philosophe Patrice Loraux décrit avec sagacité les ressorts invariants de l'argumentaire négationniste grâce auxquels le révisionniste fait franchir à certaines distorsions ou perversions historiographiques le « seuil du plausible », retournant sans cesse la charge de la preuve et introduisant « un malaise dans la sensibilité commune ». Or, ces ressorts rhétoriques analysés par Loraux entretiennent une profonde affinité avec la pensée du droit et ses dispositifs procéduraux d'établissement de la preuve : isoler à l'infini des micro-éléments, tester un à un les documents quant à des détails, relever des lacunes et des contradictions spatio-temporelles, faire valoir l'incertitude de certaines observations, exiger toujours un supplément de preuves, s'appesantir indéfiniment sur « des

26. Alain Deneault et William Sacher, *Paradis sous terre*, *op. cit.*, p. 111.

invraisemblances locales pour faire advenir chez le lecteur un sentiment d'invraisemblance globale[27] ».

Le dispositif judiciaire prête à l'exaltation d'un scepticisme dévoyé, ce qui conduit certains à se laisser davantage impressionner par le détail qui contredit que par l'abondance des sources susceptibles de mettre en crise un système. En se faisant juge de la science et de la recherche, le tribunal n'en finit plus d'obscurcir et d'entraver la simple recherche de vérité, d'organiser sa dépolitisation et de se ranger du côté de l'histoire… des vainqueurs.

Dans *Les naufragés et les rescapés*, Primo Levi raconte que ceux qui ont éprouvé la plus pure violence des camps de concentration ne peuvent pas témoigner, car ce sont ceux précisément qui ont été tués et réduits au silence. Tous les autres, ceux qui ont survécu, sont, dit-il, des « privilégiés ». Ceux-là seuls, pourtant, sont candidats à l'écriture de l'histoire et à même de lutter contre l'oubli de ces vies arrachées et réduites au silence. En République démocratique du Congo, on assassine en tuant, mais aussi en violant, en torturant et en réduisant à l'esclavage. « Tout le monde veut sa part du Congo », résume l'auteur congolais Mbepongo Dedy Bilamba[28]. L'enfer sur Terre. « Brosser l'histoire à rebrousse-poil[29] », selon l'expression de Walter Benjamin, est la seule manière de ne pas trahir la mémoire des vaincu.e.s, des anonymes, des humilié.e.s, des sans-voix de celles et de ceux qu'on aurait enseveli.e.s sous la chape de plomb du silence et de l'oubli, les hors-champ de l'histoire et de la politique, les damné.e.s de la Terre.

Ce travail renvoie à une lourde responsabilité. Il est fragile. Inconfortable. Et il se trace au travers des tâtonnements, des hésitations, des rebroussements et de la discorde. Tout concourt à nous

27. Patrice Loraux, « Consentir », *op. cit.*

28. Citation de l'écrivain Mbepongo Dedy Bilamba, tirée du documentaire *Crisis in The Congo: Uncovering The Thruth.*

29. Walter Benjamin, « Septième thèse sur l'histoire », *Œuvres III*, Paris, Gallimard, 2000, p. 433.

en détourner. L'exigence de preuves inassignables à laquelle voudrait nous soumettre la chicane procédurière préconiserait que l'on diffère indéfiniment le moment où l'on peut commencer à parler. Or voilà, la vérité est un processus, et non une chose que l'on possède. Et la démocratie, cette condition paradoxale où « toute légitimité se confronte à son absence de légitimité dernière[30] ». S'autoriser à penser et *a fortiori* à publier sur des enjeux aussi cruciaux suppose de consentir à arrêter « le mouvement *hyperbolique* de la demande de preuve au seuil de l'expérience des sensibles communs[31] ».

Car à vouloir obstinément s'en tenir à des diagnostics inattaquables, on risque de ne produire que des recherches triviales sans grande portée déstabilisatrice pour l'ordre social. Produire des thèses sérieuses, originales et apportant une réelle contribution au regard des impératifs du présent exige parfois en revanche de pratiquer ce qu'Adorno appelait une « spéculation maîtrisée[32] », soit de redonner à l'empirie sa force affectante en dépistant les structures sociales à l'œuvre en soubassement des phénomènes que l'on observe et en restituant leur irréductible rôle dans le litige constitutif de la politique. Alors, « le mot "philosophie", que l'on nous jette au visage comme s'il s'agissait d'un motif de honte, perd son caractère effrayant et se dévoile comme condition et but d'une science qui veut être davantage que simple technique et ne plie pas devant la domination technocratique[33] ».

---

30. Jacques Rancière, *La haine de la démocratie*, Paris, La Fabrique, 2005, p. 103.
31. Patrice Loraux, « Consentir », *op. cit.*
32. Theodor Adorno, *Le conflit des sociologies*, *op. cit.*, p.154.
33. *Ibid.*, p. 443.

CHAPITRE 10

Raison et déraison du droit : la « personne raisonnable »

Ce que la majorité des gens considèrent être « raisonnable » est ce sur quoi il y a un accord, sinon entre tous, à tout le moins entre un grand nombre de personnes ; « raisonnable », pour la plupart des gens, n'a rien à voir avec la raison, mais avec le consensus.

– Erich Fromm, *Le cœur de l'homme*

Ce qu'ils appellent raisonnable est le fonctionnement optimal du mécanisme social, à savoir celui qui retarde la catastrophe, sans se demander si ce mécanisme dans sa totalité n'est pas la déraison optimale.

– Theodor Adorno, *Minima moralia*

Parce que nous vous haïssons, vous et votre raison, nous nous réclamons de la démence précoce, de la folie flambante, du cannibalisme tenace.

– Aimé Césaire, *Cahier d'un retour au pays natal*

« Raisonnable ». Le mot tombe comme un couperet et ne se décline qu'à l'impératif. On ne vous félicite jamais d'être raisonnable, on vous enjoint à l'être. Les attendus véritables que masque cet impératif varieront sensiblement selon les conjurations d'intérêts auxquels ils obéissent. Mais invariablement, il s'agira que soit éprouvée intimement la mesure permanente d'un écart, d'une inconduite, d'une faute. Que toute « déraison » soit l'objet d'un rappel à l'ordre, que les « déraisonnables » soient redressés, corrigés, condamnés, châtiés.

Dans notre système de droit civil, la responsabilité peut être définie comme l'obligation que la loi impose à toute personne de ne pas causer préjudice à autrui et de réparer les dommages qui résulteraient de ses actes. Or, puisque la loi n'impose pas de comportements déterminés en toute circonstance, toute recherche en responsabilité d'un individu engage une étape consistant à comparer la conduite de celui-ci à un modèle abstrait et idéal de référence qu'est celui de la « personne raisonnable[vii] ». Il revient au juge de comparer le comportement présumément fautif au comportement qu'aurait adopté une « personne raisonnable » placée dans les mêmes circonstances. Dans une perspective étroitement légaliste, le critère de la « personne raisonnable » interviendrait donc formellement au moment où un juge tranche un litige et émet un jugement qui s'impose aux parties.

Or, par-delà le discours que produit le droit sur lui-même, il se trouve que ce critère de la « personne raisonnable » opère de manière implicite tout au long de la procédure judiciaire, à partir et en dessous, dans les marges et à contre-sens même du système de la loi. Quoi qu'il advienne légalement d'une affaire, les effets de contraintes induits par cette norme surpassent largement le cadre de la loi ou de la sanction judiciaire.

Véritable clé de voûte de la procédure civile, la « personne raisonnable » est le modèle abstrait et idéal de référence à l'aune duquel vous êtes indéfiniment jugé, tandis que l'on vous somme indéfiniment de coïncider avec elle. Elle est cette norme hégémonique dont l'ingéniosité tactique consiste à faire peser sur les corps et les esprits la contrainte d'une conformité à réaliser. Pierre angulaire des technologies modernes de pouvoir, elle fonctionne à la manière d'une prescription, somme chacune et chacun de coïncider avec elle. Elle est l'injonction paradoxale des temps présents : soyez tout ce qu'il vous plaira, d'abord que vous serez rai-son-na-bles.

Tout au long de la procédure judiciaire, la norme de la personne raisonnable se déploie et opère sous la forme d'une série de mises en demeure, de prescriptions, d'injonctions à la fois incessantes et insidieuses, insistantes et insinuantes, dessinant les contours de ce qu'il conviendrait de dire et de penser, d'être et même de vouloir. Écrire en auteur raisonnable. Publier en éditeur raisonnable. Philosopher en penseur raisonnable. Enquêter en chercheur raisonnable. Questionner, critiquer, se prévaloir de sa liberté de parole, certes. Mais *raisonnablement*. Paraphrasant Kafka, et ne trahissant rien de son esprit, nous pourrions dire : il n'y a pas besoin que ce soit vrai ou juste, il est besoin que ce soit raisonnable[1].

Ces rappels à l'ordre agissent avec d'autant plus d'efficacité et de violence qu'ils continuent à opérer en deçà de la conscience et de la résistance même qu'ils suscitent. Car l'idéal disciplinaire poursuivi par ce dispositif de normalisation est celui de la production d'un sujet docile, façonné, préparé et incliné à ce pour quoi il est requis, par-delà même la Justice et ses appareils. L'injonction à la « raisonnabilité » n'est jamais aussi parfaite et invisible que lorsque chacun la reprend à son compte et la fait jouer spontanément sur lui-même.

Le pouvoir qui se dessine en creux de la personne raisonnable n'est donc pas à proprement dit celui de la loi, même s'il en emprunte opportunément la forme. Ce pouvoir est celui de la norme[viii]. Or la norme fonctionne à rebours de la rationalité juridique. Car si la loi est de nature essentiellement répressive et a pour fonction de faire fonctionner une certaine opposition entre le licite et l'illicite, la norme, elle, est par essence incitative. La norme redresse, corrige, homogénéise. Somme les sujets de se comporter tel que le requiert le maintien de l'ordre. Elle vise moins à réprimer l'interdit qu'à déterminer un certain *optimum fonctionnel* pour le corps social.

1. Similairement, l'aumônier de Kafka dit à Joseph K. : « Il n'y a pas besoin que ce soit vrai. Il est besoin que ce soit nécessaire. »

Quelle serait la quantité *raisonnable* de vérité et de mensonge, de transparence et de secret, de connaissance et d'ignorance, de paroles contraires et de paroles conformes qui puisse être diffusée dans le mécanisme social pour en assurer la bonne marche ?

Dans le procès qui est aujourd'hui mené à la pensée, le dispositif judiciaire se voit mandaté pour sanctionner et corriger celles et ceux qui s'écarteraient par-delà les voies toutes tracées du raisonnable. Et rien ne saurait sans doute être plus « déraisonnable » – tout en risquant de desservir sa propre cause, comme l'apprendra Joseph K. à ses dépens dans *Le procès*[2] – que d'interroger ouvertement les fondements de ce pouvoir et de le rendre transparent à sa vérité objective.

La « personne raisonnable » dans la jurisprudence

De quoi la personne raisonnable est-elle le nom ?

S'il semble relativement admis pour les professionnel.le.s du droit qu'elle désigne la personne qui saurait user de la prudence et de la diligence attendues, la recherche de la signification de ce critère n'est jamais achevée, et il demeure difficile d'en cerner la portée exacte. Qu'est-ce donc aux yeux de la magistrature qu'une *personne raisonnable* ? Voyons voir si un bref tour d'horizon de la jurisprudence est susceptible d'apporter quelque éclairage. Ou d'ajouter à la confusion, c'est selon.

L'enjeu est de taille. L'exercice, sensible. Car de tous les indices et traits distinctifs de la « raisonnabilité », il s'agit de déceler et de relever ceux qui ne trompent pas. Dans le monde anglo-saxon, par exemple, ces attributs se sont traditionnellement trouvés concentrés chez l'homme qui « takes the magazines at home, and in the

2. « Tout accusé, explique l'avocat à Joseph K., même le plus simple d'esprit – et c'est très caractéristique – commence toujours, dès son premier contact avec la justice, par méditer des projets de réforme, gaspillant ainsi un temps et des forces qu'il pourrait employer beaucoup plus utilement. »

evening pushes the lawnmower in his shirt sleeves[3] ». L'homme raisonnable, dont l'archétype paraît tout droit sorti d'un épisode de *Papa a raison*, lit certes des magazines, mais se relève aussi les manches pour passer la tondeuse. Au Québec, il est à noter que la rigueur hivernale appelle d'autres exigences encore et suppose de la part du justiciable lambda l'entretien adéquat de la chaussée. Une avocate synthétise la jurisprudence en la matière, suggérant sans ironie que « la personne raisonnable évoluant au sein de la société québécoise doit savoir pelleter, répandre de l'abrasif et déglacer marches, trottoirs, stationnements, rues et entrées de cour de façon raisonnable, sans que l'on ne [*sic*] puisse toutefois s'attendre à la perfection de sa part[4] ».

En fait, le critère de la personne raisonnable s'applique à un ensemble si large et discontinu de situations que sa signification varie inévitablement selon les contextes. Il n'est point de problème trop épineux ou inextricable pour ne pouvoir être résolu par l'invocation de la personne raisonnable. Se qualifier assidûment et invariablement pour l'épithète, en revanche, relève de l'exploit, l'adage *Nemo censetur ignorare legem* (Nul n'est censé ignorer la loi) apparaissant en matière civile désormais supplanté par l'injonction à la « raisonnabilité ».

Si un consensus semble néanmoins se dessiner à propos de la personne raisonnable, c'est celui de son caractère médiocre, la personne raisonnable étant assimilée très largement à une personne dite « moyenne » ou « ordinaire », au point où les termes apparaissent interchangeables dans la jurisprudence. Ainsi, la Cour d'appel estime-t-elle que la personne raisonnable est « moyennement intelligent[e], moyennement sceptique et moyennement

3. *Hall* v. *Brooklands Auto Racing Club* [1933], 1KB 205.

4. Marie-Hélène Beaudoin, « Dix jugements sur la personne raisonnable », *blogue du Comité Recherche et Législation de l'Association du Jeune Barreau de Montréal (AJBM)*. À noter que cet article n'est plus en ligne.

curieu[se][5] ». Proposition qui, outre le fait qu'elle en dise long sur la psyché canadienne, suppose corollairement de bien vouloir concéder que la personne raisonnable soit en fait moyennement niaise, moyennement crédule et moyennement blasée. La personne raisonnable est par ailleurs à quelques reprises assimilée par la Cour suprême du Canada à… un usager des transports en commun. Ainsi, apparaissent comme ontologiquement dotés de raison le passager du métro Henri-Bourassa à Montréal, celui du métro de la rue Yonge à Toronto ou encore la femme d'affaires à bord de l'autobus Voyageur. Au gré des contextes et des humeurs, la personne standard revêt d'autres visages encore, tels que le « citoyen moyen », la « personne honnête » ou alors carrément « les gens bien pensants en général[6] » !

Ainsi la « raisonnabilité » est-elle tantôt jaugée à l'aune d'une conduite jugée souhaitable, tantôt et en moult circonstances réduite et assimilée au comportement médian, mais elle exige en tous les cas d'être minutieusement évaluée, soupesée, supputée. Cette inextricable tâche, dont la magistrature se porte garante, apparaît d'autant plus périlleuse et incertaine que les décisions qui émanent de la plus haute instance judiciaire du pays sont truffées de désaccords et de discordes quant à la nature présumée de ce qui devrait faire l'objet pourtant d'un « large consensus social ». Les membres du banc surmontent cette aporie à coups de sophismes, de raisonnements circulaires et de prémisses autoréférentielles. « La personne raisonnable est habituellement la personne moyenne dans la société, mais uniquement lorsque l'humeur courante de la société est raisonnable[7] », estiment-ils. Et

5. Fait intéressant, la Cour suprême a finalement renversé le jugement et contesté cette définition de la Cour d'appel, lui substituant celle du consommateur « moyen, crédule et inexpérimenté ». Voir *Richard* c. *Time Inc.*, 2012 CSC 8, [2012] 1 R.C.S. 265

6. *R.* c. *Collins*, [1987] 1 R.C.S. 265.

7. *Ibid.*

à qui incomberait-il de jauger de ce qu'il advient de la raison et de la déraison dans notre société ? Certainement pas aux intellectuel. le.s critiques, si l'on en croit le sort qu'on leur réserve devant les tribunaux. Cette norme tyrannique de la moyenne, que nous serions impérieusement sommés d'incarner, il reviendra bien entendu aux juges d'en dicter les contours, c'est-à-dire de « se concentrer sur ce qu'ils font le mieux », soit « trouver au fond d'eux-mêmes[8] » un fondement à leurs souveraines décisions. Car ultimement, ce que croit la personne raisonnable, dit encore la Cour, n'a pas à être prouvé. C'est bien là le propre des discours élaborés sur la personne raisonnable : ne se fonder sur rien d'autre que la référence à l'évidence, que la magistrature s'arroge le monopole d'instituer, en sa qualité de dépositaire suprême du sens commun.

Le péril consiste en ceci que des causes d'intérêt public et soulevant des enjeux démocratiques se trouvent également assujetties au régime privatiste de la faute et à cette norme obsessionnelle du raisonnable. Écrire, faire de la philosophie, se prévaloir de sa liberté de parole, dénoncer les figures de l'oppression, nourrir la collaboration des colères et des résistances sont autant de figures de l'agir politique à risque de se voir soumises à la broyeuse normalisatrice de la personne raisonnable. Nous en serions réduits, pour juger de la légitimité d'un ouvrage critique d'intérêt public ou des pratiques d'une maison d'édition indépendante de gauche, à nous en remettre à la tyrannie *présumée* de la moyenne, hissée au rang d'autorité.

Il ne manquera pas sans doute d'estomaquer le lecteur raisonnable[9] que la magistrature suprême considère en dépit de toute

---

8. Yves-Marie Morissette, cité dans *R.* c. *Collins*, [1987] 1 R.C.S. 265.

9. Selon la jurisprudence, le lecteur de référence est un « reasonable and fair minded reader » et non « a perverse minded or unreasonable reader ». Lecteurs à l'esprit pervers, vous voilà avisés.

raison ce critère comme « rationnel et objectif[10] ». Cette prétention à l'objectivité est classiquement contestée par divers courants critiques du droit, dont plusieurs ont relevé que le dogme de la neutralité judiciaire, tout comme le formalisme destiné à le soutenir et à l'exalter, servent en fait à masquer, à légitimer et à entériner les partis pris sociaux et politiques des juges. « Tout juge se perçoit comme l'archétype de la personne raisonnable, écrit Jean-Claude Hébert, professeur associé au Département des sciences juridiques de l'UQAM. Invariablement, s'opère une fusion entre le regard d'autrui et le sien. Les citoyens ne sont pas dupes. En vrai, la fantomatique "personne raisonnable", c'est le juge. Il est sa propre norme[11]. »

Si cette critique a le mérite de pointer la part discrétionnaire du « raisonnement juridique », elle échoue toutefois à rendre compte des multiples déterminations qui en fondent la teneur idéologique. Car si les pratiques, les discours et les choix opérés par les juges ont tendance à entériner et à assurer la reproduction des valeurs dominantes, ce n'est pas tant parce qu'ils traduiraient leur vision *individuelle* du monde. Les juges sont le foyer d'un redoublement d'*habitus* qui prend racine, d'une part, dans l'incorporation des dogmes, des doctrines et des catégories de jugement qui leur ont été inculqués dans les facultés de droit, puis à titre de subalternes dans des cabinets d'avocats hautement hiérarchisés où leur travail aura consisté pour une large part « à faire marcher l'économie » et à prendre part à des « combats de coqs machistes où tout ce qui importe est de gagner[12] ». Cet endoctrinement suppose l'acquisition de tout un système de présupposés et de dispositions durables –

10. *Bou Malhab* c. *Diffusion Métromédia CMR inc.*, 2011 CSC 9, [2011] 1 R.C.S. 214.

11. Jean-Claude Hébert, « Interventionnisme judiciaire. Rififi à la Cour », *Le Journal du Barreau du Québec*, mars 2011, p. 10.

12. Duncan Kennedy, *L'enseignement du droit et la reproduction des hiérarchies*, Montréal, Lux, 2010, p. 46.

parmi lesquels l'adhésion tacite au grand *credo* libéral – dont nous pourrions dire avec Bourdieu qu'ils constituent en quelque sorte un droit d'entrée dans le champ, en même temps qu'une condition de leur ascension sociale jusqu'au sommet de la hiérarchie des juristes. Leur inclinaison idéologique est d'autre part favorisée par les dispositions que leur inculquent leur familiarité et leur proximité avec les classes dirigeantes, le milieu des affaires et l'univers de la grande entreprise, pour lesquels au fond ils travaillent essentiellement, et dont ils sont amenés par la force des choses à partager les préoccupations et la vision du monde. Ce qui apparaît « raisonnable » aux yeux d'un juge relève donc moins de son jugement individuel que de son jugement incorporé. Pour des raisons qui tiennent à des faits de connivence, de symétrie de parcours et à un indémêlable écheveau d'intérêts croisés entre les professionnels du droit et les agents du pouvoir, il se trouve donc que les choix opérés par les juges entre des visions du monde antagonistes ont peu de chance de défavoriser les dominants[13].

Le rituel judiciaire agit de façon à mystifier la manière dont les juges en viennent à évaluer la faute, comme s'il s'agissait de dégager une vérité à propos de la personne raisonnable qui lui préexistait dans une quelconque réalité objective. Or, ce discours de vérité, le jugement contribue en partie à le produire, à le faire reconnaître et fonctionner comme vrai.

En même temps qu'investi, pénétré, colonisé par des normes, le dispositif judiciaire est donc agent et vecteur de normalisation. *A contrario* de ce qui relèverait d'une logique strictement juridique, établissant le partage entre le permis et le défendu, la norme de la personne raisonnable rend flexibles les impératifs de la loi. Elle constitue une « certaine manière de faire » avec la loi, tire parti de ses indéterminations et de ses ambiguïtés, quadrille ces espaces que la loi ne recouvre pas.

13. Andrée Lajoie, *Jugements de valeurs*, *op. cit.*

L'enjeu surpasse les contingences d'une cause particulière. Car si les juges tendent à se réfugier derrière leur rôle de simple interprète de la loi, ils sont en fait chargés de faire accéder au statut de décision exemplaire, appelée à servir de modèle pour des décisions ultérieures, des règles de conduite qui doivent plus à l'état d'un rapport de force qu'au pur contenu de la loi.

S'ouvre alors un champ d'affrontements pour la qualification des conduites « raisonnables » en matière d'écriture et d'édition, de pratiques de recherche, de prises de parole publique, de critique sociale. Une lutte à armes inégales dont l'issue est de savoir quelle partie imposera aux autres ses propres normes.

Ces débats, que le tribunal entend arbitrer, sont posés d'emblée dans les termes de la partie requérante, au prisme déformant des allégués et des intérêts qu'elle défend. Ils ont lieu à l'abri du débat public, en marge des milieux qui sont pourtant concernés et visés par ces procédures de normalisation, à savoir l'université, le monde de la recherche et celui de l'édition. Surtout, ils sont en partie déterminés par tout un échafaudage normatif préalable qui, *in fine*, semble fatalement jouer en faveur de l'entreprise au détriment de ses critiques, déraisonnables par statut.

L'édition est un champ qui se révèle particulièrement vulnérable aux dérives normalisatrices du pouvoir judiciaire. Bien par-delà la seule répression des pratiques jugées déraisonnables, l'enjeu du procès est celui de la production d'un discours prescriptif sur la « raisonnabilité » de l'éditeur, soit sur les normes qui devraient gouverner sa conduite. Quels critères devraient, par exemple, présider au choix d'un manuscrit ; quels types de vérifications et quelles précautions devraient être prises relativement à la crédibilité de l'auteur.e et à celle de ses sources ; en quelles circonstances y a-t-il lieu de se référer à des comités d'experts ou à des avocats, etc.

Pressé de questions en interrogatoires sur les multiples précautions, contre-vérifications et validations d'experts que la partie adverse eût semblé vouloir exiger de la part d'un éditeur, l'un des fondateurs d'Écosociété, Serge Mongeau, avait répondu qu'à ce compte-là, on ne serait plus en mesure de publier le moindre ouvrage. À l'instar d'Écosociété, la plupart des éditeurs indépendants sont de petites structures, aux moyens limités, dont les modes d'organisation rompent le plus souvent assez nettement avec le modèle standard de l'entreprise et qui se définissent par leur volonté de dépasser leur simple vocation commerciale et d'incarner un engagement social, culturel et politique.

Un jour qu'il se trouvait dans nos bureaux, notre propre avocat avait suggéré, sur son ton d'à quelque chose malheur est bon, qu'au moins, au terme de cette affaire, le « vide juridique » entourant les pratiques éditoriales serait en partie comblé et que nous serions pour ainsi dire enfin fixés quant à la manière *raisonnable* d'exercer notre métier.

« Bien sûr ! avais-je rétorqué. Il ne nous restera plus qu'à troquer le Grevisse pour le Code de procédure civile… »

Il n'avait pas semblé trouver l'idée choquante.

✦

« Vous pouvez être un marxiste, semonçait un jour pompeusement notre avocat, mais vous devez être un marxiste raisonnable. »

La simple évocation de l'anecdote suffit à provoquer des rires à tous les coups.

Mais pourquoi rit-on ? C'est l'intuition vive et spontanée de l'oxymore, cette paradoxale alliance de mots contradictoires, qui produit l'effet comique. Car qu'y aurait-il donc de *raisonnable*, au sens où l'entendent les juristes, dans l'idée d'une lutte des classes menant à la dictature du prolétariat ? Renverser le capitalisme et faire advenir une société sans classe, certes, mais *raisonnablement* ? Il se pourrait bien après tout que d'en appeler à la destruction de l'État bourgeois et d'apparaître comme *raisonnable* aux yeux de ce même État soient en fait des propositions antithétiques.

Si l'anecdote fait sourire, elle préfigure sous une forme saillante tout un ensemble d'antagonismes moins flagrants, mais non moins irréconciliables, entre des postures critiques, marginales, résistantes ou oppositionnelles et le champ circonscrit des conduites jugées raisonnables en droit.

Car si la rationalité juridique accueille sur le mode de l'évidence les prétentions de multinationales par ailleurs fort controversées à avoir souffert dans leur réputation et à avoir perdu des amis, nous sommes inversement confrontés à un abyssal déficit de grammaire et d'entendement communs dès lors qu'il faut défendre, par exemple, la mission et les pratiques autogestionnaires d'un petit éditeur indépendant publiant des essais « à contre-courant » et dont la voix porte à nourrir les luttes et à esquisser des voies d'émancipation. « Dans l'état actuel des choses, constate le sociologue Bernard Lahire, l'exercice de la critique est réduit à une entreprise malveillante, voire terroriste[14]. »

Les contrats d'édition stipulent typiquement que l'auteur doit garantir à l'éditeur « l'exercice paisible des droits » qui lui ont été cédés, c'est-à-dire de ne tomber sous le coup d'aucune plainte en diffamation, sans quoi l'éditeur inquiété par la loi peut se retourner contre son auteur et le poursuivre à son tour. Quoi de plus déraisonnable, au regard de la raison contractuelle, qu'un éditeur prêt à risquer de se saborder pour défendre un livre, solidairement avec ses auteur.e.s ? Quelle « déraison » devait donc animer son rebelle fondateur pour préméditer de se livrer à une grève de la faim pour protester contre des poursuites qu'il jugeait iniques ? Quelle délirante entorse à la raison instrumentale peut conduire auteur.e.s et éditrices à tenir tête à des multinationales pour défendre des principes de justice qu'ils jugent bafoués ?

---

14. Bernard Lahire, « Remarques sur la perception sociale de la violence », postface de *Le mot qui tue. Une histoire des violences intellectuelles de l'Antiquité à nos jours*, sous la direction de Vincent Azoulay et Patrick Boucheron, Ceyzérieu, Champ Vallon, 2009.

Ou se pourrait-il qu'il existe une raison qui ne soit pas soluble dans la pensée du droit et des affaires et dont il s'agirait de réhabiliter le sens non perverti, une raison qui refuserait de se laisser cadenasser dans l'indifférence, la contingence et la folie de ce qui est et qu'elle ressent comme intolérable ?

Consensus

Comme le suggère la citation d'Erich Fromm mise en exergue de ce chapitre, ce que les professionnels du droit appellent *raisonnable* n'a rien à voir avec la raison, mais plutôt avec le consensus. Or, ce qui règne aujourd'hui sous le nom de consensus ne saurait être confondu avec ce que l'on nous présente volontiers comme l'aboutissement rationnel et pacifié d'un processus de concertation entre parties concernées et volontaires. Le consensus est la machine de pouvoir qui organise le régime d'évidence à partir duquel nous sommes autorisés à commencer à penser, qui dicte les manières ordinaires d'écrire et de parler, qui commande l'opinion raisonnable. Le *credo* du « il n'y a que ce qu'il y a », soit rien de plus que ce que la réalité chiffrée commande. Le champ restreint du cela-va-de-soi, de l'inévitable, du nécessaire, par-delà lequel il n'y aurait rien à voir, rien à chercher, rien à dire ni à savoir. Le consensus a pour enjeu la délimitation même du champ de la problématique acceptable et de la discussion légitime, soit de ce que l'on peut *raisonnablement* considérer comme posant problème. « Le consensus, nous dit Rancière, n'est pas la paix. Il est une carte des opérations de guerre, une topographie du visible, du pensable et du possible où loger guerre et paix[15]. » Spoliations, pillages, dévastations et terreur sont au cœur des temps consensuels.

Or la guerre ne se mène pas que sur les seuls territoires où des conflits armés font rage et où la diplomatie canadienne « travaille

15. Jacques Rancière, *Chroniques des temps consensuels*, *op. cit.*, p. 8.

d'arrache-pied pour promouvoir et défendre les intérêts du Canada[16] ». La guerre se joue aussi sur le terrain de la perversion du sens et de la possibilité pour chacun d'exercer sa puissance critique.

Ce qui se voit disqualifié, confisqué, neutralisé par l'injonction au raisonnable est la possibilité même de toute pensée dissensuelle, de toute radicalité susceptible de surmonter l'illusion de la fatalité et de proposer des ruptures dans l'ordre réglé des choses.

Accuser les radicalismes de tous les maux est dans l'air du temps, rappelle la philosophe Marie-José Mondzain, qui voit dans la réduction du radicalisme au seul signifiant de la violence et des fanatismes de tout poil le signe d'une crise et d'une confiscation de la pensée de la radicalité. « Tout est fait aujourd'hui pour identifier la radicalité aux gestes les plus meurtriers et aux opinions les plus asservies. La voici réduite dans un nouveau lexique à ne désigner que les convictions doctrinales et les stratégies d'endoctrinement qui font croire en retour qu'il suffit de "déradicaliser" pour éradiquer toute violence et pratiquer une réconciliation consensuelle avec le monde qui a produit ces dérives elles-mêmes[17]. » « Rendre au terme "radicalité" sa beauté virulente et son énergie politique », comme nous y invite la philosophe, est très certainement aujourd'hui l'une des tâches de la critique.

Or si la radicalité est opportunément rabattue au seul fanatisme, les temps présents fondent aussi un ordre où l'oppression et la domination se drapent des habits de la raison. Le spectre de la personne raisonnable est l'un des visages que prend le procès contemporain mené à toute pensée de la radicalité. Agiter cet épouvantail est une manière commode de rejeter ceux et celles qui exercent leur sens critique hors du champ de la discussion

---

16. Tel qu'il apparaissait sur le site de l'ambassade du Canada en République démocratique du Congo au moment d'écrire ces lignes, en 2017.

17. Marie-José Mondzain, *Confiscation. Des mots, des images et du temps*, Paris, Les liens qui libèrent, 2017, p. 13-14.

raisonnée, à l'heure où le mot d'ordre est celui du consentement au réel tel qu'il se donne à voir et de la modération érigée en loi.

Mais au fait, de quel prix paie-t-on l'excès de modération, se hasarde à demander le journaliste au *Monde diplomatique* Pierre Rimbert[18] ? Le sociologue Barrington Moore, rappelle-t-il, est de ceux-là qui, à travers son analyse des révoltes et des mouvements de contestation de l'ordre social, opèrent un renversement salutaire : « Il faut le dire, la modération a engendré autant d'atrocités que la révolution, et sans doute beaucoup plus[19]. » L'humanité, explique-t-il, a déployé beaucoup plus de violence pour imposer, maintenir ou rétablir l'ordre contre ce qui le met en péril que pour le renverser. Et si l'histoire entretient un préjugé insensé contre la violence de celles et de ceux qui se dressent contre l'oppression, la violence conservatrice des oppresseurs, celle qui constitue le pain quotidien de nos sociétés, parvient toujours, dans un redoublement de violence symbolique, à être légitimée et entérinée comme allant de soi.

Devant le règne de la violence, de l'arbitraire et de la corruption généralisée, l'indifférence, la lâcheté et le mensonge prennent trop souvent l'apparence de la prudence et de la modération. Or l'imposition d'un arbitraire social ne peut s'exercer qu'au prix d'innombrables formes de répression. « Pour entretenir et transmettre un système de valeurs, il faut cogner, matraquer, incarcérer, jeter dans des camps, flatter, acheter : il faut fabriquer des héros, faire lire des journaux, dresser des poteaux d'exécution et parfois même enseigner la sociologie[20]. »

Il faut aussi s'armer et s'autoriser de la raison pour mieux faire sa loi.

---

18. Pierre Rimbert, « Le mot qui tue », *Manière de voir* (*Le Monde diplomatique*), nº 151, février-mars 2017.

19. Barrington Moore, *Les origines sociales de la dictature et de la démocratie*, Paris, La Découverte, 1983, p. 398.

20. *Ibid.*, p. 385-386.

CHAPITRE 11

Diffamania

Lorsque l'apparence de la vertu suffit pour produire des bénéfices et des profits, ce serait pur gaspillage que de s'astreindre à exiger de cette vertu qu'elle soit réelle.

– Roland Gori, *La fabrique des imposteurs*

Si le mal est, comme l'écrivait Freud, un « trait indestructible », immanent à la condition humaine, chaque époque n'en produit pas moins ses figures particulières de l'injustice, ses formes spécifiques de perversion, sa caractérologie morale. Aux vicissitudes d'un temps donné correspondent non seulement des manifestations particulières de l'infâme, ou de ce que Arendt nommait la désolation, mais aussi une série de dispositions psychologiques, de structures psychiques, de formes-sujets. À chaque civilisation son « malaise », à chaque temps donné ses antihéros de la « banalité du mal ».

Dans les *Caractères*, Théophraste avait déjà cherché à dépeindre les vices et les travers de la société grecque antique, sous la forme d'archétypes moraux (*le fourbe, la fripouille, le malotru, la canaille…* et même *le pervers* ou *l'oligarque*). Le genre a fait école et a été maintes fois repris au cours des siècles[1]. L'on pourrait dire que

1. On pense aux *Caractères* de La Bruyère, aux *Satires* d'Horace ou encore à celles de Juvénal, par exemple.

Molière, à sa manière, y a aussi mis du sien, tant Harpagon l'avare et Tartuffe l'imposteur étaient destinés à engendrer une descendance nombreuse…

On retrouve similairement chez plusieurs de nos contemporains la volonté de nommer ce que seraient les formes actuelles du malaise qui se profile à l'ombre des profondes mutations structurelles et idéologiques qu'implique l'extension tous azimuts de la logique du marché comme principe total d'organisation de la vie sociale[2]. Toute une littérature critique s'accorde pour voir dans l'actuelle phase néolibérale du capitalisme, bien par-delà une politique économique, une technologie de pouvoir destinée à conquérir et à façonner l'intériorité des sujets. La dissémination de l'imaginaire conquérant du néolibéralisme se traduirait par une nébuleuse d'*ethos* et de subjectivités disparates, qu'il conviendrait pourtant de lire et d'analyser ensemble tant ils sont liées, de fait, à une même désarticulation anthropologique, une même « économie psychique[3] ».

Dans la galerie de portraits qui traversent la littérature, on retrouve notamment les figures du *jouisseur égoïste*, du *pervers*, de l'*imposteur*, du *raisonneur violent*… À cette fresque existante de néo-subjectivités pathologiques, il plaît d'envisager l'ajout d'un « personnage conceptuel[4] », qui en serait l'une des manifestations singulières tout en réunissant plusieurs des traits de ces personnifications archétypales : le *diffamaniaque*.

---

2. On peut penser aux travaux de Pierre Dardot et Christian Laval, de Dany-Robert Dufour, de Christopher Lasch, de Jean-Pierre Lebrun ou de Charles Melman, entre autres.

3. Charles Melman, *L'homme sans gravité*, Paris, Gallimard, 2002.

4. Gilles Deleuze et Félix Guattari, *Qu'est-ce que la philosophie ?*, Paris, Éditions de Minuit, 1991, p. 61.

Une affliction contemporaine

Le diffamaniaque serait, tel que son nom l'indique, rongé par l'idée d'être la cible d'affronts à l'honneur dont il soupçonne et discerne obsessionnellement les signes (« diffamation » vient du latin *fama*, signifiant la réputation, la renommée). Sa tirade est digne du théâtre de Molière. Allégations fausses ! Trompeuses ! Fallacieuses ! Erronées ! Calomnieuses ! Mensongères ! Diffamatoires ! Malveillantes ! Malicieuses ! Attentatoires ! Sciemment orchestrées et visant à causer du tort ! Tel est le monologue de cet Harpagon contemporain. De sa « réputation » dépendrait désormais l'accumulation effrénée de sa richesse et de son pouvoir. Toujours paré à la contre-attaque, il se caractérise par une tendance marquée à la mégalomanie et par une propension à la projection agressive.

Le délire du diffamaniaque s'adosse toutefois à une forte cohérence interne et se décline selon des axiomes logiques. Il se déploie avec une exigence élevée de cohérence. S'il est habile à disjoindre les ressorts de la pensée, à démolir la compréhension dans son principe même, à opérer des détournements d'intelligence, son anti-pensée revêt toutes les apparences de la raison.

Et si les diffamaniaques parviennent à s'implanter jusque dans les plus hautes sphères du pouvoir, c'est que le délire qui est le leur présente d'inquiétantes affinités avec une *raison* qui, en nos sombres temps, a le vent dans les voiles. Il est en effet une *raison* qui soit solidaire de l'injustice. Il est une *raison* de l'inégalité et de la violence, face à laquelle la pensée semble plus que jamais désarmée et selon laquelle il serait irrationnel, voire contraire à la *nature* humaine, d'être juste. Cette *raison* commande d'user de tous les moyens mis à sa disposition pour parvenir à ses fins[5]. Car quel intérêt aurait-on au juste à être bon ou à promouvoir la justice ? Les

5. Céline Spector, *Éloges de l'injustice. La philosophie face à la déraison*, Paris, Seuil, 2016, p. 12.

vertus ne se perdent-elles pas dans l'intérêt, comme les fleuves dans la mer[6] ? Le diffamaniaque, tout insensé qu'il soit, raisonne. Ou à tout le moins « masque[-t-il] son irrationalité et son injustice par un raisonnement qui se pare des atours de la lucidité authentique[7] ».

Et puis l'époque ne suffit-elle pas à justifier tous les désabusements vis-à-vis de la justice ? Déjà, Georg Simmel voyait dans la figure du « blasé » l'archétype moral typiquement moderne : « un mélange de réserve, de froideur et d'indifférence » toujours susceptible « de se transformer en haine[8] ». Le diffamaniaque est une nouvelle figure du cynisme. Athée à l'égard des croyances en la justice, *raisonneur violent*, il « ne croit en rien sinon en la jouissance offerte par l'or et la réputation, fût-elle de pacotille ». Le diffamaniaque jouit en somme du droit d'être de son temps. « Il révèle la morale corrompue du monde, [...] incarne une nouvelle version de la théorie du droit du plus fort[9]. »

Il faut dire que l'imaginaire néolibéral est un terreau propice à l'émergence de subjectivités perverses, mues par leur seul intérêt égoïste et par leur désir de jouissance sans obligation. Le parangon néolibéral, l'*homo œconomicus*, est campé dans sa posture accumulatrice et fait de toute action un moyen de maximiser son rendement. Or la « pulsion d'accumulation » qui caractérise la financiarisation néolibérale se traduirait, en termes de subjectivation, par la jouissance de l'accroissement illimité de sa propre valeur[10]. Le néo-sujet, dans sa version sociopathologique, jouit de se valoriser au détriment d'autrui. Son action s'accomplit dans « la

6. François La Rochefoucauld, *Réflexions ou sentences et maximes morales*, 1665.

7. Céline Spector, *Éloges de l'injustice*, *op. cit.*, p. 12-14.

8. Georg Simmel, cité dans Eva Illouz, *Les sentiments du capitalisme*, Paris, Seuil, 2006, p. 12.

9. Céline Spector, *Éloges de l'injustice*, *op. cit.*, p. 113.

10. Pierre Dardot et Christian Laval, *Ce cauchemar qui n'en finit pas*, *op. cit.*, p. 104-107.

conviction typiquement perverse de prendre à tout le monde et de ne rien devoir à personne[11] ». Le défaut de remboursement est l'un des noyaux de sa subjectivité : il se croit libéré de toute dette envers les générations précédentes, comme de toute responsabilité envers celles qui lui succéderont.

Le psychanalyste et professeur de psychopathologie clinique Roland Gori voit pour sa part en l'imposteur la figure emblématique de nos sociétés néolibérales, plus enclines à vendre des apparences qu'à se soucier de vérité, plus soucieuses de réputation que de mérite ou de vertu[12]. L'art du semblant serait devenu la clef de voûte d'une organisation sociale fondée sur la rationalité pratico-formelle du droit et des affaires, laquelle aurait sapé tout ancrage de l'action dans des valeurs éthiques au profit d'impératifs de rentabilité immédiate, d'utilité et de performance. Pour Gori, la feinte de l'imposteur, sa duperie, sa mascarade constituerait en quelque sorte à la fois un symptôme et une réponse adaptative aux dispositifs de civilisation orientés vers le calcul égoïste et la poursuite de ses intérêts particuliers.

À n'en pas douter, on trouve au fondement de la diffamania quelque chose de l'imposture, du simulacre, du faux-semblant. Car l'honneur dont ne cesse de s'enorgueillir le diffamaniaque et qu'il est si prompt à défendre du péril n'est pas lié à quelque dignité morale qu'il cultiverait humblement. La réputation représente à la fois un actif, un investissement et une stratégie que le diffamaniaque s'efforce de bâtir, d'édifier et de faire fructifier. Il faudra tantôt camoufler, dissimuler, tantôt parer somptueusement et faire briller d'un éclat fricoté. L'honneur et la gloire qu'il s'évertue à défendre sont choses entièrement fabriquées. Mais de cela, le diffamaniaque convient volontiers. C'est d'ailleurs le paradoxe

11. Paul-Claude Racamier, *Les perversions narcissiques*, Paris, Payot et Rivage, 2012, p. 19.

12. Roland Gori, *La fabrique des imposteurs*, Paris, Les liens qui libèrent, 2013.

déconcertant de sa tartufferie : celui de se montrer sans fard, sans honte, sans gêne et sans vergogne. Cela fait sa grandeur et son obscénité. Il recourt à ce que Éric Hazan a identifié comme étant la variante inversée de la dénégation freudienne : « prétendre avoir ce qu'on n'a pas, se féliciter le plus pour ce qu'on sait posséder le moins[13]. » Partir à l'assaut des offenseurs de *fama* avec d'autant plus de ferveur qu'est grande son infamie.

L'honneur : entre dissimulation et parure

Dans son étude sur le secret, Georg Simmel jette un regard particulièrement éclairant sur la notion d'honneur, en opérant un déplacement salutaire par rapport aux définitions usuelles qui la cantonnent à la considération morale et à l'estime dont jouit une personne. Le philosophe allemand propose de voir l'honneur comme un territoire dressé autour d'une personne ; une certaine sphère qui maintient les autres à l'extérieur et que la personnalité « remplit de son pouvoir[14] » et de sa grandeur. Cette « propriété matérielle » serait d'autant plus étendue que l'est la volonté de puissance. Du coup, l'atteinte à l'honneur doit être vue comme l'affront consistant à « s'approcher de trop près », à transgresser cette sphère invisible que la personne a bien pris soin de dissimuler. Chercher à connaître ce qui, sciemment, a été soustrait au regard. Y regarder d'un peu trop près quant à ce qui a vocation à rester voilé, caché, secret.

Ainsi, avec Simmel, approchons-nous de la véritable nature de l'offense, celle-là toujours soigneusement passée sous silence, en moult affaires dites de diffamation : celle de disputer les frontières de tous ces territoires dressés ; d'arracher à la sphère privée de la

13. Éric Hazan, *LQR. La propagande du quotidien*, Paris, Raisons d'agir, 2006, p. 44.
14. Georg Simmel, *Secret et sociétés secrètes*, Strasbourg, Circé, 1991, p. 27.

propriété et de l'honneur certaines affaires dont il est revendiqué qu'elles sont de nature publique et donc, aussi les *nôtres*; et ce faisant, se trouver parfois aussi à révéler le caractère factice de la gloriole dont se pare celui qui a intérêt à être crédité d'une *valeur*.

Car pour Simmel, l'honneur aurait en quelque sorte un envers et un endroit. L'envers serait précisément cet effort de dissimulation, cette part d'ombre protégée. « C'est justement grâce à ce qu'il dissimule aux autres que le sujet doit apparaître comme particulièrement remarquable[15]. » L'endroit serait ce que Simmel nomme la « parure ». À l'inverse du secret, la parure a vocation à attirer sur soi le regard, à se distinguer, à être l'objet d'une attention, voire d'une envie, dont les autres ne jouissent pas. « La parure, dira Simmel, est l'objet égoïste par excellence, dans la mesure où elle fait *ressortir* celui qui la porte, où elle exprime et augmente le sentiment de sa valeur aux dépens des autres[16]. » C'est sur la conviction que les autres lui sont inférieurs que peut s'édifier la volonté de puissance de celui dont la parure lui permet de briller.

Les aléas d'une gloire fabriquée

Toute une iconographie et une littérature rendent compte, en Europe surtout, d'une tradition de l'art oratoire chez les grands ténors du Barreau qui, jusqu'au siècle dernier, ont su donner aux plaidoiries certaines lettres de noblesse, à coup d'effets de manche et de vibrantes envolées lyriques. Or le visage de la justice a bien changé, tout comme celui de la gent légale. Les avocats d'affaires ont supplanté les héritiers de la vieille noblesse de robe dans la hiérarchie des juristes. On négocie plus volontiers dans les corridors du palais, à l'ombre de la loi, qu'on cherche à épater la galerie dans les prétoires. En nos salles d'audience, « la technique

15. *Ibid.*, p. 51.
16. *Ibid.*, p. 54.

a supplanté l'éloquence[17] ». Le sacré est désormais surtout affaire de gros sous, la foi en le divin Marché ayant permis de prendre définitivement congé de toute sacralisation de la justice comme vertu. Simple hasard ou signe des temps ? Le palais de justice de Montréal inauguré en 1971, à mille lieues de l'architecture austère et grandiose d'inspiration palladienne de son prédécesseur – adieu dômes, portiques, frontons et colonnades –, a plutôt les allures brutalistes d'une tour à bureau. Sur le site de la Ville de Montréal, on souligne à propos du travail de la firme d'architectes maître d'œuvre du projet qu'il « exprim[e] un grand intérêt pour l'usage du béton ».

Après plus de trois années de procédures judiciaires, allaient s'y tenir, les 29 et 30 juin 2011, les deux seules journées d'audience jamais consacrées à notre affaire par la Cour supérieure du Québec.

✦

Le tribunal n'a alors pas pour mandat d'entendre l'affaire « sur le fond ». Il n'a pas vocation à déterminer si la réputation de Barrick « se trouve ternie aux yeux d'une personne raisonnable ». Le procès qui doit trancher cette question est prévu pour l'automne suivant et doit s'étendre sur 40 jours. Le tribunal entend plutôt une requête qui vient cette fois des défendeurs. Sur la base des nouvelles dispositions introduites au Code de procédure civile dites *pour prévenir l'utilisation abusive des tribunaux et favoriser le respect de la liberté d'expression et la participation des citoyens aux débats publics*[18],

17. Yves Dezalay, *Marchands de droit. La restructuration de l'ordre juridique international par les multinationales du droit*, Paris, Fayard, 1992, p. 218-221.

18. À la suite d'une importante mobilisation citoyenne sur l'enjeu des poursuites-bâillons (SLAPP), l'Assemblée nationale du Québec adoptait le 3 juin 2009 la *Loi modifiant le Code de procédure civile pour prévenir l'utilisation abusive des tribunaux et favoriser le respect de la liberté d'expression et la participation des citoyens aux débats publics*. Le Québec devenait alors la seule province cana-

ceux-ci sollicitent alors le rejet de l'action de Barrick. « au motif qu'elle constitue une procédure abusive destinée non pas à compenser un préjudice pour atteinte à sa réputation, mais uniquement à les intimider et à les réduire au silence sur un sujet d'intérêt public[19] ». Sous peine du rejet de la poursuite, les auteur.e.s, qui ne disposent pas de la capacité financière de mener un procès de 40 jours, sollicitent l'ordonnance d'une provision pour les frais de l'instance pour les frais d'avocats, les frais d'expert et les débours divers, estimés à 255 634,93 $[20].

Plusieurs observateurs sont alors comme nous mitigés par rapport aux nouvelles dispositions du Code de procédure civile que notre affaire mettra à l'épreuve. Le législateur québécois a choisi d'aborder le problème des poursuites-bâillons par la petite lorgnette, soit comme étant un problème d'abus procédural. Ce faisant, il a choisi d'ignorer la portée excessive que se voit reconnaître le droit à la réputation et son déséquilibre marqué en droit québécois par rapport à la liberté d'expression, tout comme il a renoncé à protéger réellement le débat public et à assurer un véritable espace de liberté critique, en reconnaissant, par exemple, un droit à la participation publique.

Le professeur Pierre Trudel, du Centre de recherche en droit public (CRDP) de la Faculté de droit de l'Université de Montréal, fait partie de ceux qui jugent peu plausible que de tels « bricolages procéduraux » puissent effectivement mettre fin au problème des

---

dienne et la seule juridiction de tradition civiliste à disposer d'une législation dite « anti-SLAPP ».

19. Le tribunal, dans *Barrick Gold Corporation* c. *Éditions Écosociété inc.*, 2011 QCCS 4232.

20. L'article 54.3 du Code de procédure civile prévoit que le tribunal peut, lorsqu'il paraît y avoir un abus, ordonner à la partie qui a introduit la demande en justice ou l'acte de procédure de verser à l'autre partie, sous peine de rejet de la demande ou de l'acte, une provision pour les frais de l'instance, si les circonstances le justifient et s'il constate que sans cette aide cette partie risque de se retrouver dans une situation économique telle qu'elle ne pourrait faire valoir son point de vue valablement.

poursuites-bâillons. « Les poursuites-bâillons, martèle le juriste depuis plusieurs années, sont encouragées par la portée étendue qui est donnée au droit à la réputation en droit québécois. Ce droit a acquis une troublante suprématie sur la liberté d'expression. Il est maintenant étendu au point d'avoir l'allure d'un droit de faire taire les critiques[21]. »

La nouvelle loi offre des recours permettant à un juge de prononcer rapidement l'irrecevabilité d'une procédure manifestement abusive. Toutefois, elle ne vient pas modifier en substance le régime normatif qui entend tracer la ligne de partage entre le recours légitime et la poursuite abusive. Compte tenu de l'attachement invétéré de nos tribunaux à l'égard du droit à la réputation et de la conception répressive qui prévaut inversement à l'égard du droit à la liberté d'expression, il est probable que des poursuites, malgré qu'elles ont pour effet de réprimer sévèrement le débat public sur des enjeux d'intérêt public, puissent continuer de se voir reconnaître un « fondement en droit ».

À l'aube du dépôt de la requête en rejet par les Éditions Écosociété, le professeur de droit à la Faculté de droit de l'Université de Montréal Daniel Turp estime que l'affaire *Noir Canada* constituera un test décisif pour juger de l'efficacité de cette loi à protéger la liberté d'expression et la participation des citoyen.ne.s aux débats publics.

> Si les tribunaux devaient interpréter de façon restrictive ce qui est *excessif ou déraisonnable* et de façon libérale ce qui *se justifie en droit*, il y a fort à parier que les requêtes en rejet d'action seront rarement couronnées de succès. C'est donc l'interprétation que donnera la Cour supérieure du Québec aux dispositions de la nouvelle loi qui permettra de juger si celle-ci sera, ou non, un instrument aussi adéquat qu'on aurait pu le croire pour protéger la liberté d'expression et la participation des citoyens aux débats publics. Il est à espérer que le tribunal fasse preuve d'audace dans l'interprétation et l'application d'une loi

21. Pierre Trudel, « Les poursuites-bâillons et le droit à la réputation », *Le Devoir*, 19 juillet 2007.

qui conforterait le statut du Québec comme société authentiquement libre et démocratique[22].

Pierre Noreau, professeur à la Faculté de droit de l'Université de Montréal, juge aussi que les conclusions de la cour seront déterminantes pour l'avenir, quant à la place qu'on réserve à la liberté d'expression des auteur.e.s, des penseur.e.s, des intellectuel.le.s et des scientifiques qui, au Québec comme partout ailleurs, sont des acteurs essentiels de nos démocraties. Il fait paraître dans *Le Devoir* une lettre d'opinion cosignée par 33 professeur.e.s de droit de 7 institutions universitaires.

Derrière ces questions de « prépondérance de preuve », s'en pose cependant une autre, beaucoup plus importante encore, qui empêche que ce débat soit tranché sur la base d'arguments strictement techniques : c'est celle des conditions de la vie démocratique.

Le principe démocratique suppose que chaque citoyen puisse contribuer à sa façon aux débats qui traversent sa propre société. Cette participation suppose une claire compréhension des problèmes dans lesquels nous nous trouvons collectivement engagés. Faut-il exploiter les gaz de schiste, confier à l'entreprise privée la gestion de notre système de santé ou participer à un conflit armé, toutes ces questions supposent une analyse éclairée des citoyens.

Il en va de même de l'appréciation que nous sommes en droit de faire de l'activité des sociétés commerciales, détentrices d'un statut juridique de droit canadien lorsqu'elles exportent notre savoir-faire et notre réputation collective. C'est la première condition de la fonction intellectuelle de venir éclairer cette discussion constante de la société avec elle-même. Dans ce sens, les auteurs de *Noir Canada* n'ont sans doute rien fait de plus que le travail auquel on s'attend des penseurs et des chercheurs au sein de chaque collectivité.

Derrière la poursuite dont ils sont l'objet, demeure une question fondamentale : peut-on encore être critique dans notre société ? Le pouvoir (et l'argent) doit-il toujours l'emporter sur le droit de savoir,

---

22. Daniel Turp, « Nouvelle loi contre les poursuites-bâillons », *Relations*, nº 735, septembre 2009.

ou du moins sur le droit de s'interroger publiquement ? Au-delà de ce que recouvre la notion d'atteinte à la réputation, c'est donc l'avenir de la pensée qui se jouera ici[23].

✦

« Silence. Veuillez vous lever. La Cour supérieure présidée par l'honorable Guylaine Beaugé est maintenant ouverte. »

La petite salle d'audience est pour ainsi dire déserte[24]. A. et moi nous tenons là côte à côte, seuls, derrière nos avocats respectifs. Après tout le bruit qu'a suscité cette affaire, la chose a de quoi dérouter. En même temps, cela témoigne de l'inévitable essoufflement que connaît toute lutte qui se voit graduellement rognée, gangrenée, puis avalée par le pouvoir judiciaire.

Avec le temps, la part consacrée à la lutte politique et à la camaraderie solidaire avait fini par s'éroder pour ne plus laisser place qu'à l'âpreté et aux impératifs commandés par la procédure. Les manifestations colorées sur le parvis du palais de justice, les soirées de célébration de la parole, les beaux jours de l'être-en-commun dans la bataille, tout cela semblait déjà loin. Les années d'adversité nous avaient dispersés et usés, la procédure resserrant toujours davantage son étau sur A. et moi, jusqu'à nous laisser l'impression – injuste, peut-être, mais inévitable néanmoins – que nous étions seuls désormais, pris dans les agencements machiniques de la justice. Cette impression allait connaître son apogée (et son actualisation objective) au cours de l'automne suivant, alors que nous serions des mois durant accablés par des négociations hors cour harassantes et marquées du sceau du secret. Même l'avocat des

23. Pierre Noreau, « *Noir Canada*. Le pouvoir… contre le savoir ? », *Le Devoir*, 9 décembre 2010.

24. Abstraction faite des parties, un réalisateur, une professeure de droit et deux ami.e.s seulement assistent à l'audience.

années de lutte héroïque avait pris congé de l'affaire, n'en étant sans doute pas sorti indemne lui non plus.

L'ancien vice-président et directeur des affaires juridiques de Barrick Gold a été dépêché depuis Toronto pour l'occasion. Ancien avocat conseil de l'entreprise, il a supervisé toutes les questions juridiques de la multinationale depuis 1993. Il est l'homme derrière l'opiniâtreté belliqueuse dont nous faisons les frais. Celui à qui l'on doit sans doute la décision de Barrick, en 2008, de déployer l'artillerie lourde pour écraser un moustique. Mille jours plus tard, l'ancien VP a les traits tirés et une aigreur bilieuse. L'ouvrage qui était destiné à connaître une relative confidentialité a été vendu à plusieurs milliers d'exemplaires[25]. La poursuite de Barrick a défrayé la chronique dans la presse internationale. Au Québec, l'affaire a propulsé l'enjeu des « poursuites-bâillons » au-devant de la scène politique et incité le législateur à faire œuvre de pionnier en devenant la première juridiction de droit civil à légiférer en la matière. Lui-même s'est fait rabrouer par un collectif d'universitaires dans les pages du *Devoir* après y avoir défendu que son action en justice visait à permettre « un débat public transparent[26] ». Il a également été pris à partie par un parlementaire dans l'enceinte même de l'Assemblée nationale du Québec, alors qu'il était venu y défendre le bien-fondé de sa poursuite. En juin 2010, il a annoncé sa « retraite anticipée ». Il témoignera longuement.

Quant à A. et moi, nous sommes, de tous les protagonistes présents, les deux seuls à n'avoir pas de pratique d'avocat à notre actif ni de formation en droit ; les deux seuls à avoir lu le livre dans son entièreté et donc à pouvoir l'apprécier dans son ensemble ; les deux seuls, enfin, à qui il ne sera jamais proposé ni ne reviendra

25. Environ 7 200.

26. Patrick J. Garver, « Pour un débat public et transparent », *Le Devoir*, 17 septembre 2008 ; Pascale Dufour, Denis Monière, Normand Mousseau, Christian Nadeau, Michel Seymour, Isabelle Baez, « Le discours orwellien de Barrick Gold », *Le Devoir*, 29 septembre 2008.

jamais, à aucun moment au cours des deux journées d'audience, de prendre la parole, les avocats parlant pour nous en des termes plus ou moins avisés, comme si nous étions absents ou réduits par la procédure à l'état d'objets inertes à qui on ne demande guère que de se taire.

Ad quod damnum

La réputation est un actif, et il s'agit d'un actif indemnisable[27].

– L'avocat de Barrick Gold

Outre son comportement procédural « immodéré », deux talons d'Achille sont de nature à affaiblir l'argumentaire de la partie demanderesse. D'abord, la réclamation « exorbitante et disproportionnée[28] », au vu du plafond de 25 000 $ établi par la jurisprudence québécoise en pareil cas, de 5 millions de dollars en dommages compensatoires et moraux. Ensuite, le « défaut à première vue », en dépit de la constitution d'un dossier colossal et malgré le fardeau qui lui incombe, « de présenter la preuve d'un quelconque préjudice matériel[29] » (perte de clientèle, de profits, d'occasion d'affaires, etc.). Il faut donc, aux yeux de la partie adverse, justifier et légitimer la réclamation d'un tel montant. Or, à défaut de quelque élément de preuve qui aurait permis de faire la démonstration d'un *dommage*, elle allait entreprendre de quantifier… la valeur de sa réputation elle-même.

On retrouvait déjà chez Gabriel Tarde cette déconcertante volonté de « quantifier » la *gloire*[30], entendue comme la noblesse, le crédit, l'admiration qui donne à une personne de la « valeur ». Si la noto-

27. En langue originale anglaise : « Reputation is an asset and it's a compensable asset » [*ma traduction*].

28. *Barrick Gold Corporation* c. *Éditions Écosociété inc.*, 2011 QCCS 4232.

29. *Ibid.*

30. Gabriel Tarde, *Psychologie économique. Tome premier*, Paris, Félix Alcan, 1902.

riété et la richesse sont aisément calculables, se torturait le psycho-sociologue, il faut bien que l'on puisse saisir avec netteté cette « quantité sociale », que l'on puisse la traduire numériquement en un indice de *gloire*. Il faut nécessairement qu'une « valeur-gloire » soit « mesurable en droit et en fait ». Car il n'est rien, disait encore ce précurseur du tout-au-commensurable, qui ne puisse être envisagé, moyennant des statistiques ingénieuses, comme une richesse ; rien qui ne puisse être mesuré en termes de valeur vénale. Tarde concluait à la nécessité impérieuse, si ardue soit-elle, d'un « gloriomètre ». Son appel allait être entendu.

Le premier avant-midi de l'audition de la requête est tout entier consacré à cette besogne : chiffrer la valeur de la réputation de Barrick, rapports financiers à l'appui. L'avocat de la multinationale, réputé « super plaideur », ne s'avère pas spécialement éloquent, encore moins charismatique. Dans une langue pauvre et monotone, il assène les mêmes idées simplificatrices, les mêmes formules stéréotypées, dans de longues circonvolutions itératives. Le tour de force, s'il en est, tient davantage à la capacité de monopoliser de longs temps de parole sans se faire interrompre par la juge, tout en faisant l'économie d'un réel argumentaire fondé sur l'exposition de prémisses données en soutien à une conclusion. Le parti pris consiste non pas à étayer un raisonnement, mais à persuader par un certain art de la suggestion. Outre l'enfilade d'hyperboles, l'effet de style privilégié est celui de la répétition constante, le matraquage des mêmes propositions devant suffire à leur asséner un caractère d'évidence.

> L'une des plaintes formulées par les défendeurs consiste à dire que le montant de notre action est excessif. L'argumentaire que nous allons vous soumettre, c'est qu'il s'agit du cas le plus grave de diffamation à n'avoir jamais eu lieu au Canada. [Mon client] va vous expliquer pourquoi la diffamation est si préjudiciable à Barrick. Et pourquoi quand un juge devra choisir un montant pour le dommage à la réputation, parce que le tribunal doit choisir un montant à un moment

> donné, pourquoi ce devrait être un très gros montant. […] L'enjeu dans ce cas pour la Cour, ce sera un enjeu majeur au procès, est de savoir comment indemniser une très grande entreprise, qui est complètement dépendante de sa réputation, pour avoir été diffamée partout dans le monde de la pire des façons possibles. Vous dites-vous « je vais vous donner 50 000 $ » ou bien vous dites-vous « c'est gros » (*this is big*). […] Pour comprendre combien vaut cette atteinte à la réputation, la Cour doit comprendre ce que vaut la réputation. […] Combien vaut la réputation de Barrick et combien a-t-elle été endommagée par ce qui s'est passé ? Et est-ce que 5 millions de dollars est une estimation juste de la façon dont elle a été endommagée ? Nous ferons la preuve au procès de ce que Barrick a fait, et plus important encore, de ce que Barrick a dépensé au fil des ans, et des efforts qui ont été déployés au fil des ans, pour bâtir sa réputation. […] Et je pense qu'il est important que le tribunal comprenne que c'est encore pire que pour un individu, dans le sens où je veux faire la preuve ici que Barrick a consacré des années, et des années et des années, ainsi qu'une fortune, à bâtir sa réputation. […] Au procès, nous allons démontrer comment cet énorme investissement a été affecté par la diffamation. […] Le tribunal doit comprendre ce que Barrick a fait, les efforts que Barrick a faits, les années, et les années de travail, et les millions de dollars, les centaines de millions de dollars qui ont été dépensés. (ma traduction)

Questionné par son avocat, le vice-président et directeur des affaires juridiques de Barrick Gold renchérit dans le même sens. Il témoigne des « énormes sommes d'argent investies » par la multinationale dans « des programmes et des politiques » visant à « bâtir » sa réputation : construction d'écoles, financement de programmes éducatifs, soins de santé, infrastructures, etc. Pour la seule année 2010, ces investissements s'élèvent à 42,5 millions de dollars. « Ces dépenses ne sont pas ponctuelles, précise le vice-président. Il faut faire des investissements sur une base continue si vous voulez avoir un impact. »

Voilà la philosophie de l'avarice livrée dans un condensé d'une rare sincérité. Bien plus qu'un sans-gêne des affaires, c'est un *ethos* qui se trouve ici prêché, au sens où l'entendait déjà Max Weber. La personne d'honneur, dont le crédit est reconnu, a le *devoir* d'augmenter son capital et sa valeur. Les vertus qu'elle défend « ne sont des vertus que dans la mesure où elles lui sont pratiquement utiles ; et la simple apparence suffirait si elle pouvait assurer le même service ». Aux yeux de cette « morale » utilitariste, l'honneur et la réputation sont *utiles* à la conduite des affaires, et c'est bien pourquoi ce sont là des vertus. D'où il faudrait conclure, comme le souligne Weber, que lorsque l'*apparence* de l'honneur rend les mêmes services, celle-ci est suffisante et qu'un surplus inutile de cette vertu ne pourrait apparaître « que comme une dépense improductive et condamnable[31] ».

Du reste, il n'est même plus certain que ces distinctions n'aient encore le moindre sens. Car l'honneur qu'il s'agit ici de défendre est tout entier fabriqué et réductible aux investissements qu'on y a consacrés. Ces « efforts » cohérents et de longue haleine, cette « fortune » dépensée dans l'objectif d'influencer l'opinion des investisseurs, des gouvernements et du grand public – l'ensemble des stratégies concertées, bref, auxquelles le père des relations publiques, Edward Bernays, référait volontiers comme à de la « propagande » – apparaissent ici comme les seuls substrats de la réputation, mais aussi comme les garants d'un « droit » à la défendre. Celle-ci fait fonction de parure, de fétiche, de pure mascarade, parfaitement adaptée à une époque qui a fait du « comble de l'illusion [...] le comble du sacré[32] ».

« Ce qui a été attaqué, concluait l'avocat, est l'essence même de ce que nous sommes. »

---

31. Max Weber, *L'éthique protestante et l'esprit du capitalisme*, Paris, Flammarion, 2002, p. 67.

32. Feuerbach, cité en exergue dans Guy Debord, *La société du spectacle*, Paris, Gallimard, 1992.

Un droit de propriétaire

En 2007, le grand manitou de Québecor, Pierre-Karl Péladeau, avait réclamé 700 000 $ en dommages moraux et exemplaires à Sylvain Lafrance, de Radio-Canada, pour avoir dit qu'il se promenait « comme un voyou ». Sa conjointe d'alors avait suggéré que ce choix terminologique avait assombri l'humeur de toute la famille et s'était inquiétée, larmes à l'appui, que cela ne traumatise leur jeune fils de cinq ans. Le regretté Gil Courtemanche, du *Devoir*, avait commenté la chose en ces termes :

> Ça fait cher la larme. Pourtant, c'est bien en « voyou », en « casseur » ou en « hooligan », deux mots synonymes de « voyou », que s'est comporté le président de Québecor en annonçant brutalement le retrait de Vidéotron du Fonds canadien de télévision dans le but évident d'en provoquer la mort. Par analogie, on aurait pu qualifier son geste de « meurtrier », tout comme on pourrait décrire comme « assassine » son attitude à l'égard des travailleurs du *Journal de Montréal*, qu'il tue à la petite semaine depuis près de deux ans. Cela est, je l'admets, bien triste pour les parents Péladeau, qui un jour devront expliquer à leur fils interloqué que son père agit comme un criminel social dans le seul but d'augmenter son héritage[33].

Quelques années plus tard, l'empire Québecor sommait le diffuseur public de retirer un communiqué de presse jugé « mensonger » de son site internet. Le directeur de l'Unité anticollusion Jacques Duchesneau a aussi été la cible, trois fois plutôt qu'une, des menaces de poursuite en diffamation de l'entreprise que préside Pierre-Karl Péladeau. Mais c'est en tant qu'homme politique, alors qu'il était devenu chef du Parti québécois, que ce dernier aura remporté la palme de la mise en demeure. Dans une pantalonnade médiatique qui tenait de l'exploit burlesque, il dégaina en 2016 pas moins de trois mises en demeure ou menaces de mise en demeure en moins

33. Gil Courtemanche, « Le "voyou" et le "parrain" », *Le Devoir*, 20 novembre 2010.

de dix jours à des adversaires politiques de deux partis différents, alors que ceux-ci interrogeaient la légalité du financement d'un centre de recherche sur l'indépendance que souhaitait créer et financer généreusement le magnat de la presse[34].

Ses adversaires politiques avaient affiché des mines outrées et adopté un ton plein de remontrances pour déplorer, à demi-mot, le fait que le malotru importait là du monde des affaires une goujaterie procédurière indigne du débat démocratique et de la vie parlementaire. Soit. Mais c'était faire bien opportunément l'impasse sur une culture de l'intimidation judiciaire pourtant bien implantée dans la vie politique québécoise et canadienne.

La liste est interminable : le premier ministre du Québec mettant en demeure un journaliste et une députée de l'opposition[35], un député fédéral libéral obtenant une injonction contre un conservateur[36], le maire de Québec poursuivant le président du syndicat des cols blancs de la Ville, le maire de Brossard traînant en justice un conseiller municipal indépendant[37], l'ancien directeur général de la Ville de Montréal poursuivant le quotidien *La Presse*[38], une ancienne ministre conservatrice poursuivant le premier ministre du Canada, une ancienne candidate péquiste réclamant 68 000 $ à une militante antiraciste[39], un ancien collecteur de fonds du Parti

---

34. Marco Bélair-Cirino, « PKP songe à mettre en demeure Jean-Marc Fournier », *Le Devoir*, 20 janvier 2016.

35. « Des procédures coûteuses », *Radio-Canada.ca*, 19 mai 2006.

36. La Presse canadienne, « Élection fédérale en Ontario. Un député libéral sortant obtient une injonction pour diffamation contre un conservateur », *Le Devoir*, 14 octobre 2008.

37. Ariane Lacoursière, « Le maire de Brossard poursuit un conseiller municipal », *La Presse*, 30 septembre 2009.

38. Éric Desrosiers, « L'ancien d.g. de la Ville de Montréal poursuit La Presse pour diffamation », *Le Devoir*, 8 septembre 2010.

39. Lisa-Marie Gervais, « Louise Mailloux réclame 68 000 $ à Dalida Awada », *Le Devoir*, 29 janvier 2015.

québécois poursuivant un chef de parti[40], le maire de Brossard obtenant gain de cause contre une ex-députée libérale[41], une aspirante candidate poursuivant le premier ministre du Canada[42]... chaque fois pour « diffamation ». Mention spéciale à Marc Bellemare et à Jean Charest, alors respectivement ancien ministre de la Justice et premier ministre du Québec, qui en 2010 se poursuivaient l'un l'autre en diffamation, le premier poussant la tartufferie politique jusqu'à invoquer la « loi contre les poursuites-bâillons » adoptée quelques mois plus tôt sous l'égide du second.

Cette flopée d'échauffourées procédurières, peu *glorieuse* au demeurant, révèle l'idéologie propriétaire et la culture foncièrement antidémocratique dont est imprégnée la classe politique, à qui rien ne semble moins naturel que de faire taire les critiques qui lui sont adressées à coups de lettres d'avocats et de poursuites en diffamation.

Cette conception répressive de la liberté d'expression est également dominante parmi la gent légale, soutient Jean-Denis Archambault, professeur à la Faculté de droit de l'Université d'Ottawa. Dans un ouvrage intitulé *Le droit (et sa répression judiciaire) de diffamer au Québec*, d'une rare portée critique au sein de la doctrine, le juriste dresse un état des lieux sans concession : « le pouvoir contemporain, fût-il garni de l'épithète "judiciaire", se commet avec *gusto* et de façon catégorique en faveur de la censure. »

Archambault, déjà, opère un renversement salutaire par rapport à l'idiosyncrasie juridique québécoise : il existe bien un « droit de

40. Amélie Pineda, « Poursuite de 300 000 $ contre Amir Khadir », *Le Devoir*, 20 avril 2017.

41. Stéphanie Marin, « Diffamation : Fatima Houda-Pepin condamnée à verser 24 000 $ au maire de Brossard », *La Presse*, 31 mai 2017.

42. La Presse canadienne, « Une poursuite en diffamation contre Justin Trudeau est réglée à l'amiable », *Le Devoir*, 10 novembre 2017.

diffamer », soit de porter atteinte à la réputation et à l'honneur d'une personne, qui, bien qu'encadré par des normes contraignantes, trouve également refuge et protection au cœur de la Constitution canadienne. Or la pensée juridique, déplore-t-il vertement, s'est enlisée dans le brouillage des sources juridiques mixtes de notre droit civil pour « fuir subrepticement, par subterfuges orchestrés, vers un droit civil privé mur à mur ». Il en résulte que les Québécois.es ne bénéficient pas de toutes les protections auxquelles la *common law* publique et constitutionnelle de la liberté d'expression et de presse leur donne droit. Un cadre normatif privatiste, centré sur la norme obsessionnelle du « raisonnable » et assujetti à la notion de « faute », a plutôt préséance devant nos tribunaux. Or, pour Archambault, cadenasser le droit à la liberté d'expression et de presse dans la *raisonnabilité* « mène à la tyrannie du bien-pensant majoritaire, de la rectitude politique et au bâillonnement de l'empêcheur de tourner en rond, de la tête forte, ainsi qu'à la censure judiciaire du débat démocratique auquel participe toute personne[43] ».

Pour le juriste, inutile de se leurrer. Si le dogme privatiste est désormais si solidement ancré dans la jurisprudence et la doctrine, c'est en raison de la « déviation idéologique » foncièrement antidémocratique qui s'observe tant chez la gent légale que du côté du législateur. Selon cette idéologie, le citoyen doit demeurer « raisonnable » dans ses propos, « comme si un individu "déraisonnable" et la diffusion de son opinion tout aussi "déraisonnable" ne trouvaient pas refuge, justement, au cœur de la démocratie libérale et de la Constitution canadienne[ix] ». Archambault dénonce l'« obsession contagieuse » en faveur du droit à la réputation qui réprime « de manière disproportionnée, voire inconstitutionnelle, la liberté d'expression et de presse diffamatoire ».

---

43. Jean-Denis Archambault, *Le droit (et sa répression judiciaire) de diffamer au Québec*, *op. cit.*, p. 559.

Quant à la Cour suprême du Canada, il estime qu'elle se fait elle aussi « complice d'un intégrisme privatiste et affligeant, par lequel elle renouvelle le genre inquisitorial en scrutant la "raisonnabilité" de la pensée citoyenne et de son expression publique[44] ». Au justiciable « épris de libertés publiques et constitutionnelles » qui « ne se serait pas encore résigné à s'enfouir la pensée entièrement dans le droit privé », conclut le professeur, il ne restera plus qu'à « s'adresser en ultime recours à une instance internationale compétente sur les droits de la personne ».

✦

La Cour supérieure du Québec allait confirmer les appréhensions des juristes avisés. Tel que mentionné plus tôt, le tribunal sanctionna « l'apparence d'abus procédural » de Barrick Gold, en raison du caractère « disproportionné » et « empreint de démesure » de sa poursuite, tout en reconnaissant à la multinationale « des éléments sérieux au soutien de son action[45] », dont la preuve resterait à faire lors d'un éventuel procès. Mais d'un procès, au fond, la cour ne voulait rien savoir. Déplorant la lourdeur et l'imbroglio du dossier, rappelant son désintérêt à l'égard de tout critère de vérité, réservant aux enjeux de justice soulevés dans *Noir Canada* un silence probant, la cour devait d'ores et déjà jouer les arbitres. Distribuant équitablement les fautes et les mérites présumés, elle concluait son jugement par une exhortation aux parties à régler leur différend… hors cour.

En Ontario, nos magistrats n'allaient pas s'encombrer de toute cette civilité propre et équilibrée, pourtant si *canadian*. Alors que nous contestions l'idée qu'un livre distribué en Ontario à quelques dizaines d'exemplaires seulement puisse faire l'objet d'une pour-

44. *Ibid.*, p. 429.
45. *Barrick Gold Corporation* c. *Éditions Écosociété inc.*, 2011 QCCS 4232.

suite pour « diffamation » de cinq millions de dollars, la Cour supérieure ontarienne, présumant de notre culpabilité, admit sans broncher que l'instruction de l'action en Ontario conférait à Banro un indéniable avantage juridique, mais soutint, d'un rationnel impeccable, que la multinationale avait « un intérêt légitime à ce que la fausseté des prétendues affirmations diffamatoires soit prouvée dans son ressort et que sa réputation soit blanchie ».

La Cour d'appel de l'Ontario devait nous servir la même médecine, en y ajoutant la violence d'une méthode nettement plus expéditive. Faisant elle aussi strictement état du droit, pour une personne *morale*, de poursuivre quiconque écorcherait sa sacro-sainte réputation, et de le faire là où elle était susceptible de subir *le plus de tort*, les trois magistrats de la Cour d'appel de l'Ontario rejetèrent notre demande « sur le banc », *in situ,* sans même prendre le temps d'entendre les avocats de Banro tant ils étaient rangés à ses arguments.

Mais c'est à la Cour suprême du Canada que revint le mérite d'avoir confessé le plus explicitement et candidement, et ce, sans autre justification que celle de son pouvoir discrétionnaire, la prévalence, en matière de diffamation, du droit « quasi constitutionnel » à la réputation sur le droit, constitutionnel celui-là, à la liberté d'expression.

> Bien que le droit constitutionnel à la protection de la liberté d'expression doive être maintenu dans l'établissement des règles de droit relatives à la diffamation, notre Cour a reconnu que l'un des objectifs principaux du droit de la diffamation consiste à protéger la réputation de la personne, laquelle s'est vu conférer un statut quasi constitutionnel [...][46].

Que des documents existent aujourd'hui par dizaines à l'échelle internationale pour attester d'allégations d'abus nombreux de la

---

46. *Éditions Écosociété* v. *Banro Corp.* [2012] 1 S.C.R., <https://scc-csc.lexum.com/scc-csc/scc-csc/fr/8005/1/document.do>.

part de sociétés canadiennes à l'étranger, que ces dernières fussent même critiquées dans un rapport incriminant de l'ONU, voilà qui n'est pas de nature à ébranler la magistrature dans sa conviction que le droit des actionnaires doit primer celui des peuples, notamment quant au fait de disposer des informations internationalement en vigueur sur les agissements de l'industrie extractive canadienne en Afrique.

✦

Plus qu'une caractérologie morale, la *diffamania* est le produit d'un régime politique dont les institutions se donnent de fait pour rôle de défendre coûte que coûte les intérêts souverains d'agents privés, n'ayant par définition nul autre intérêt à défendre que les leurs.

Dans ce régime prétendument apolitique, les catégories juridiques elles-mêmes sont foncièrement viciées par des présupposés libéraux. Elles doivent faire en sorte, tant par la diffusion de leur *rationalité* propre que par leur indispensable complément coercitif, que se matérialise un certain état du réel. Le *sujet de droit* n'existe qu'à titre d'agent d'intérêt privé, d'*homo œconomicus*, de représentant de la marchandise qu'il possède ou, en l'espèce, de représentant de lui-même en tant que marchandise. Sa *réputation*, qui est à la fois son bien le plus précieux et son droit le plus inaliénable, est gérée comme un actif; elle se quantifie sur le marché, se voit circonscrite à un territoire et fait l'objet d'investissements. Quant à la *faute* et au *dommage*, ils interviennent dès lors que par mon action, j'entrave autrui dans la poursuite effrénée de ses intérêts et dans son imprescriptible droit à la prospérité insolente et la jouissance aveugle.

CHAPITRE 12

Lutte de paroles, bataille du sens, guerre des fictions

Mais qu'y a-t-il donc de si périlleux dans le fait que les gens parlent, et que leurs discours indéfiniment prolifèrent ? Où est donc le danger ?

– Michel Foucault, *L'ordre du discours*

Qui a peur de *Noir Canada* ? se demandaient fort à propos ses auteur.e.s en 2008[1].

Ou pourquoi, dirions-nous plus largement, le livre effraie-t-il autant ? De quelle sourde puissance est-il investi pour susciter le déploiement d'un tel arsenal ? Que peut donc une reliure ?

Portés au bûcher, mis à l'index, saisis, interdits, enfermés à clé et anéantis... Du saccage de la bibliothèque d'Alexandrie aux récents autodafés de Mossoul, les livres ont attiré sur eux les pires suspicions et se sont révélés partout menacés par l'effacement, la destruction et les fureurs obscurantistes.

Le sort réservé aux livres et à la parole des écrivains a toujours constitué l'un des gestes décisifs par lequel le pouvoir se révèle. « Là où on brûle des livres, on finit par brûler les hommes », écrivait

1. *Qui a peur de Noir Canada* est le titre de l'allocution qu'a prononcée Alain Deneault lors du spectacle de solidarité avec Écosociété, animé par Stanley Péan, le 12 juin 2008, au Kola Note (Montréal).

Heinrich Heine plus d'un siècle avant que des milliers de volumes de poètes, philosophes, écrivains et savants juifs ne soient réduits en cendres dans les brasiers nazis.

Pourquoi tout cet acharnement, mille fois réitéré à travers l'histoire, envers des livres et des auteurs, des éditeurs, des imprimeurs et des libraires ?

Faut-il que les mots soient dotés d'un pouvoir si irréductible pour s'attirer ainsi les affres de tous les pouvoirs ?

Lorsque l'écrivain italien Erri De Luca déclare à la presse en 2013 que la ligne de TGV Lyon-Turin est une entreprise nuisible et inutile et qu'elle doit être « sabotée », il est assigné en justice par la société Lyon Turin Ferroviaire (LTF) pour « incitation au sabotage ». Il encourt alors jusqu'à cinq années de prison.

Dans la vallée de Suse, le combat que mènent les opposants No-TAV contre ce désastre écologique et social annoncé se heurte depuis les années 1990 à une répression policière et judiciaire de masse. Plus de 1 000 inculpations. Des peines de prison totalisant plus de 150 ans. La petite vallée du Piémont, désormais entièrement militarisée, est le théâtre d'une telle vague de criminalisation des dissidents que l'on a créé au parquet de Turin un département entièrement voué à leur intenter des procès. De « zone d'intérêt stratégique », telle que déclarée par l'État, la vallée de Suse est devenue, souligne le poète, une « zone soustraite à dissension ».

Pourfendant la nature de l'accusation – « incitation au sabotage » – dans le petit opus qui lui tient lieu en quelque sorte de plaidoyer de défense, l'intellectuel napolitain soutient qu'un « écrivain incite tout au plus à la lecture et quelquefois aussi à l'écriture[2]... » J'avais moi-même, à l'époque du procès, tourné en ridicule l'argumentaire fallacieux de la société ferroviaire française, dont la preuve avait pour l'essentiel consisté à produire une liste d'actes perpétrés par des militants No-TAV postérieurement

2. Erri de Luca, *La parole contraire*, Paris, Gallimard, 2015, p. 14.

à la publication de l'article de De Luca. Magistrats et procureurs, arguais-je alors, ne parviendraient pas à se persuader eux-mêmes que des propos rapportés dans un journal aient pu « inciter au sabotage » des opposants qui n'attendaient que la bénédiction d'un poète avant de tout saccager[3]. Or, s'il convient de dénoncer le sophisme de la causalité qui fonde ici opportunément l'imputation de responsabilité pénale, la question du pouvoir de l'écrivain ne peut pas pour autant être si aisément écartée ou rabattue à la seule faculté « d'inciter à lire et parfois à écrire ».

Il y a certes matière à éprouver un certain vertige devant la somme ne serait-ce que des essais critiques qui se publient dans une saison éditoriale – un champ si florissant, en fait, qu'il produit ses stars et ses rentiers de la critique – alors même qu'à gauche nous accusons tant de défaites. Le désir d'écrire, sans doute, naît-il paradoxalement du sentiment d'une certaine impuissance des gestes de la politique et en particulier des gestes de l'écriture[4]. Si pour autant le lettré, le *parrèsiaste* et le poète s'engagent dans ce qu'ils croient être le vrai, le juste, le nécessaire, s'ils s'échinent par leur parole et leurs écrits à le faire entendre, ce doit bien être parce qu'ils gardent vive la conviction que la parole porte en elle une puissance déstabilisatrice. Une puissance d'agir.

Il semble qu'il y ait là un problème récurrent dans l'histoire de la persécution de la pensée et de la répression de l'expression écrite. Depuis le procès de Socrate, juges et censeurs ont prêté aux mots le pouvoir de corrompre, d'inciter, de provoquer, d'outrager, de diffamer. Hommes et femmes de lettres et d'idées ont âprement combattu la rhétorique des autorités investies du pouvoir de juger de *ce que les mots disent* et de *ce que les mots font*. Cela ne signifiait pas pour autant qu'ils déniaient toute performativité à la littérature.

---

3. Anne-Marie Voisard, « La parole contraire en procès », *Huffington Post (Québec)*, 2 mars 2015.

4. Tel que le suggère Marie-José Mondzain, *Confiscation. Des mots, des images et du temps*, *op. cit.*, p. 11.

On pourrait même dire que la conviction partagée en la puissance oppositionnelle des mots et de la littérature a sans doute nourri aussi bien l'entêtement des uns à écrire que celui des autres à les faire taire. Seulement, il appert que le sens et la portée des écrits litigieux ne soient pour autant jamais fixés et qu'ils fassent en eux-mêmes l'objet, entre censeurs et écrivains, d'une incessante lutte de pouvoir.

Le pouvoir des mots

« Il y a des mots aussi meurtriers qu'une chambre à gaz[5]. »

De la percutante formule de Simone de Beauvoir découlent deux propositions phares issues de la philosophie du langage.

La première a trait à la performativité du langage. Elle consiste à dire que les mots ne font pas que mettre en forme ou rendre compte d'une réalité qui existerait en dehors d'eux. Ils participent directement à la façonner, à la transformer, à l'infléchir, à la faire advenir. Ils ne se contentent pas de dire le monde. Ils sont dotés d'une puissance d'action sur le monde.

La seconde consiste à rappeler que le langage porte en lui sa dérive totalitaire. Les mots sont des « pistolets chargés[6] ». Et s'ils n'ont pas vocation à tuer eux-mêmes, ils peuvent paver la voie au passage à l'acte, en préparant l'ordre social et en construisant les cadres de sens qui légitimeront les pires violences. Les exactions et les massacres les plus abominables procèdent toujours d'abord d'une construction de l'esprit[7].

---

5. Simone de Beauvoir, *La force des choses*, Paris, Gallimard, 1963, p. 33.
6. Citation que Jean-Paul Sartre attribue à Brice Parain, dans *Qu'est-ce que la littérature ?*, Paris, Gallimard, 1948, p. 29.
7. Jacques Sémelin, « Les intellectuels et la violence : en étudier l'objet, en devenir les acteurs » (préface), dans *Le mot qui tue. Une histoire des violences intellectuelles de l'Antiquité à nos jours*, sous la direction de Vincent Azoulay et Patrick Boucheron, Ceyzérieu, Champ Vallon, 2009.

Cela ne signifie pas pour autant que les mots sont tout-puissants ou, comme la société Lyon Turin Ferroviaire (LTF) a voulu le laisser entendre, qu'il y aurait entre l'idée et l'action une causalité mécanique, une ligne droite déjà toute tracée.

La littérature est, certes, de nature séditieuse. Elle exalte l'imagination et le désir, fait foisonner le champ de l'expérience humaine et courir les risques de la liberté. Art du mentir-vrai, elle révèle bien souvent des vérités que les autres discours négligent ou à tout le moins esquisse-t-elle des voies qu'il nous revient ensuite d'emprunter. Elle porte en elle le désir de connaissance du monde tel qu'il va et le pouvoir de conjurer toutes les indifférences. Si elle dévoile souvent au Pouvoir l'ampleur de son indignité, si elle le conteste témérairement en certaines occasions, tout au moins résiste-t-elle toujours en soubassement à sa bêtise, « de façon subtile et entêtée[8] ».

Que des livres puissent contribuer à l'émergence de sujets éthiques et « mêler [leurs] pages aux sentiments de justice naissants[9] », voilà qui apparaît indéniable. Cela ne signifie pas pour autant, comme ont pu sembler le croire certains censeurs, que les livres jugés subversifs embrasent les sentiments de révolte et provoquent, comme par magie, de soudaines contagions de fièvre révolutionnaire.

Et même si un livre devait, dans l'histoire discontinue des luttes et la coïncidence hasardeuse des contingences, participer à faire l'événement ou agir comme catalyseur des consciences et des résistances, il n'en demeurerait pas moins grossier de lui assigner, au prix d'une spectaculaire restriction causale, le rôle d'acte unique d'engendrement.

8. Antoine Compagnon, *La littérature, pour quoi faire*, Leçon inaugurale au Collège de France le 30 novembre 2006, Paris, Fayard, 2007, p. 68.

9. Erri de Luca, *La parole contraire, op. cit.*

Dans *La parole contraire*, Erri de Luca raconte qu'à la sortie d'une audience préliminaire, les procureurs, « dans un moment de dysenterie de puissance », avaient déclaré à la presse qu'ils pourraient pardonner au barbier de Bussoleno[10] s'il disait qu'il faut couper les grillages érigés autour du chantier, mais qu'à un poète, à un intellectuel tel que lui, non. Ironisant, De Luca suggère que la parole du barbier, dont les lames tranchantes effleurent tant de gorges dociles, est certainement dotée d'un pouvoir de persuasion bien plus puissant que celle des écrivains et des poètes, « impardonnables par statut[11] ».

L'efficacité performative des uns et des autres peut sans doute faire l'objet de moult débats, d'autant qu'elle varie en fonction du contexte qui donne aux mots leur sens et leur puissance. Il n'empêche que l'anecdote nous instruit sur la puissance subversive que le pouvoir prête à la parole des écrivains, laquelle – et c'est là un paradoxe bien irritant – ne se révèle sans doute jamais aussi acérée et pénétrante que lorsqu'elle est persécutée.

En se livrant à une critique des théories linguistiques d'inspiration saussurienne, Bourdieu a cherché à démontrer que les mots ne tirent pas leur force et leur efficacité de propriétés proprement linguistiques, mais plutôt de la position sociale de celui qui parle et des institutions qui soutiennent et autorisent ces actes de langage. L'autorité adviendrait au langage du dehors. « Ce qui fait le

10. Le barbier de Bussoleno se nomme Mario Nucera. Il fait partie des 47 inculpés pour lesquels le tribunal de Turin a requis plus de 140 années de prison cumulées, des amendes et des dommages et intérêts exorbitants pour différents chefs d'accusation en lien avec les importantes manifestations du mouvement No-TAV de l'été 2011 visant à assiéger le chantier. Le barbier, dont le procureur a dit qu'il était « un professionnel de la violence », avait un casier judiciaire vierge avant d'être condamné à trois ans et deux mois de prison. « Heureusement qu'ils doivent me pardonner, qu'est-ce que ça serait s'ils ne me pardonnaient pas ! » déclara Mario Nucera après avoir reçu sentence. Les déclarations du procureur que reprend Erri de Luca dans son essai ont fait de Mario Nucera l'une des figures emblématiques du mouvement de résistance.

11. Erri de Luca, *La parole contraire, op. cit.*

pouvoir des mots et des mots d'ordre, pouvoir de maintenir l'ordre ou de le subvertir, c'est la croyance dans la légitimité des mots et de celui qui les prononce, croyance qu'il n'appartient pas aux mots de produire[12]. »

Il s'ensuit que la langue des dominés n'a pas accès à la même performativité que celle des dominants. « Si la première demeure langage, écrit la philosophe Cynthia Fleury, la seconde fait réalité. Elle fait autorité et institution[13]. »

Or le discours juridique est la forme paradigmatique du discours agissant, une « parole divine de droit divin[14] », dont le propre est de faire surgir à l'existence précisément ce qu'elle énonce. Arbitre suprême des luttes pour le monopole du pouvoir symbolique, le droit détient le pouvoir de rendre vraie sa vérité, d'imposer de manière transcendante ses catégories de la vision légitime du monde social. Le juge qui entend trancher un conflit a pour lui tout l'ordre social. Son verdict est un acte d'institution. Sa parole a force de loi.

Tout procès intenté à la parole vise à inculper des discours ou des écrits non pas seulement pour ce que les mots disent, mais pour ce que les mots font. Diffamer, inciter, provoquer. Or les discours produits par les tribunaux sont en eux-mêmes porteurs d'une grande violence. Ils assignent, condamnent, saisissent, interdisent, jugent, enferment. Ils sont aussi investis du pouvoir souverain de décréter, contre celles et ceux qui les ont prononcés, ce que les mots disent et ce que les mots font[15].

Évidemment, les discours sont fort diversement sanctionnés selon la position sociale de ceux qui les font entendre et les intérêts

---

12. Pierre Bourdieu, *Langage et pouvoir symbolique*, *op. cit.*, p. 210.
13. Cynthia Fleury, *Les irremplaçables,* Paris, Gallimard, 2015, p. 113.
14. Pierre Bourdieu, *Langage et pouvoir symbolique*, *op. cit.*, p. 66.
15. Il faut lire à ce propos l'importante contribution de Judith Butler dans *Le pouvoir des mots. Discours de haine et politique du performatif,* Paris, Éditions Amsterdam, 2008.

dont ils se font l'écho. Les mécanismes visant à réprimer certains discours ont pour corollaire tout un ensemble de dispositifs visant à occulter la violence de certains autres discours, à la fois reconnus comme légitimes et méconnus dans leur arbitraire et leur violence. La censure, une fois de plus, n'est pas que la répression de certains discours. Elle recouvre l'ensemble des opérations par lesquelles le pouvoir trace ces lignes de partage entre des discours que le « bon sens » nous somme de désavouer et d'autres que tout concourt à imposer avec la naturalité et la force de l'évidence.

Pour avoir écrit « Je me sens Charlie Coulibaly » sur sa page Facebook le soir du 11 janvier 2015, le polémiste Dieudonné a été jugé coupable d'apologie d'actes de terrorisme et condamné à deux mois de prison ferme. « La France est en guerre », dira quelques mois plus tard le président François Hollande, avant d'être accueilli sous une salve d'applaudissements. Or si la puissance d'agir du premier énoncé reste pour le moins nébuleuse, la force illocutoire du second, en revanche, soit sa capacité à agir sur le réel, ne laisse pas le moindre doute, pas plus que les effets concrets – des vies arrachées – qu'il ne saurait manquer d'entraîner.

Erri de Luca relève pour sa part que « l'incitation à la violence » est un chef d'inculpation opportunément réservé à certaines classes de justiciables : « Au cours des années passées, d'importants responsables de parti, forts de nombreux adhérents et militants, ont régulièrement menacé publiquement d'employer les armes pour atteindre leurs objectifs. Dans d'autres circonstances, ils ont annoncé le recours à l'évasion fiscale de masse. Ils n'ont pas été poursuivis par la magistrature pour délit d'incitation[16]. »

Deux poids, deux mesures, en somme. Les « illégalismes » du discours n'ont pas vocation à être indistinctement réprimés. Et l'hyperbolisation de la violence des mots des dominés, avec toute

16. Erri de Luca, *La parole contraire, op. cit.*, p. 21-22.

la kyrielle de sanctions qui l'accompagne, a pour envers l'euphémisation et la dénégation de la violence du discours des dominants.

Lutte de paroles, bataille du sens

Le pouvoir des mots a pour corollaire la lutte pour leur appropriation, leur assignation et leur confiscation politiques. La lutte des classes dominantes pour imposer un certain ordre social est indissociable de celle pour le contrôle de l'ordre symbolique et de l'ordre du discours. « Le discours n'est pas simplement ce qui traduit les luttes ou les systèmes de domination, mais ce pour quoi, ce par quoi on lutte, le pouvoir dont on cherche à s'emparer[17]. »

Le procès est le théâtre paradigmatique de cette lutte de paroles, dans laquelle s'affrontent des visions du monde antagonistes, une bataille du sens pour imposer en dernière instance une certaine construction de la réalité sociale. Il met en scène un combat sémiotique acharné de la part des puissants pour imposer leurs mots, leurs catégories, leurs normes, leurs représentations et leurs règles de production de sens.

Toujours dans *La parole contraire*, Erri de Luca conteste le pouvoir que les tribunaux tentent indûment de s'arroger sur le langage. L'écrivain, qui n'entend pas chercher à se disculper, revendique le droit d'utiliser le verbe « saboter » selon le bon vouloir de la langue italienne, un terme dont le sens figuré réfère à autant d'entraves, plaide-t-il, qui ne réduisent pas à la seule dégradation matérielle. « Il suffisait de consulter le dictionnaire pour archiver la plainte sans queue ni tête d'une société étrangère. »

Aux tentatives répétées du droit d'assigner et de figer le sens, le poète répond par la littérature, insaisissable, dissensuelle, polysémique. À l'horizon indépassable de la responsabilité pénale, il

17. Michel Foucault, *L'ordre du discours*, Leçon inaugurale au Collège de France prononcée le 2 décembre 1970, Paris, Gallimard, 1971.

oppose une éthique de la responsabilité qui fonde son engagement politique en tant qu'écrivain. Pour le poète, cela passe par une fidélité tenace à la parole et par une vigilance soutenue dans les usages de la langue. « Je dois fidélité à mes mots et non à la justice italienne », estime Erri de Luca à l'aube de son procès. « J'accepte volontiers une condamnation pénale, mais pas une réduction de vocabulaire. » Et si en appeler au sabotage relevait du « droit de mauvais augure[18] » ?

Tout procès intenté à la parole met en scène ces querelles herméneutiques, ces affrontements autour de l'usage et de l'interprétation légitimes des mots. Toute entreprise de censure est d'abord un assaut mené au sens, une tentative de domestiquer la langue et d'en conjurer les potentialités, une volonté d'épuiser la signification des discours et d'en cadenasser la portée.

Dans cette cartographie des opérations de pouvoir, la confiscation, voire l'interdiction pure et simple des mots occupe une place conséquente. En Chine, jeux de mots, homonymes et calembours sont la nouvelle bête noire des censeurs du web, alors que les internautes multiplient les ruses et stratagèmes pour contourner la censure officielle de Pékin. Au Pakistan, le gouvernement exhorte désormais les opérateurs téléphoniques à bloquer tous les textos comprenant l'un ou l'autre des 1 500 mots et expressions que le régime a prohibés. Au Québec, en 2008, une multinationale mettait sévèrement en demeure auteur.e.s et éditeur de ne plus qualifier sa poursuite de « poursuite-bâillon », ce dont s'inquiéta publiquement le poète Paul Chamberland, qui y a vu une « confiscation ».

> Adresser une mise en demeure qui interdit à ses opposants l'usage de certains mots, en l'occurrence l'expression *poursuite-bâillon*, est un geste qui porte beaucoup plus à conséquence que la poursuite elle-même. En tentant de judiciariser le simple fait d'appeler un chat un chat, elle s'arroge la prérogative exorbitante et carrément indue de

---

18. Erri de Luca, *La parole contraire*, *op. cit.*

breveter un bien commun inaliénable parce que ne faisant qu'un avec ce qui fait l'être de l'homme : le langage, la parole[19].

Si l'usage des mots est disputé, le texte placé sous la loupe des censeurs ou des autorités judiciaires fait aussi l'objet de batailles interprétatives et de moult détournements et inversions du sens.

Les minutes du procès de Jérôme Lindon, directeur des Éditions de Minuit, constituent à cet égard une inestimable pièce d'anthologie. L'éditeur avait écopé en France, en 1961, d'un procès puis d'une condamnation pour « provocation à la désobéissance » pour avoir publié *Le déserteur*, un roman autobiographique relatant l'itinéraire intellectuel et moral d'un sous-officier de l'armée française durant la guerre d'Algérie. Dans la foulée du procès, Lindon s'était empressé d'en publier le compte rendu, levant implacablement le voile sur les joutes rhétoriques et les batailles interprétatives opposant l'éditeur à ses juges[20].

Pour la défense, le caractère autobiographique du roman n'entache en rien son caractère fictionnel et ses qualités littéraires. Et puis, viendrait-il à l'idée des magistrats de rendre responsables les éditeurs pour tous les personnages des romans qu'ils publient ? *Le déserteur* décrit le drame de conscience d'un sous-lieutenant à qui la terrible réalité de la torture en Algérie ne laisse d'autre choix moral que celui de déserter. La défense fait valoir qu'il est de la responsabilité de l'éditeur de publier des livres qui témoignent de la vérité des problèmes qui se posent à son époque et qui concourent à la formation de l'opinion.

Pour le procureur général et le magistrat, *Le déserteur* est un livre sans nuances ni finesse, trahissant l'infantilisme intellectuel de son auteur, lequel s'emploie non seulement à faire l'apologie de

---

19. Paul Chamberland, « Une confiscation du débat public », *Le Devoir*, 1er octobre 2008.

20. *Provocation à la désobéissance. Le procès du déserteur*, Paris, Éditions de Minuit, 2012.

l'insubordination et du refus de la guerre, mais plus largement à démontrer que la guerre d'Algérie est en elle-même illégitime et que le peuple algérien est opprimé par la France. L'auteur, à qui l'on reproche au fond son soutien à la cause algérienne, est suspecté de chercher à semer l'indiscipline et la désorganisation dans l'armée. Le livre risquant de tomber entre les mains de jeunes lecteurs frustes qui s'en trouveraient pernicieusement influencés au point de ne pas accomplir leur devoir vis-à-vis du pays, il constitue en cela une provocation à la désobéissance et engage la responsabilité de son auteur et de son éditeur.

Si les qualités littéraires du texte et son rapport à la vérité sont débattues, tout comme sont examinées, au prisme de la provocation à la désobéissance, la probité morale et l'intention de son auteur, il apparaît vite que la véritable nature du procès est ailleurs et qu'en fait, celle-ci se trouve en elle-même âprement disputée.

Alors que l'accusation cherche formellement à condamner auteur et éditeur pour l'insoumission d'un personnage de roman et alors qu'en soubassement, c'est le refus d'une guerre coloniale qui se voit mise au banc, Lindon[x] entend attirer l'attention sur les effroyables crimes de guerre qui fondent l'insubordination et la désertion et qui en font un problème moral posé à la France entière. Dès lors, il apparaît au fil des nombreux témoignages et des réquisitoires de la défense que ce qui surgit, en creux du procès intenté à l'éditeur, est le procès de la torture coloniale elle-même.

« Le problème n'est pas celui de la torture, c'est celui de la provocation des jeunes à ne pas obéir au gouvernement », martèle le magistrat. « Un tribunal ne fait pas de politique », dit-il encore. Veillons à « réduire ce procès à ses justes dimensions », plaide le procureur de la République. « Revenons-en à la provocation et laissons les autres questions de côté ! » réitèrent-ils en chœur.

Le véritable scandale, comme l'écrira Paul-Louis Thirard, fut d'entendre magistrats et procureurs user d'affirmations qu'on eût aimé croire sincères[21]. « Tout le monde est d'accord contre la torture », affirment-ils, et de condamner Lindon du même souffle. « Tout le monde est pour la démocratie », affirmait tout aussi vertueusement l'avocat de Barrick Gold en interrogatoire. Comme la comédie humaine se répète...

Au fil de cette lutte de paroles, il s'agit ultimement, pour celles et ceux que le pouvoir prend pour cibles, de contester au tribunal la force illocutoire d'énoncer et de faire advenir un problème dans les seuls termes du droit et du pouvoir. L'enjeu est de montrer qu'une accusation peut être lue et agir dans un sens contraire, de sorte à ouvrir la voie à une resignification du procès et de la responsabilité qu'il met en jeu. Cela passe souvent par la réappropriation et par la subversion des mots qui fondent l'accusation et qui entendent désigner les coupables. Du coup, c'est tout l'imaginaire instituant du droit qu'il s'agit de déconstruire.

> Monsieur le président, déclare Jérôme Lindon à son procès, ne croyez pas que je cherche à éviter le débat. Je suis d'accord avec vous, c'est de provocation à la désobéissance qu'il s'agit et c'est de cela que je veux vous parler, mais ce que je veux vous rappeler, c'est que depuis quatre ans pour les Éditions de Minuit et depuis beaucoup plus longtemps pour certains autres, tout se passe comme si la torture était devenue un moyen légal, et seulement illégal d'en parler. [...]. S'il s'avère, non seulement que ces crimes existent, mais qu'ils sont encouragés, alors, je dis, monsieur le président : oui, il y a provocation, *provocation permanente à la désobéissance.* Mais ceux qui provoquent à la désobéissance ne sont pas ceux qui dénoncent le crime, ce sont ceux qui le commettent, le couvrent ou l'ordonnent.

Un même renversement, une même « tricherie salutaire » de la langue, selon l'expression barthienne, est également opéré par Erri de Luca lorsqu'il écrit : « L'accusation portée contre moi *sabote* mon droit constitutionnel de parole contraire[22]. »

---

21. Paul-Louis Thirard, *Tribune socialiste*, 24 février 1962.
22. Erri de Luca, *La parole contraire, op. cit.*, p. 30.

Enfin, on retrouve de nouveau, sous la plume du juriste et professeur de droit Pierre Noreau, un retournement des mots du litige – dommages, réputation – de sorte à les investir d'un sens nouveau, avec pour conséquence de modifier la trame du récit judiciaire.

> Aveugles aux *dommages* qu'elles s'infligeaient ainsi à elles-mêmes dans l'opinion publique, ces sociétés minières se sont engagées dans une fuite en avant, s'enfonçant dans la trajectoire judiciaire, multipliant les interrogatoires préalables et les expertises; investissant des moyens sans commune mesure avec ceux des parties poursuivies [...]. Le principe démocratique suppose que chaque citoyen puisse contribuer à sa façon aux débats qui traversent sa propre société. Cette participation suppose une claire compréhension des problèmes dans lesquels nous nous trouvons collectivement engagés. Faut-il exploiter les gaz de schiste, confier à l'entreprise privée la gestion de notre système de santé ou participer à un conflit armé, toutes ces questions supposent une analyse éclairée des citoyens. Il en va de même de l'appréciation que nous sommes en droit de faire de l'activité des sociétés commerciales, détentrices d'un statut juridique de droit canadien lorsqu'elles exportent notre savoir-faire et *notre réputation collective.* C'est la première condition de la fonction intellectuelle de venir éclairer cette discussion constante de la société avec elle-même. Dans ce sens, les auteurs de *Noir Canada* n'ont sans doute rien fait de plus que le travail auquel on s'attend des penseurs et des chercheurs au sein de chaque collectivité[23].

Guerre des fictions

En France, la reconnaissance de la personnalité morale aux multinationales puise sa source dans une controverse doctrinale fameuse ayant farouchement opposé deux camps. À noter que la personnalité juridique était alors depuis peu reconnue à l'ensemble des êtres humains, l'abolition par décret en 1848 de l'esclavage dans les colonies ayant signifié pour plusieurs d'entre eux de ne plus for-

23. Pierre Noreau, « *Noir Canada* – Le pouvoir... contre le savoir ? », *Le Devoir*, 9 décembre 2010.

mellement être considérés comme des choses. Toujours est-il que ladite querelle doctrinale devait porter sur le caractère ostensible de la personne morale et voir s'affronter les tenants de deux théories concurrentes : la théorie de la fiction et la théorie de la réalité.

Pour les tenants de la théorie de la fiction, les personnes morales étaient le résultat d'un artifice, d'une création juridique, un pur « mensonge de la loi » consistant à supposer un fait contraire à la réalité en vue de produire un effet de droit. Les personnes morales comme entités abstraites n'étaient ni plus ni moins que des fictions auxquelles seul le législateur souverain était en mesure, par une disposition expresse, de bien vouloir reconnaître des droits ou non. Longtemps, ce principe apparut tout à fait incontestable.

Puis, vinrent les tenants de la théorie de la réalité, arguant que la réalité de la personne morale était indéniable, qu'elle existait en dehors de toute volonté du législateur et s'imposait à lui. La personnalité morale était, ostensiblement, ontologiquement, et ne pouvait dès lors qu'être constatée[24].

Il n'est pas bien sorcier de deviner quel camp l'emporta. En janvier 1954, la Cour de cassation consacrait la théorie de la réalité reconnaissant par le fait même dès lors aux personnes morales tous les droits reconnus aux personnes physiques : droit de propriété, droit d'agir en justice, droit à l'honneur…

La réalité devait alors littéralement dépasser la fiction.

Aux États-Unis, on doit la montée en puissance juridique des entreprises notamment aux *barons voleurs* ferroviaires, qui furent des acteurs de premier plan dans l'expansion du capitalisme sauvage en Amérique. Au tournant du XXe siècle, ils intentèrent plusieurs recours jusqu'en Cour suprême pour obtenir que l'égale protection des lois, nouvellement garantie par le 14e amendement

---

24. « Je n'ai jamais déjeuné avec une personne morale », dit le fameux aphorisme, attribué tantôt au juriste Léon Duguy, tantôt à son collègue Gaston Jèze, et auquel le professeur de droit Jean-Claude Soyer répondait : « Moi non plus, mais je l'ai souvent vue payer l'addition. »

de la Constitution étatsunienne, s'applique aussi aux entreprises. L'amendement en question, adopté à la suite de la guerre de Sécession et destiné à protéger les anciens esclaves tout juste libérés, aurait ainsi été détourné de son esprit et de sa finalité, alors que 288 des 307 affaires portées devant les tribunaux dans la foulée ont été le fait de sociétés, contre seulement 19 d'Afro-Américains.

Lorsqu'un obstacle ne peut être écarté en vrai, lorsque la réalité résiste, alors il n'est d'autre choix que de la subvertir au profit d'une réalité fictive dans le cadre de laquelle cet obstacle est levé.

Le juriste et historien du droit romain Yan Thomas a démontré que la fiction est l'une des opérations les plus singulières et spécifiques de la tradition juridique occidentale[25]. Certaines opérations juridiques reposent sur un travestissement manifeste des faits, sans lequel le droit ne saurait étendre son emprise sur eux. Le droit fonde en partie sa force sur ce pouvoir de prendre sciemment le faux pour le vrai, de « commander au réel en rompant ostensiblement avec lui ». Or cette « déliaison radicale » que s'autorise le droit, aux antipodes de toute vérité tangible, est bien le résultat d'un pur artifice dont le caractère fictionnel ne faisait pas le moindre doute pour les juristes du Moyen Âge, explique Yan Thomas. La fiction juridique, entendue dans son sens étroitement scolastique, est un procédé qui se fonderait délibérément et en toute connaissance de cause sur la dénaturation du vrai.

Or, dès lors qu'un « artifice technique » cesse d'être reconnu comme tel, dès lors que les frontières entre la réalité et la fiction sont brouillées, il y a lieu de se demander si l'artifice ne cède pas la place à la mystification ou au mensonge. De la fiction au simulacre, il n'y a qu'un pas. Le fonctionnement du droit est imprégné de fictions mystificatrices qui doivent leur efficacité proprement symbolique au fait d'apparaître dissimulées sous le masque de raison dont elles

25. Yan Thomas, « *Fictio Legis*. L'empire de la fiction romaine et ses limites médiévales », *Droits. Revue française de théorie juridique*, vol. 21, 1995, p. 17-63.

s'affublent. « Ceux qui comme Max Weber, écrit Bourdieu, ont opposé au droit magique ou charismatique [...] un droit rationnel fondé sur la culpabilité et la prévisibilité, oublient que le droit le plus rigoureusement rationalisé n'est jamais qu'un acte de magie sociale qui réussit[26]. »

D'autres fictions instituantes, d'autres mystifications, sont par ailleurs à la base de l'organisation réelle du monde social. Le pouvoir a besoin de récits légitimants pour se fonder et assurer les mécanismes de sa reproduction. Il doit recourir à des narrations idéologiques pour masquer le secret de son pouvoir et orchestrer la dissimulation de sa propre violence, y compris, pour une certaine part, à lui-même.

Quels travestissements de l'histoire pour que les massacres de Sétif, de Guelma et de Paris, la torture et la cruauté comme instruments de terreur et les crimes prospérant sur le terreau de plus d'un siècle de colonisation se retrouvent englués sous les euphémismes d'« événements d'Algérie » et d'« opérations de rétablissement de la paix civile » ? Fallait-il que la nostalgie de ce roman national soit opiniâtre pour pousser l'Assemblée nationale française, quelque 40 ans plus tard, à adopter une législation prônant la reconnaissance, dans les manuels scolaires, du « rôle positif » de la colonisation en Afrique du Nord[xi] ?

Quelles fictions s'avèrent encore indispensables pour imposer la nécessité de forer sous les Alpes le plus long tunnel d'Europe, en dépit des risques sanitaires et environnementaux inconsidérés que fait peser le chantier sur la région du Val de Suse ? Avec quelle ardeur faut-il exalter les mythologies capitalistes – rentabilité, attractivité, retombées, création d'emplois – pour espérer faire de l'ombre aux rapports accablants de la Cour des comptes, pointant à la fois un abyssal gouffre financier et l'inutilité manifeste du projet ? Combien de contournements, de masques, d'écrans, pour

26. Pierre Bourdieu, *Langage et pouvoir symbolique*, *op. cit.*, p. 66.

œuvrer à l'invisibilisation des tensions, des clivages, des oppositions, de la violence ?

Quel sordide imaginaire, enfin, quel univers glauque de signifiants se trouve charrié par le gigantisme minier et l'affreux cortège de dommages qu'il traîne à sa suite : cyanuration à large échelle, détérioration irréversible de glaciers millénaires, production de millions de tonnes de résidus ? Peter Munk, alors PDG de Barrick Gold, devait par le truchement d'une dénégation exemplaire livrer un condensé de cette « fausse conscience » qui fonde l'idéologie :

> Dieu n'a pas mis les gisements d'or au milieu de Manhattan ou de Paris. Pour une obscure raison, Dieu a choisi de mettre l'or au sommet des Andes, dans des communautés reculées où les possibilités d'échapper à la pauvreté sont nulles[27]. (ma traduction)

La mine à ciel ouvert de Pascua Lama, juchée à 4 700 mètres d'altitude au cœur de la Cordillère des Andes, rappelle l'univers apocalyptique du photographe Edward Burtynski, connu pour son esthétisation de la désolation industrielle. Que faut-il de séduction, de cooptation, d'achat des volontés, de pressions, de menaces, de violence pour maintenir la fiction de la paix tout en faisant l'économie de la guerre ?

Quels que soient le nom et la forme qu'empruntent ces narrations du monde – relations publiques, lobbying, acceptabilité sociale, réputation, information –, les temps présents sont innervés d'un enchevêtrement de récits donnés comme la réalité même et investis de cette fonction de mystification idéologique, de légitimation du pouvoir et de dénégation obstinée du conflit social.

Les pratiques fictionnelles ne sont donc pas, comme on aurait pu le croire, l'apanage des littéraires. Le pouvoir, lui aussi, aime à raconter des histoires.

Il s'ensuit que la fiction est un territoire âprement disputé.

---

27. Martin Frigon, *Mirages d'un Eldorado* [documentaire], Productions Multi-Monde, 2008.

Les procès intentés à la parole *contraire* mettent en scène, sous une forme dramatisée, cette bataille des fictions du monde, ce conflit constitutif de la politique qui « porte sur ce qu'il y a, qui prétend opposer un présent à un autre » et qui affirme « qu'il y a plusieurs manières de décrire ce qui est visible, pensable et possible[28] ».

La fiction de droit constitue le monde tel que nous le tenons pour vrai. Elle est dotée du pouvoir d'imposer certains cadres de sens comme allant de soi, ou en tant qu'ils seraient commandés par la nécessité, et conséquemment comme étant hors d'atteinte de la critique et de la transformation radicales. La loi est la loi.

Les dominants pèsent de tout leur poids dans l'écriture du récit du monde. Pour s'ériger en législateur, leurs armes sont aiguisées. Ils ont pour eux des hordes zélées de scripteurs, copistes et greffiers chargés d'arracher leurs désirs de puissance à l'univers de la fiction et, par l'intermédiaire d'un jeu d'écriture, de les fonder en droit et en fait. Leurs narrations sont dotées d'une performativité qui les rend capables d'instituer positivement l'ordre symbolique dont ils sont les fabulistes et les conteurs. Leurs mensonges fabriquent du vrai. Ils sont passés maîtres dans l'« usage sauvage de la parole », qui permet de « disposer des hommes en disposant des mots[29] ». Leurs fictions persuadent, asservissent, soumettent, contraignent et tuent.

Et si la fiction littéraire et la pensée critique leur apparaissent si radicalement intolérables, dans la vicissitude des manifestations répressives de leur puissance, c'est qu'elles ont ceci en commun de refuser ces transcendances. De mettre à distance et de déplacer ces narrations du monde que l'on voudrait nous faire croire inébranlables et immuables. De les faire apparaître dans leur vérité toute nue de fictions contingentes et, par-là même, contestables.

---

28. Jacques Rancière, *Chroniques des temps consensuels*, *op. cit.*, p. 10.

29. Paul Ricoeur, « Entre rhétorique et poétique : Aristote », *La métaphore vive*, Paris, Le Seuil, 1975, p. 15.

✦

Un mystère demeure entier. Car l'on peine en définitive à s'expliquer par quel obscur décalage, par quelle monumentale insuffisance de la capacité à se représenter et à ressentir, par quelle abyssale ignorance de l'histoire, les gens de justice ne sont pas, à voir ainsi des livres disparaître, frappés de l'insondable mélancolie de Bartleby, employé au service des Lettres au Rebut de Washington, condamné à une funeste et fatale désespérance d'avoir dû consigner et brûler tant de lettres mortes.

S'il est un destin peu enviable, c'est bien celui d'en être réduit à prononcer l'interdiction d'un livre.

Ainsi, avec l'avoué de Melleville, nous vient-il à penser : « Ah ! Bartleby ! Ah ! Humanité ! »

TROISIÈME PARTIE

La continuation de la guerre par d'autres moyens

Le processus illimité d'accumulation du capital a besoin [...] *d'un Pouvoir illimité, si illimité qu'il puisse protéger la propriété grandissante en accroissant sans cesse sa puissance.*

– Hannah Arendt, *Les origines du totalitarisme*

LA VÉRITÉ EST CERTES INCONVENANTE, mais l'oligarchie, pour autant, n'en disconvient pas. Du moins, pas si l'on se fie à l'un de ses plus fortunés représentants, Warren Buffet, qui y était allé de cette déclaration sulfureuse, dont il faut lui reconnaître qu'elle ne fait pas dans l'euphémisme : « Il y a une lutte des classes, évidemment, mais c'est ma classe, la classe des riches, qui mène la lutte. Et nous sommes en train de gagner[1]. »

L'offensive de l'oligarchie pour étendre son capital et son pouvoir est, de par la nature même de son projet, totale. L'utopie qu'elle caresse d'une exploitation sans limite prend aujourd'hui la forme d'une véritable guerre économique, financière, idéologique, psychologique, sécuritaire. Sur tous les fronts, les forces de l'oligarchie bataillent pour imposer leur « raison », pour détruire ou transformer les institutions qui assuraient une relative autonomie par rapport au marché et pour supprimer tout ce qui fait obstacle au droit souverain de l'intérêt privé.

Or, pour les acteurs dominants du champ économique, la bataille en cours s'est largement transposée sur le terrain du droit, où ils disposent d'atouts privilégiés. Enrôlée aux fins de l'accumulation et de la concentration illimitées du capital et du pouvoir

1. Ben Stein, « In Class Warfare, Guess Which Class Is Winning », *The New York Times*, le 26 novembre 2006.

entre les mains d'une oligarchie prédatrice, la puissance du droit se voit aujourd'hui mise au service d'une violente offensive antidémocratique. Sous l'emprise croissante d'un nouveau mode néolibéral de gouverner, le droit est le moteur et l'instrument d'une raison politique de la sortie de la politique, d'un ordre juridique qui a congédié la justice[2]. Il sert aussi d'arme idéologique pour légitimer un droit à la violence et assigner des populations entières à une position de subalternes.

Ainsi, à la suite de Foucault renversant la célèbre proposition de Clausewitz[3], en vient-on à considérer que le droit, c'est la guerre continuée par d'autres moyens. Car s'il est quelque chose comme un rôle pacifiant du droit, il n'est pas à chercher dans la suspension de la guerre ou dans la neutralisation des forces de l'oligarchie dans leur offensive pour étendre leur domination. Le droit aujourd'hui est le champ de bataille où ce rapport de force est sans cesse sanctionné, reconduit, légitimé. Les ressorts de l'ordre juridique sont enrôlés dans une guerre silencieuse pour réinscrire perpétuellement dans les institutions, dans le langage, et jusque dans les corps et les subjectivités, ce déséquilibre des forces manifesté dans la guerre. « La loi n'est pas plus un état de paix que le résultat d'une guerre gagnée : elle est la guerre elle-même, et la stratégie de cette guerre en acte[4]. » S'il est, dans la configuration actuelle des affrontements, quelque chose comme un certain rôle pacifiant du droit, il renvoie peut-être davantage, pour une certaine oligarchie, au droit souverain de faire régner sa loi, avec l'assurance tranquille d'avoir la paix.

---

2. Antoine Garapon, *La raison du moindre État. Le néolibéralisme et la justice*, Paris, Odile Jacob, 2010.

3. « La politique, c'est la guerre continuée par d'autres moyens », dans Michel Foucault, *« Il faut défendre la société ». Cours au Collège de France. 1976*, Paris, EHESS/Gallimard/Seuil, p. 16.

4. Gilles Deleuze, *Foucault*, Paris, Éditions de Minuit, 1986, p. 38.

CHAPITRE 13

SLAPP : du dispositif pervers à la stratégie globale

Sa peccadille fut jugée un cas pendable.
Manger l'herbe d'autrui ! quel crime abominable !
Rien que la mort n'était capable
D'expier son forfait : on le lui fit bien voir.
Selon que vous serez puissant ou misérable,
Les jugements de cour vous rendront blanc ou noir.

– Jean de La Fontaine, *Les animaux malades de la peste*

Les poursuites-bâillons (SLAPP) relèvent d'un dispositif proprement pervers, d'une stratégie du détournement. Le mot *perversion*, étymologiquement, réfère au fait de « retourner », de « renverser » ou, littéralement, de « faire mal tourner ». De volte-face en contresens, faire diversion quant aux questions légitimes que soulèvent des pratiques pour le moins douteuses. En un tournemain, renverser la scène où se donnait à voir et à entendre un litige. Inverser sans vergogne le sens du soupçon, du tort, de l'accusation. Amonceler malignement les incohérences, dérégler fallacieusement le sens de la preuve, jouir de son droit à un droit sens dessus dessous. Plaider la réputation plutôt que la vertu, le profit plutôt que la morale, n'avoir que la prédation pour toute justice. Faire l'apologie du monde à l'envers, de la vie tournée contre elle-même, et accuser de *déraison* quiconque s'évertuerait à le remettre à l'endroit. « Rendre vraisemblables les mensonges, respectables les meurtres et donner l'apparence de la solidité à ce qui n'est que vent[1] », disait Orwell.

Que l'envers vaille l'endroit est certes de nature à déconcerter l'entendement commun. Mais les poursuites-bâillons ne sont pas pour autant une anomalie, ou un regrettable « dysfonctionnement » du système juridique, que le droit serait susceptible de corriger par le biais de quelques bricolages procéduraux ou en étendant sur elles la logique qui l'anime. Pour les forces de l'oligarchie, les poursuites-bâillons relèvent d'un faisceau plus large et relativement coordonné de tactiques avec lesquelles le droit a partie liée et qui répondent à des intentions stratégiques globales dans le cadre de rapports de pouvoir.

Car la force terrible de ce retournement de sens, dont les poursuites-bâillons ne sont finalement qu'une manifestation parmi d'autres, est d'avoir pour lui « toutes les forces d'un monde de rapports de forces qu'il contribue à faire tel qu'il est[2] ».

Accaparer, dépolitiser et réprimer le débat public

Lorsqu'en 1971 Michel Foucault engage, dans le cadre de ses cours au Collège de France, une réflexion sur « l'appareil judiciaire d'État » et les dispositifs de répression pénale, il débute sa leçon inaugurale ainsi : « Pas d'introduction. La raison d'être de ce cours : il suffit d'ouvrir les yeux[3]. »

Nous serions tentés de reprendre la formule à notre compte aujourd'hui, s'il s'agit d'évoquer la prolifération de dispositifs juridiques destinés à réprimer l'action citoyenne et politique : il

1. George Orwell dans Alain Birh, *La novlangue néolibérale. La rhétorique du fétichisme capitaliste*, Lausanne, Éditions Page deux, 2007, p. 7.

2. Pierre Bourdieu, « L'essence du néolibéralisme », *Le Monde diplomatique*, mars 1998, p. 3.

3. Michel Foucault, *Théories et institutions pénales. Cours au Collège de France, 1971-1972*, Paris, EHESS/Gallimard/Seuil, p. 3.

suffit d'ouvrir les yeux. Quotidiennement, journalistes, chercheurs, ONG, lanceurs d'alerte, citoyennes et citoyens sont intimidés, menacés, inquiétés par la justice ou condamnés pour avoir soulevé des questions d'intérêt public, critiqué des entreprises, alerté de dangers, d'injustices ou de malversations ; bref, pour avoir cru bon de s'enquérir des enjeux et des problèmes qui agitent leur temps, s'être estimés légitimés à en penser par eux-mêmes quelque chose et avoir osé le dire tout haut.

Ces dispositifs de répression de la parole se déclinent sous la forme d'un arsenal d'outils juridiques et de leviers procéduraux qui se fondent sur autant de « droits » compris comme devant découler tout naturellement du sacro-saint droit de propriété : droit à la réputation, droit de la propriété intellectuelle, secret bancaire, secret des affaires… Ces divers dispositifs présentent l'avantage non négligeable d'agir au sein même des structures des régimes dits démocratiques, procurant à ceux qui les mobilisent l'assurance confortable d'être dans leur droit. Ils font aujourd'hui partie du répertoire d'actions stratégiques d'ayants droit fortement dotés en capitaux juridiques et financiers, en tête desquels on trouve les multinationales.

L'adoption par le Parlement européen, en avril 2016, de la directive sur le secret des affaires est à ce chapitre éclairante. Couronnant de succès les efforts des lobbies industriels et des cabinets d'avocats que ceux-ci paient grassement[4], la directive, adoptée malgré une très large contestation citoyenne et sociale, enjoint les États membres à inscrire dans leurs législations nationales des mesures coercitives permettant de poursuivre quiconque divulguerait un « secret d'affaires ». Cette notion récemment introduite dans le droit européen élargit considérablement la définition du secret en

4. Corporate Europe Observatory, *Toward legalised corporate secrecy in the EU? How industry, law firms and the European Commission worked together on EU « trade secret » legislation*, 28 avril 2015, <https://corporateeurope.org/sites/default/files/attachments/trade_secrets_protection_lobbying_report_-_final.pdf>.

matière commerciale et industrielle, ce qui laisse craindre une plus grande restriction encore de la capacité des citoyens à accéder à des informations sur les conséquences sociales, environnementales et sanitaires des pratiques des entreprises. Une clause d'exception a bien été gagnée de haute lutte, dans le cas de la révélation d'une faute ou d'une activité illégale effectuée dans le but de protéger l'intérêt général. Mais telle que libellée, elle laisse craindre, d'une part, que les citoyen.ne.s ne soient pas protégé.e.s s'ils dévoilent des pratiques moralement et politiquement questionnables, mais non manifestement illégales. D'autre part, elle laisse aux juges la souveraine latitude de définir l'« intérêt général », tout en faisant peser sur les lanceurs d'alerte ou les journalistes le fardeau de démontrer leur bonne foi. De quoi nourrir une incertitude juridique susceptible de dissuader toute velléité de porter au jour des informations d'intérêt public. La directive demeure largement décriée par de nombreux journalistes, lanceurs d'alerte, juristes et autres défenseurs du droit de la presse[5], qui y voient une arme de dissuasion supplémentaire à la disposition des entreprises. Rappelons que le Luxembourg, plongé dans la tourmente du Luxleaks, n'avait pas attendu le vote de la directive sur le secret des affaires pour traîner en justice le lanceur d'alerte Antoine Deltour, qui avait révélé des centaines d'accords fiscaux conclus pour le compte de multinationales dans le cadre d'un système d'optimisation fiscale à grande échelle.

Alors que la directive sur le secret des affaires s'apprêtait à être votée par le Parlement européen, éclatait le vaste scandale d'évasion fiscale des « Panama Papers », jetant une lumière crue sur le monde opaque de la finance offshore et des paradis fiscaux. Un consortium de journalistes internationaux avaient alors eu accès à des millions de documents ayant fuité du cabinet d'avocats panaméen Mossack Fonseca, une firme spécialisée dans la constitution

5. Anne-Aël Durand et Mathilde Damgé, « Les Panama Papers auraient-ils été possibles avec la directive sur le secret des affaires ? », *Le Monde*, 15 avril 2016.

de sociétés-écrans pour une clientèle d'élite ultraconfidentielle qui s'était jusque-là vu garantir une confidentialité absolue. Ramon Fonseca, l'un des deux fondateurs du cabinet à l'origine de cette gigantesque affaire de détournement de fonds publics à l'échelle mondiale, s'était alors vivement indigné de la fuite des documents, qu'il avait qualifiée de « seul crime qui ait été commis » dans cette affaire. Menaçant de poursuivre les journalistes d'investigation à l'origine des révélations, le cabinet avait finalement intenté de lourdes procédures pénales à l'encontre de son informaticien genevois, pour abus de confiance, vol, soustraction de données, accès indu à un système informatique et violation du secret professionnel. Ce dernier avait été arrêté et placé en détention provisoire, puis relaxé avec interdiction de quitter la Suisse, avant d'être soumis à une procédure d'enquête « longue et éprouvante psychologiquement ». M. Fonseca s'était félicité que l'on cherche enfin « les vrais criminels[6] ». Un an et demi plus tard, le Ministère public genevois classait finalement la procédure, faute de preuve, mais également en raison du manque de collaboration de la firme elle-même, tandis que d'aucuns convenaient que l'informaticien n'était de toute évidence pas à l'origine de la fuite.

Les différents dispositifs répressifs que révèlent ces différentes affaires ont en commun avec les poursuites-bâillons de reposer sur le retournement de l'accusation scandaleuse en direction de celles et de ceux qui, devant le constat des failles, voire de la faillite de l'État de droit, prennent sur eux d'en analyser les ressorts, de dévoiler des malversations ou des crimes, ou de couler des documents qu'ils jugent d'intérêt public. Ce sont eux qui, dans un revirement pervers digne de la fable des animaux malades de la peste de La Fontaine, se retrouvent au banc des accusés, tandis que

6. Anthony Amicelle et Jean Bérard, « Défense des classes dominantes : la division du travail de légitimation à l'épreuve des scandales financiers internationaux », *Revue de la régulation. Capitalisme, institutions, pouvoirs*, vol. 22, nº 2, 2017.

les termes du débat ont été fallacieusement inversés. Car si le sans-gêne argumentatif du type de celui dont a pu faire preuve, notamment, Ramon Fonseca, risque de s'avérer contre-productif dans l'espace public, il reste en revanche souvent payant dans l'arène juridique, où il est massivement réinvesti[7].

Deux jours après qu'eut été révélé le scandale des « Panama Papers », le sulfureux fondateur de la firme panaméenne, qui a depuis été arrêté avec son partenaire pour blanchiment d'argent[8], avait encore déclaré : « Nous ne comprenons pas, le monde est déjà en train d'accepter que la vie privée n'est pas un droit de l'Homme[9]. » C'est aussi l'air pénétré d'une condescendance consternée que les avocats d'en face, en nos affaires, référèrent quelques fois à des journalistes et à des essayistes cités dans *Noir Canada* comme à des « anti-compagnies minières » (*anti-mining*). Ou qu'ils crurent jeter le discrédit sur des opposants en suggérant qu'ils étaient motivés par un programme (*agenda*) antimondialiste ou anti-entreprises (*anti-corporate*), comme s'il se fût agi de désigner des fêlés qui mettraient en doute la loi de la gravitation. Quant à la commission d'enquête indépendante que les auteur.e.s réclamaient, comme bien d'autres l'avaient fait avant eux, ils l'appelaient sarcastiquement la « commission Deneault ».

Par-delà la consternation que peuvent susciter ces rhétoriques de retournement de l'accusation ou de diabolisation des adversaires, il convient de prendre au sérieux les présupposés, soigneusement passés sous silence, en soubassement de ces discours. Car la vision consensuelle portée par la logique du système oligarchique trahit la croyance en la certitude scientifiquement garantie que le marché fait loi. Cette « vérité » se voit réitérée avec un tel poids

7. *Ibid.*

8. Agence France-Presse, « Arrestation au Panama des fondateurs de Mossack Fonseca », *Le Monde*, 10 février 2017.

9. Agence France-Presse, « Panama Papers : le cabinet d'avocats Mossack Fonseca porte plainte pour piratage », *La Presse*, 6 avril 2016.

d'évidence qu'elle prend l'aspect non d'une prise de position, mais d'un fait de nature. Elle impose de penser le monde, les décisions politiques et les choix de société à l'aune des lois supposées de l'économie, soit en fonction de calculs d'utilité et de maximisation du profit. Surtout, elle s'emploie à susciter la conviction que toute alternative est insensée, voire criminelle.

Le projet oligarchique prescrit l'effacement du politique devant les exigences d'accumulation illimitée de la richesse. Les poursuites-bâillons, au même titre que les autres armes contre les libertés civiles et politiques que fourbissent les États, apparaissent comme autant d'offensives visant à stigmatiser et à réprimer tout combat contre cet effacement.

La réputation comme « actif incorporel stratégique »

En 2013, l'organisme Juripop m'invitait à intervenir devant un auditoire d'avocat.e.s dans le cadre d'un colloque reconnu par le Barreau du Québec aux fins de la formation continue obligatoire, dont l'énigmatique thème était « le rôle des entreprises dans l'amélioration de l'accessibilité à la justice ». Après m'être bien assurée auprès du magnanime organisateur qu'il n'y avait pas erreur sur la personne – c'est-à-dire qu'il n'ignorait rien de la dissonance, au sens de *désaccord*, que je ne manquerais pas d'introduire dans le concert d'interventions –, je me retrouvai, en avant la musique !, en bonne posture dans le programme, entre « décideurs de l'heure » et « conférenciers d'envergure » : bâtonnière du Québec, ex-directeur général du Barreau du Québec, directrice au ministère de la Justice et compagnie.

Plus incongrue encore était la problématique sur laquelle on m'invitait à discourir : « La responsabilité sociale des entreprises (RSE) est-elle un frein aux poursuites-bâillons ? » C'est que la question ainsi posée semble suggérer l'antagonisme des deux phénomènes, l'un devant éventuellement nourrir l'espoir de faire obstacle à l'autre. Or malgré leur apparente hétérogénéité, il convient moins d'opposer RSE et poursuites-bâillons que de les lire ensemble, tant elles sont liées, de fait, à un certain nombre de problèmes communs, à une même conjoncture, voire à une même visée stratégique, comme les deux faces indissociables d'une même offensive. Pour ce faire, il faut voir quel est le double contexte dans lequel s'inscrit et se déploie tout ce discours sur la responsabilité sociale des entreprises.

L'engouement pour la RSE survient d'abord dans un contexte de globalisation économique, dans lequel l'État, soumis à un ordre de concurrence exacerbée qu'il a largement contribué à mettre en place, renonce à encadrer légalement les activités des entreprises et abandonne complaisamment de larges pans de la production du droit à des acteurs privés. En affirmant prendre des engagements « éthiques » sur une base volontaire, les entreprises non seulement revendiquent le droit de rester en marge du droit commun et de voir leurs activités échapper aux législations nationales, mais se désignent qui plus est elles-mêmes comme le lieu de régulation le plus approprié pour définir et évaluer les règles – souples et non contraignantes – auxquelles elles devraient être soumises. En somme, elles s'érigent « en législateur, policier et juge, au mépris de la plus élémentaire séparation des pouvoirs[10] ». Aux États, la RSE offre enfin une justification en or pour légitimer leur désengagement en ce qui concerne l'encadrement des multinationales.

Au Canada, par exemple, règne à l'heure actuelle une quasi-absence de contrainte légale en ce qui concerne l'activité à l'étranger des sociétés extractives, même dans les cas où elles font face à des allégations graves et circonstanciées d'abus. Ce n'est pas un hasard si 75 % des entreprises minières ont leur siège social à Toronto : le Canada est aujourd'hui un véritable paradis judiciaire

10. Mireille Delmas-Marty, *Trois défis pour un droit mondial*, Paris, Seuil, 1998, p. 73.

pour l'industrie extractive mondiale[11]. Quand, en 2009, le député libéral John McKay déposa un timide projet de loi[12] visant à établir des « lignes directrices » élémentaires en matière de RSE, la contre-offensive concertée de l'industrie fut telle qu'il n'était plus possible de marcher dans les corridors du Parlement sans tomber sur un lobbyiste. « Les entreprises minières m'ont présenté les choses absolument sans détour, raconte le député : “Si vous faites la moindre allégation concernant nos compagnies, si vous portez atteinte à leur réputation, nous vous ferons un procès et vous aurez chaud aux fesses”[13]. » Le silence est d'or : l'absence opportune de 13 députés libéraux le jour du vote a permis de rejeter le projet de loi, consacrant ainsi le Canada comme paradis des minières. Il faut dire que le secteur extractif avait pu compter sur le soutien sans faille de certains des plus importants cabinets canadiens en droit international des affaires. Fasken Martineau, entre autres, s'était préoccupé publiquement des « effets extrêmement graves » pour l'industrie qu'entraîneraient ces règles « onéreuses, obscures et inutiles ». Le projet de loi, soutenait la firme, risquait de causer du tort à la « réputation mondiale[14] » des sociétés minières. Quant à la

11. Alain Deneault et William Sacher, *Paradis sous terre. Comment le Canada est devenu la plaque tournante de l'industrie minière mondiale,* Montréal, Écosociété, 2012.

12. Le projet de loi C-300, intitulé *Loi sur la responsabilisation des sociétés à l'égard de leurs activités minières, pétrolières ou gazières dans les pays en développement,* prévoyait la création d'un poste d'ombudsman chargé de recevoir les plaintes et d'enquêter sur les allégations crédibles de méfaits qu'auraient commis des sociétés canadiennes à l'étranger. Les sanctions prévues par le projet de loi se limitaient au retrait de certaines formes d'aide publique aux entreprises coupables d'infraction aux lignes directrices.

13. Alain Deneault et William Sacher, *Paradis sous terre, op. cit.*, p. 134-135.

14. Fasken Martineau DuMoulin LLP, « L'industrie minière canadienne se fait entendre. Le projet de loi C-300 risque de causer du tort à la réputation mondiale et aux sociétés minières du Canada », communiqué de presse, Toronto, 25 novembre 2009, <www.newswire.ca/fr/news-releases/lindustrie-miniere-canadienne-se-fait-entendre-le-projet-de-loi-c-300risque-de-causer-du-tort-a-la-reputation-mondiale-et-aux-societes-minieres-ducanada-539027931.html>.

minière Barrick Gold, elle qualifia le processus parlementaire de « *hit-and-run* de diffamation commerciale », tout en martelant que le « forum approprié » pour ces « problèmes » étaient les cours de justice et non « les arènes politiques[15] ». Enfin, c'est sans ironie que Charles Todd, qui agissait alors comme lobbyiste consultant pour le compte de Barrick Gold, avait déclaré : « Le Canada est massivement reconnu à l'échelle internationale comme un chef de file de la RSE [...]. L'adoption du projet de loi pourrait changer radicalement cet état de choses[16]. »

C'est que le discours sur la responsabilité sociale des entreprises émerge aussi dans le contexte d'un capitalisme devenu largement « réputationnel[17] », qui fait de l'image de marque de l'entreprise son capital soi-disant le plus précieux. Une très prolifique et consensuelle littérature dans le champ du management analyse la réputation comme un « actif intangible », « immatériel » et « stratégique », devant conférer aux entreprises un « avantage concurrentiel » agissant comme un « amortisseur » en situation de « crise ».

Dans ce contexte, la responsabilité sociale des entreprises s'inscrit de plain-pied dans le domaine du management stratégique, car elle est considérée comme un capital qui permet de se doter d'un avantage compétitif[18]. Elle renvoie à un ensemble de stratagèmes discursifs et financiers qui relèvent des relations publiques, visant à bonifier l'image de marque des entreprises et à valoriser leurs profits. L'une des principales figures du néolibéralisme, Milton Friedman, n'avait d'ailleurs pas mis de gants blancs pour affirmer

15. Barrick Gold, « Barrick Gold présente sa position concernant le projet de loi C-300 et apporte des faits », communiqué de presse, 26 novembre 2009, <https://barrick.q4cdn.com/808035602/files/docs_pressrelease/Barrick-Gold-présente-sa-position-concernant-le-Projet-de-loi-C-300-et-Apporte-des-faits.pdf>.

16. Charles Todd, « Un projet de loi privé menace le secteur extractif canadien à l'étranger », *Actualités minières*, Fasken Martineau, juin 2009, p. 4.

17. Antoine Garapon, *La raison du moindre État, op. cit.*, p. 198.

18. Philippe Boistel, « La réputation d'entreprise : un impact majeur sur les ressources de l'entreprise », *Management & Avenir*, vol. 3, n° 17, 2008, p. 9-25.

que « la responsabilité sociale de l'entreprises est d'accroître ses profits[19] », pour le seul bénéfice de ses actionnaires. Et ce qui permet aujourd'hui à l'Institut Montaigne[20] de dire de cette vision qu'elle est « unanimement considérée comme dépassée[21] » tient moins à la soudaine probité morale des grandes firmes qu'à la conviction partagée au sein de la classe économique d'affaires de l'importance de se doter d'un « modèle de gestion intégrée de la réputation », dont la RSE serait un élément capital. Le tout ouvre la porte à un *business* florissant de « stratégie et conseil en gestion de la réputation » et de « gestion de la crédibilité corporative » qui aurait sans doute fait l'envie de l'expert en propagande et en manipulation des masses Edward Bernays, à qui l'on doit la paternité de l'expression « relations publiques[22] ».

Les critiques conséquentes de la RSE ne manquent pas, celle-ci étant souvent renvoyée à un ensemble de tactiques visant à semer la confusion, à détourner l'attention ou à tromper le public. Mais l'affirmation du caractère foncièrement instrumental de la RSE ne relève pas pour autant d'une vulgate marxisante, qui serait attribuable à une défiance pathologique de la gauche envers la grande entreprise: il est revendiqué de manière tout à fait décomplexée chez les fondamentalistes de l'économie de marché. Dans un renversement pervers tout à fait typique de la novlangue néolibérale, la notion de « responsabilité sociale » renvoie consensuellement, dans les discours et les savoirs qu'élites et experts déroulent avec la naturalité de l'évidence et la force de la nécessité, à une stricte

19. Milton Friedman, « The social responsability of business is to increase profits », *The New York Times Magazine*, 13 septembre 1970.

20. L'Institut Montaigne est un *think tank* néolibéral français proche de l'organisation patronale du Mouvement des entreprises de France (MEDEF).

21. Marc Mousli, « Intérêt général. Que peut l'entreprise ? », *Alternatives économiques*, <www.alternatives-economiques.fr/interet-general-lentreprise/00046948>.

22. Edward Bernays, *Propaganda. Comment manipuler l'opinion en démocratie*, Montréal, Lux, 2008.

question d'intérêt. Le tout est présenté avec une telle foi, une telle cohérence pratique, que la critique elle-même s'en trouve médusée.

Parenthèse sur la philologie du néolibéralisme

Un article, en particulier, mérite que l'on s'y attarde. Signé par les économistes Jean-Marie Cardebat et Patrice Cassagnard, il est un parangon de la raison instrumentale qui gouverne nos sociétés néolibérales. Les auteurs proposent d'analyser la RSE sous l'angle de la « couverture du risque de réputation », c'est-à-dire en tant que « mécanisme assurantiel » permettant d'éviter les baisses trop brutales des ventes en cas de « défaillance » liée à la réputation.

D'abord, quelques remarques s'imposent ici quant à la définition des termes.

(1) La RSE, a-t-on vite fait de comprendre, est un investissement. Elle est donc traduisible en valeur monétaire. Rien, de part en part de l'article, ne nous donne à présumer de ce que pourrait être la nature de cet investissement. Tout, à l'inverse, nous incite à croire que cela n'a pas la moindre importance. Tout au plus souligne-t-on l'importance que cette politique soit « ressentie comme crédible » par les « parties prenantes ». Comment ? « Elle doit s'accompagner d'une communication large et efficace d'efforts tangibles. » Ah ! La RSE représente donc un coût pour l'entreprise, mais les auteurs nous enjoignent de la considérer comme une « prime d'assurance » ou une « couverture » permettant d'éviter une chute trop marquée des ventes lors d'« événements négatifs ».

(2) Oui, car la réputation, selon ce modèle, est entièrement réductible et proportionnelle au volume des ventes de l'entreprise. Elle n'a donc de sens, précise-t-on, que dans un jeu concurrentiel entre firmes, où il s'agit de capter des parts de marché supplémentaires. L'intérêt ici poursuivi n'est pas d'avoir une bonne réputation, mais de jouir d'une meilleure réputation que les « concurrents ».

(3) Quant au « risque de réputation » – dit aussi « défaillance », « choc négatif mettant en cause la réputation », « survenance d'événements négatifs » et « états de la nature défavorables » [*sic*] –, il ne fait l'objet d'aucune tentative d'opérationnalisation. Tout au plus apprend-on que les secteurs « fortement pollueurs » et les « firmes de grandes tailles [*sic*] » sont plus « sensibles au besoin de couverture ».

Nous arrivons au cœur de la démarche, qui consiste à « modéliser la couverture de ce risque de réputation ». En d'autres termes, Cardebat et Cassagnart posent la question suivante : quel serait l'investissement optimal en RSE qu'une firme devrait effectuer pour maximiser son profit, dans le cadre d'un « jeu dynamique où deux firmes se concurrencent en prix et sur l'investissement en RSE » ? Une éthique de la sollicitude m'interdit de reproduire ici l'ensemble du raisonnement, mais au lectorat que l'aperçu ci-dessous affrianderait, je renvoie à l'article.

$$RSE_{t+1},\ \frac{\partial R_{t+1}}{\partial \alpha} = RSE_{t+1} - R_t < 0$$

L'édifiante conquête idéologique du monde par les néolibéraux, l'irrésistible ascension et la force d'implantation de leurs fausses évidences, doit à la répétition constante des mêmes thèses, partout, à toute heure et sous toutes les formes. Elle doit aussi beaucoup au règne des experts, enrôlés pour resservir le réchauffé de l'outillage néolibéral, en lui donnant la validité de l'universel. Comme le mentionnent Boltanski et Esquerre, « les terribles évidences qui se donnent à lire et à entendre sans gêne ni autocensure [...] n'auraient pas les effets dévastateurs qu'elles sont en train d'exercer si elles provenaient seulement de quelques aventuriers irresponsables ». Elles « doivent une part substantielle de leur force au fait de se situer en fin de parcours d'une chaîne de montage de signes dont la conception doit beaucoup à ces sortes de bureaux d'études qui se logent dans certaines des hautes institutions de pensée, d'enseignement et de recherche[23] ».

Fondements antidémocratiques de la responsabilité sociale des entreprises

Le caractère instrumental de la RSE ne saurait faire aucun doute. On s'en targue jusque du côté du gouvernement canadien, où l'on dit promouvoir les principes de la responsabilité sociale auprès des entreprises « parce qu'ils contribuent à les rendre plus novatrices, productives et compétitives » et « plus concurrentielles », en favorisant « l'accroissement de l'accès aux capitaux » et le « rehaussement du droit d'exploitation et l'amélioration de la réputation et de l'image de marque[24] ».

La RSE ne saurait pour autant être réduite à une simple opération de *lifting* sémantique pour rapports annuels. Elle renvoie plus fondamentalement à la mise en place de tout un régime de visibilité, tout un « art de l'ombre[25] », en vue de la détermination d'optimums fonctionnels entre transparence et opacité, entre vérité et mystification. Il s'agira donc, d'une part, de mettre de l'avant, voire d'exagérer l'importance des soi-disant bons coups de l'entreprise, aussi minces ou factices soient-ils, notamment en investissant dans la publicisation de ses activités philanthropiques et, d'autre part, de maintenir une ambiguïté stratégique dans la divulgation des informations sensibles au plan social et environnemental, en détournant l'attention des pratiques les plus contestables et en

---

23. Luc Boltanski et Arnaud Esquerre, *Vers l'extrême. Extension des domaines de la droite*, Bellevaux, Éditions Dehors, 2014, p. 73-74.

24. Gouvernement du Canada, *Responsabilité sociale des entreprises (RSE)*, <www.ic.gc.ca/eic/site/csr-rse.nsf/fra/accueil>.

25. Pierre Lascoumes, *Les affaires ou l'art de l'ombre. Les délinquances économiques et financières et leur contrôle*, Paris, Le Centurion, 1986.

passant de nombreux faits significatifs sous silence[26]. Tout ce jeu d'ombres et de lumières, de mise en visibilité et d'invisibilisation, qui se voit mis en place dans le but d'acquérir du capital de marque, mais aussi et surtout de s'assurer encore une fois du contrôle étroit de l'information, trouve à son fondement un substrat résolument antidémocratique. La revendication assumée des chantres de la RSE est de s'affranchir des servitudes de la souveraineté nationale, tout en n'étant redevables devant aucun peuple.

Que reste-t-il aux citoyen.ne.s comme recours si les entreprises transnationales sont aujourd'hui en mesure de s'émanciper des ordres juridiques nationaux, tout en se désignant elles-mêmes comme source du droit qui leur est applicable ? Si, suivant la complaisance des États, elles jouissent quant aux crimes et aux abus dont elles se rendent coupables d'une impunité de fait sur laquelle la rhétorique de la RSE précisément vise à faire écran ? Ils en sont réduits à colliger par eux-mêmes les documents critiques ou incriminants quant aux sociétés dans lesquelles ils se trouvent à placer leur épargne ; à faire connaître les allégations graves qui fusent à l'échelle internationale relativement à des acteurs privés qui ont tout intérêt à souscrire à une logique des apparences et à une morale de prédateurs ; à protester bruyamment contre des mégaprojets qui menacent à terme l'environnement et les collectivités. Or c'est dans ce contexte, précisément, que surviennent les poursuites-bâillons.

La RSE et les poursuites-bâillons sont les deux faces indissociables d'une même offensive oligarchique. Si elles donnent à elles seules la mesure de l'extrême puissance de l'idéologie dominante, elles révèlent par ailleurs la fragilité de son argumentaire, qui exige

26. Pascale Cornut Saint-Pierre, « Ambiguïté, stratégie, pouvoir : regards critiques sur la responsabilité sociale des entreprises », dans Collectif d'auteur.e.s du prix Bernard-Mergler, *Le souffle de la jeunesse*, Montréal, Écosociété, p. 121-197.

le recours permanent à la manipulation et à la censure ainsi qu'à l'emploi de la force dès lors que se fissure le vernis des apparences.

Responsabilité sociale des cabinets d'avocats ?

On retrouve dans la littérature l'idée qu'une législation anti-SLAPP devrait prévoir la possibilité d'imposer des sanctions financières non seulement aux initiateurs de poursuites-bâillons, mais également à leurs avocats[27]. Lorsque le tribunal reconnaît un abus de procédures ou, comme ce fut le cas dans le litige qui nous a opposé.e.s à Barrick Gold, un « comportement procédural en apparence si immodéré » et « empreint de démesure » qu'il y voit matière à inférer que la plaignante « semble chercher à intimider les auteurs[28] », on peut à bon droit se demander si les avocats qui pilotent le dossier et rédigent les procédures ne sont pas en fait tout aussi fautifs que leur cliente.

En attendant, il a parfois été suggéré que la responsabilité sociale des firmes d'avocats pouvait constituer un frein aux poursuites-bâillons. Et rebelote. Il s'en trouva même, en mal d'inventivité conceptuelle, pour suggérer la notion de responsabilité sociale des cabinets d'avocats (RSCA). Un bref survol de l'étude menée sur la question par la Clinique du droit de Sciences Po Paris achève de décourager toute expectation de celles et de ceux qui s'y seraient laissé prendre. Le fascicule produit par l'institution d'enseignement d'élite nous laisse bien en peine, s'il s'agit d'y retrouver la moindre réflexion sur ce que pourraient être les visées éthiques de la pratique du droit. Rien non plus qui laisserait poindre, même à l'arrière-plan du discours ou de la conscience morale, quelque souci de l'autre ou de l'institution dans son rapport avec la fonction de justice. C'est

27. Roderick A. Macdonald, Pierre Noreau et Daniel Jutras, « Les poursuites stratégiques contre la mobilisation publique – poursuites-bâillons (SLAPP) », rapport du comité au ministre de la Justice, Montréal, 15 mars 2007, p. 23.

28. *Barrick Gold Corporation* c. *Éditions Écosociété inc., 2011 QCCS 4232*, 12 août 2011.

plutôt la norme ISO 26 000, y apprend-on, qui doit constituer l'indépassable horizon normatif contemporain en matière d'éthique. Et lorsqu'on nous déroule les avantages de la RSCA, c'est bien entendu d'une litanie d'opportunités d'affaires et de bénéfices pour le cabinet lui-même dont il est question : « renforcer l'attractivité du cabinet », profiter d'un « nouveau domaine d'activité », « fidéliser le capital humain » et j'en passe. Car « un engagement social assumé apparaît comme un outil de différenciation et de visibilité des cabinets sur un marché des services juridiques compétitif[29] ».

Voilà la classe dominante affairée à vanter la logique dont elle est elle-même le produit, à se donner un langage et des certitudes communes, qui ont l'évidence du bon sens du seul fait d'être sans cesse et partout réitérées, tout en jouissant de la satisfaction gratifiante de prendre part à un réseau privilégié d'élus se posant volontiers comme l'entièreté d'un monde qui a fait sécession avec le monde commun. L'opportunisme y est d'un rationnel impeccable, toute éthique de la responsabilité ayant signé sa reddition absolue et désinhibée à la loi de l'appât du gain.

29. Clinique de l'École de droit de Sciences Po, « La responsabilité sociale des cabinets d'avocats », <www.sciencespo.fr/ecole-de-droit/sites/sciencespo.fr.ecole-de-droit/files/RaportFinal_RSCA.pdf>.

CHAPITRE 14

Raison néolibérale du droit : faire l'économie de la justice

Je crois en Dieu et je crois dans le marché.

– Kenneth Lay, dirigeant jusqu'en 2002 du groupe Enron, *The San Diego Union Tribune*, 2 février 2001

Appelée à intervenir dans le cadre de la conférence annuelle de l'Institut canadien d'administration de la justice, une juge de la Cour d'appel du Québec fait porter son allocution sur l'enjeu de la proportionnalité procédurale. Y sont déroulés, avec la force de l'évidence, les poncifs habituels : reconnaître que les ressources sont limitées, « développer une nouvelle culture judiciaire », faire preuve de « créativité », devenir des « partenaires », « favoriser les transactions », faire des « compromis ». L'originalité réside toutefois dans l'analogie *déterrée* par la magistrate pour évoquer cette « nouvelle philosophie » qu'elle exhorte les acteurs judiciaires à adopter : celle de la prospection minière ! User *raisonnablement* du système judiciaire comme on évaluerait le potentiel d'un gisement minier : identifier les « matières premières », limiter l'« exploration », se plier à une analyse « coûts-bénéfices » et s'arrimer aux « intérêts spécifiques de l'entreprise », le tout pour « maximiser les chances de passer de l'exploration à l'exploitation lucrative[1] ».

1. Marie Saint-Pierre, « Proportionnalité : l'heure des choix a sonné ! Vers une redéfinition de la notion de pertinence », communication présentée dans le cadre

La sottise bourgeoise poussée jusqu'au génie[2], disait Marx.

Toute négligeable soit-elle à l'échelle de l'institution, l'anecdote n'en préfigure pas moins les transformations profondes et radicales qui sont en voie de consolidation dans la manière de gouverner les institutions en général, et dans le champ du droit en particulier. Un ensemble de réformes, d'innovations et de transformations affectent les systèmes de régulation juridique, à l'échelle de l'Occident, dans le sens d'un vaste effort pour arrimer le droit à une logique néolibérale. Dans ce nouveau paradigme, le droit se voit assigné le rôle d'organiser l'ordre « spontané » – nous n'en sommes pas à une contradiction près – du marché. En fait, comme le mentionne prosaïquement Richard Posner, le père de l'école *Law and Economics*, le droit ne doit désormais faire qu'une seule chose et c'est « mimer le marché[3] ». Il en résulte que de larges pans de l'ordre juridique sont soumis à une logique marchande, quand ils ne sont pas carrément privatisés.

Mais le droit n'est pas que la cible, au même titre que d'autres institutions, des réformes néolibérales. Il en est aussi le moteur, le terrain privilégié, le langage de prédilection et l'arme principale. L'interpénétration des champs de l'économie financiarisée et du droit est aujourd'hui triplement fortifiée, non seulement par les acteurs de l'économie mondiale, mais également par l'État lui-même ainsi que par les « juristes du marché[4] ». La conception et les

---

de la Conférence annuelle 2013 de l'Institut canadien d'administration de la justice, *Comment savoir ce que nous croyons savoir: Les faits et le droit*, 2013, <https://ciaj-icaj.ca/fr/bibliotheque/textes-et-articles/conferences-annuelles/>.

2. Karl Marx, « Le Capital, livre premier », dans *Œuvres. Tome 1. Économie*, Paris, La Pléiade, 1963, p. 1117-1118.

3. Richard Posner cité par Antoine Garapon, dans *La raison du moindre État*, *op. cit.*, p. 27.

4. Laurent Pech, *Droit et gouvernance: vers une « privatisation » du droit*, document de travail de la Chaire de recherche du Canada en mondialisation, citoyenneté et démocratie, Université du Québec à Montréal, 2004.

finalités du droit s'en trouvent radicalement perverties[5], tout comme le sont l'*ethos*, les valeurs et les règles de jugement qui tendent à se normaliser parmi les professionnel.le.s du droit.

État « de droit » : de quel droit ?

Il est devenu un lieu commun de dire que le néolibéralisme ne se traduit pas strictement par un désengagement de l'État au profit du marché. La gouvernementalité néolibérale suppose de la part de l'État un interventionnisme nouveau genre, sous la forme d'un réengagement radical au service de l'intérêt privé et d'une vision du monde qui entend faire du marché le principe général de régulation de la société. Loin d'être un obstacle à l'extension de la logique du marché, l'État en est donc devenu l'un des principaux agents, sinon le vecteur essentiel. C'est que contrairement au libéralisme économique classique et à sa vulgate du marché autorégulateur, le néolibéralisme ne considère pas le marché comme une réalité économique naturelle, mais repose au contraire sur l'idée qu'un certain type d'action gouvernementale est nécessaire au bon fonctionnement de la concurrence. Le marché demande à être institué, stimulé et façonné par l'État, qui se charge notamment de garantir le régime de la propriété et de se porter garant de l'exécution des contrats.

Le rôle de l'État, selon la conception néolibérale, consiste donc moins à gouverner qu'à organiser la « gouvernance », c'est-à-dire un cadre dans lequel les acteurs de la vie économique et sociale

5. Mentionnons que pour les néolibéraux, ce sont à l'inverse « l'État-nation » et le « refus de la privatisation de la justice » qui pervertiraient le droit, en le subordonnant au législateur plutôt qu'au juge et en le laissant entre les mains des juristes de l'État plutôt que des praticiens du droit privé. De leur point de vue, la désastreuse conséquence en serait la « nationalisation » du droit, porteuse d'injustice et d'inefficacité. Voir Bertrand Lemennicier, « L'économie de la justice : du monopole d'État à la concurrence privée ? », *Justices*, vol. 8, nº 6148, janvier-juin 1995, p. 135-146.

peuvent poursuivre leurs intérêts égoïstes, se livrer au libre jeu de la concurrence et exercer leur liberté contractuelle. Devenu essentiellement une instance d'arbitrage, l'État ne planifie plus la poursuite de l'intérêt général, mais définit les règles qui auront pour but « d'aider des inconnus à poursuivre leurs objectifs tout aussi inconnus[6] ». L'ordre qu'il entend promouvoir se limite donc à une « société de droit privé[7] », où le contrat fait prévaloir sa logique propre. En d'autres termes, le rôle de l'État est d'échafauder l'architecture légale susceptible de donner force exécutoire à l'ordre spontané du droit privé[8]. L'État, il va sans dire, n'a pas pour autant abdiqué ses fonctions régaliennes. La dérégulation de l'économie et l'affaissement de l'État social vont de pair avec la glorification de l'État pénal et le renforcement des appareils sécuritaires et policiers[9].

Privatisation du droit

Dans le contexte du nouvel ordre juridique mondial, l'État n'a plus le monopole, voire n'est plus l'acteur central de la production normative. Sous l'extension de la rationalité marchande, nous assistons à la mise en œuvre d'un droit global largement privatisé et « façonné par les négociations multiformes et permanentes de la gouvernance[10] ».

Ce changement de paradigme remet radicalement en cause la conception « moderne » du droit, fondée sur le modèle de la souveraineté de l'État[11]. Dans le cadre de la gouvernementalité néolibérale, le droit n'est plus perçu comme un système de contrainte, ni

6. Friedrich Hayek cité par Vincent Valentin, *Les conceptions néo-libérales du droit*, Paris, Economica, 2002, p. 290.
7. Pierre Dardot et Christian Laval, *La nouvelle raison du monde. Essai sur la société néolibérale*, Paris, La Découverte, 2010, p. 247.
8. Vincent Valentin, *Les conceptions néo-libérales du droit*, *op. cit.*, p. 287.
9. Loic Wacquant, *Les prisons de la misère*, Paris, Raisons d'agir, 1999.
10. Laurent Pech, *Droit et gouvernance, op. cit.*, p. 17.
11. Laurent Pech, *Droit et gouvernance, op. cit.*, p. 11.

comme l'expression d'une volonté souveraine, mais comme un instrument au profit du jeu des volontés particulières. Ce « droit du marché » n'anticipe plus un idéal déterminé de société, si ce n'est celui de protéger la liberté de l'individu de toute entrave[12]. Il se mue « en un instrument flexible de pilotage et de régulation, il cesse d'être un moyen de gouvernement des sociétés, il devient l'outil d'une gouvernance[13] ».

Lui-même soumis à la logique de la concurrence, le droit est désormais considéré comme un produit en compétition sur le marché international des ordres juridiques. Dans le cadre d'une évolution que le juriste Alain Supiot qualifie de « darwinisme normatif », les législations nationales se livrent à une concurrence, dans une irrésistible course vers le moindre État, pour satisfaire les exigences de rendement financier des investisseurs privés. Ces derniers ont tout le loisir de s'adonner au *law shopping* ou au *forum shopping*, c'est-à-dire de choisir, en fonction du droit applicable, les lieux les plus avantageux où investir, s'enregistrer ou faire valoir leur droit à un procès.

La vision voulant que l'État soit dépassé par la mondialisation économique et qu'il peine à se comporter en instance de régulation sociale souffre donc de quelques angles morts. Car l'on doit aux États d'avoir eux-mêmes organisé la réduction de leur capacité de régulation, par l'adoption de politiques de déréglementation visant à attirer l'investissement étranger. Dans une large mesure, les États ont organisé et entériné leur impuissance, en fournissant le cadre « qui donne à d'autres la possibilité de dire le droit[14] ».

Parallèlement, ils n'ont pas cessé d'étendre l'arbitrabilité des litiges, en organisant ni plus ni moins un transfert de la fonction de justice au secteur privé[15]. L'explosion de l'arbitrage privé permet

12. Vincent Valentin, *Les conceptions néo-libérales du droit, op. cit.*, p. 19.
13. Jacques Chevallier cité par Vincent Valentin, *ibid.*, p. 243.
14. Vincent Valentin, *ibid.*, p. 244.
15. Antoine Garapon, *La raison du moindre État, op. cit.*, p. 188-189.

aujourd'hui aux agents économiques, non contents d'échapper aux tribunaux nationaux, de choisir leurs arbitres, leurs juges, leurs règles applicables, soit de négocier les modalités mêmes dans lesquelles ils entendent négocier. Car dans le cadre de cette « justice » officieuse, taillée sur mesure pour le grand capital, tout, en définitive, est négociable. Mais il y a pis. Les mécanismes privés de règlement des différends entre investisseurs et États, inclus au sein des accords d'intégration économique, permettent aujourd'hui à des multinationales étrangères de saisir des tribunaux d'arbitrage privés contre des États qui auraient, par exemple, l'outrecuidance de prétendre à quelque intérêt national ou qui, en exerçant leur prérogative de législateur, feraient en sorte de réduire les perspectives de profits de la compagnie.

Voilà la révolution copernicienne achevée, l'État signant sa reddition complète face au règne illimité de l'intérêt privé, dans le champ même où il a facilité la privatisation des normes, tout en offrant à de puissants acteurs privés les outils permettant de le mettre en échec. Comme le soulignent Pierre Dardot et Christian Laval, parler d'« États de droit oligarchiques », comme le faisait Jacques Rancière dans *La haine de la démocratie*, ne saurait plus suffire. Qu'ils soient oligarchiques ne fait aucun doute, précisent-ils, mais « de droit[16] » ?

Les États sont de plus en plus soumis aux lois d'un capitalisme financiarisé qu'ils ont largement contribué à consolider[17]. On leur doit d'avoir présidé à la création d'un ordre qui aujourd'hui les soumet à de nouvelles contraintes ; un ordre dont ils sont à la fois les gardiens et les prisonniers. « À la fois acteurs et objets de la concurrence mondiale, constructeurs et auxiliaires du capitalisme financier, les États sont de plus en plus soumis à la loi d'airain d'une

16. Pierre Dardot et Christian Laval, *Ce cauchemar qui n'en finit pas. Comment le néolibéralisme défait la démocratie*, Paris, La Découverte, 2016, p. 222.
17. Vincent Valentin, *Les conceptions néo-libérales du droit, op. cit.*, p. 244.

dynamique de la mondialisation qui leur échappe très largement. Les dirigeants des gouvernements et des organismes internationaux (financiers et commerciaux) peuvent ainsi soutenir que la mondialisation est un *fatum* tout en œuvrant continûment à la création de cette supposée "fatalité"[18]. »

Se faire l'avocat du diable ?

La régulation économique néolibérale a aussi favorisé l'essor d'une catégorie d'acteurs qui s'avère incontournable dans la restructuration de l'ordre juridique transnational : celle des *lawyers*, des avocats d'affaires. Véritable puissance dans le marché international de l'expertise, ils trônent désormais au sommet de la hiérarchie des juristes.

Le sociologue Yves Dezalay a analysé la manière dont les acteurs du secteur financier ont entrepris, à partir des années 1980, de faire du droit l'un des éléments essentiels de la guerre économique, en mobilisant de manière intensive et agressive les ressources les plus sophistiquées de l'arsenal juridique et judiciaire dans le cadre de tactiques de harcèlement, de « guérilla judiciaire », voire de « guerre totale[19] ». Dès lors, il ne s'agissait plus pour les entreprises de s'en remettre au tribunal seulement en dernier recours, mais de prendre en compte dès le départ le terrain juridique dans l'élaboration de leur stratégie. L'utilisation tactique et massive du droit et des tribunaux dans les opérations de fusions et acquisitions, ainsi que dans les conflits d'affaires, a joué un rôle incontournable dans la restructuration du marché des services juridiques et dans l'essor de toute une nouvelle génération de juristes parfaitement informés des exigences de l'économie financière. Si la construction progres-

18. Pierre Dardot et Christian Laval, *La nouvelle raison du monde. Essai sur la société néolibérale, op. cit.*, p. 283.

19. Yves Dezalay, *Marchands de droit. La restructuration de l'ordre juridique international par les multinationales du droit*, Paris, Fayard, 1992.

sive de l'État moderne a été, comme n'a eu de cesse de le souligner Max Weber, « partout l'œuvre de juristes éclairés[20] », l'on doit à ces « juristes du marché » d'avoir été les maîtres d'œuvre de la financiarisation accélérée de l'économie par l'élaboration de règles et de dispositifs transnationaux de régulation qui se sont substitués ou imposés peu à peu aux normes nationales.

Devenir les « grands courtiers du monde des affaires » a supposé pour le corps des juristes une remise en question radicale de leurs idéaux et de leurs modes de fonctionnement, « qui va bien au-delà du ravalement des textes[21] ». L'endoctrinement de ces derniers au service des valeurs et des intérêts du pouvoir privé est profond. À la demande de leurs clients, ou pour mieux se positionner sur l'échiquier du marché des services juridiques, ils sont appelés à contourner les règles de l'État, à mettre à profit les législations, à construire de nouvelles règles et de nouveaux instruments juridiques, à accélérer des évolutions jurisprudentielles, à faire du lobbying législatif.

L'endoctrinement idéologique de ces futurs « mercenaires » du droit des affaires est assuré par les facultés de droit qui, en dépit d'une prétention à la technicité et à la neutralité, se chargent de leur inculquer la vision d'un droit instrumental, parfaitement adapté aux exigences du capitalisme financier et mis au service des intérêts stratégiques et financiers de l'entreprise. L'intelligence pratique qui s'y trouve valorisée et développée consiste moins à faire respecter le droit qu'à faire « avec le droit[22] », pour le plus grand intérêt tactique d'une clientèle d'affaires d'élite dont il faut satisfaire les insatiables appétits. On y apprend le droit des contrats, l'art des négociations confidentielles et les vertus d'une justice officieuse qui

20. Max Weber, *Le savant et le politique*, Paris, Plon, coll. 10/18, 1994, p. 154-155.

21. Yves Dezalay, *Marchands de droit, op. cit.*, p. 19.

22. Émilie Biland et Liora Israël, « À l'école du droit : les apports de la méthode ethnographique à l'analyse de la formation juridique », *Les Cahiers de droit*, vol. 52, n°s 3-4, septembre-décembre 2011, p. 619-658.

fait l'économie du procès et qui se déroule derrière les portes closes de prestigieux sièges sociaux. Les facultés de droit fournissent ainsi aux *law firms* de nouvelles générations d'entrepreneurs en services juridiques et de *litigators* ambitieux, aux tactiques plus agressives, au goût prononcé pour la compétition et qui sont en définitive «plus épris d'efficacité que de bonnes manières[23] ».

Ces grands cabinets de droit des affaires, où se trouvent concentrés ces «marchands de droit», sont en symbiose avec l'évolution des relations économiques. D'ailleurs, ils ne sont pas restés à l'écart du mouvement général de concentration et d'internationalisation de l'économie. Soumis comme leurs clients aux logiques de la concurrence et de l'attractivité, ces «usines à droit» sont devenues des entreprises capitalistes à part entière, qui œuvrent dans un environnement aussi compétitif qu'instable. Dans le cadre de la guerre économique tous azimuts que se livrent les grandes entreprises, les grands cabinets de droit des affaires rivalisent pour fournir à leur clientèle des «munitions» et des armes légitimes. Dans ce contexte, le droit des affaires est devenu l'objet d'une véritable lutte de concurrence entre *mega-firms* pour occuper les premiers rangs des classements, acquérir de la notoriété et faire triompher la cause de leurs clients[24]. Comme eux, ils recourent à des stratégies d'expansion, créent des filiales et des franchises, et ne sont pas à l'abri des risques d'absorption ou de faillite. Au Canada, plusieurs cabinets se sont intégrés à de grandes enseignes mondiales d'origine étatsunienne ou britannique, tandis que d'autres tentent plutôt d'aller conquérir des marchés en ouvrant des bureaux à l'étranger[25].

---

23. Yves Dezalay, *Marchands de droit, op. cit.*, p. 221.

24. *Ibid.*, p. 21.

25. Dans le jargon consacré, on réfère à ces petites unités de prospection dans des marchés cibles comme à des «têtes de pont». L'expression est issue de la géostratégie militaire, où elle désigne dans ce contexte un périmètre conquis et stratégique dans le cadre d'une conquête territoriale de plus grande envergure.

Le professeur émérite à la faculté de droit de l'Université Harvard Duncan Kennedy évoque l'entente tacite qui lie les grands cabinets d'avocats et les entreprises : « les avocats acceptent (voire participent avec enthousiasme) le comportement individualiste, immoral ou même carrément criminel de leur client, en contrepartie celui-ci accepte de payer des honoraires exorbitants pour exécuter un travail assez simple qui est largement surestimé[26]... »

La forte imbrication de l'économie et du judiciaire est aussi assurée par la présence de juristes d'entreprise que l'on retrouve dans les organigrammes de direction et les départements juridiques des multinationales. Ceux-ci jouent un rôle dans le regain d'intérêt des entreprises pour le litige et la judiciarisation des conflits, alimentant à leur tour le lucratif *business* du droit de poursuivre.

La convergence d'intérêts entre l'oligarchie financière et toute une classe de « juristes du marché » est désormais bien consolidée. Le langage, l'argumentation et la stratégie juridiques font désormais partie de l'arsenal des détenteurs du pouvoir économique, tandis que les préoccupations, les cadres de référence et la vision du monde de ces derniers sont parvenus à être diffusés, internalisés et normalisés dans tout l'appareil de production et d'application du droit. En fait, la violence de classe d'une petite poignée de riches ne peut aujourd'hui s'exercer sans la complicité et la collaboration de ces experts tout entier dévoués à la propriété privée.

Au Québec et au Canada, les accointances oligarchiques sont profondes entre l'industrie extractive et les grandes firmes d'avocats, mais également avec la classe politique et les membres de la haute fonction publique. Elles sont incarnées et soudées par une multitude de trajectoires professionnelles croisées, de réseaux

---

Alain Duhamel, « La mondialisation frappe à la porte des grands bureaux d'avocats », *Les Affaires*, 10 mars 2012.

26. Duncan Kennedy, *L'enseignement du droit et la reproduction des hiérarchies. Une polémique autour du système*, Montréal, Lux, 2010, p. 52-53.

d'intérêts communs, de conceptions et de stratégies convergentes, autour d'un même projet de développement économique basé sur les projets d'exploitation dans le domaine des ressources. « Faire du Canada le pays le plus attrayant au monde pour les investissements et les projets d'exploitation dans le domaine des ressources[27]. » « Faire du Québec une première puissance mondiale dans le domaine des énergies propres et renouvelables[28]. » On ne compte plus, chez les professionnel.le.s de la politique, les conversions lucratives vers des activités de « conseil » au sein des grands cabinets d'avocats ou de l'industrie elle-même. On pense évidemment, pour ne nommer que ceux-là, à Lucien Bouchard qui, après son mandat de premier ministre du Québec (1996-2001), joignait Davies Ward Philips & Vineberg comme avocat d'affaires, avant d'être embauché par la société Talisman Energy et de devenir porte-parole de l'Association pétrolière et gazière du Québec (2011-2013). Ou encore à Jean Charest, à la tête de l'État québécois pendant près d'une décennie (2003-2012), dont l'un des principaux legs politiques – le fameux « Plan Nord » – consiste à livrer le territoire québécois sur un plateau d'argent à des sociétés minières subventionnées à coups de millions. Ce dernier joue aujourd'hui lui aussi « un rôle clé » au sein du cabinet McCarthy Tétrault en fournissant des « conseils stratégiques » à d'importants clients commerciaux canadiens et internationaux.

Cet enchevêtrement oligarchique témoigne du profond enfermement d'une caste dominante dans le jeu circulaire de ses intérêts. Il nous laisse aujourd'hui avec l'intuition désemparée que nulle institution politique n'existe au titre de la défense de l'intérêt général, tandis que prolifèrent, jusqu'en les plus hautes sphères de l'État, des hordes d'« avocats » à la solde de puissances privées qui ne répondent qu'à elles-mêmes.

---

27. Tel qu'énoncé dans le plan économique du gouvernement Harper en 2013.
28. Tel que libellé dans le Plan Nord du Parti libéral du Québec.

Une justice négociée

À l'échelle nationale, l'institution judiciaire se voit également bouleversée par un ensemble de réformes et d'efforts de modernisation qui trouvent leur rationalité dans un mode néolibéral de gouverner.

Au Québec, la récente mouture du Code de procédure civile, entrée en vigueur le 1er janvier 2016, prévoit que les justiciables doivent désormais avoir considéré le recours aux modes privés de règlement des différends avant de pouvoir se tourner vers les tribunaux. Un «véritable changement de culture judiciaire», clament à l'unisson les différents acteurs du droit[xii]. Et pour cause! Plus qu'une simple innovation procédurale, cette réforme est caractéristique des nombreuses transformations qui bouleversent et redéfinissent le champ judiciaire dans le sens d'une privatisation du droit. Dans le cadre de cette «justice du XXIe siècle», la détermination des droits de chacun est de manière croissante le produit de négociations multiformes, entre acteurs rationnels se livrant au jeu de leurs intérêts individuels et cherchant à maximiser leur avantage. Ce tournant s'accompagne de tout un nouveau vocabulaire emprunté au *new public management*: des justiciables devenus «parties prenantes», une justice plus «efficiente», un «marché du droit» plus «souple» et le «*problem solving*» comme finalités. La justice est désormais jaugée à l'aune des impératifs d'efficacité, de performance et de rationalisation des coûts requis par la tyrannie gestionnaire. Elle doit répondre à des critères de rentabilité. Il s'agit non plus de savoir si les tribunaux ont bien jugé, si les droits sont suffisamment protégés, et encore moins de répondre à une quelconque aspiration de justice sociale et économique. L'évaluation de la «qualité» de l'institution judiciaire repose sur sa capacité à évacuer rapidement et à moindre coût les flux de dossiers qui lui sont soumis[29].

---

29. Cécile Vigour, «Justice: l'introduction d'une rationalité managériale comme euphémisation des enjeux politique», *Droit et société*, vol. 63-64, n° 2, 2006, p. 425-455; Antoine Garapon, *La raison du moindre État*, *op.cit.*

La promotion par l'État des modes de contournement de l'institution judiciaire a de quoi dérouter la critique. Une justice plus « participative » : voilà une idée susceptible de séduire à gauche comme à droite. On note en effet une troublante convergence entre, d'une part, les tenants ultra-libéraux de la bonne gouvernance, pressés d'assigner un rôle réduit aux tribunaux étatiques et de confier au marché l'arbitrage des droits, et, d'autre part, certaines voix progressistes appelant de leurs vœux une justice alternative, moins autoritaire, « à visage humain[30] ». Or, cet unanimisme masque bon nombre de préoccupations démocratiques légitimes.

Le renversement du rapport classique entre le système de justice officiel et les divers modes privés de règlement, dits « hors cour », est caractéristique de la recomposition néolibérale de la justice, qui fait de la « transaction » le modèle optimal de régulation des conflits. Dans le cadre de cette justice négociée, le recours au procès n'est pas seulement l'option du dernier ressort : présenté comme contre-productif, lourd, incertain et coûteux, il est plus ou moins ouvertement disqualifié et considéré comme à éviter autant que possible[31]. Depuis le début des années 2000 seulement, le nombre de dossiers traités devant les tribunaux civils québécois de première instance a chuté de plus de 50 %[32]. Cette tendance n'est par ailleurs pas propre au Québec. Le déclin plus ou moins marqué des procès civils s'observe dans la plupart des pays occidentaux, où les budgets alloués à l'aide juridictionnelle et la justice civile dans son ensemble sont rognés d'autant plus que se voient renforcés les politiques sécuritaires et l'appareil pénal. Or, les États ont trouvé dans la promotion des modes privés de règlement des litiges de quoi pallier leur désengagement à l'égard de la justice civile.

30. Antoine Garapon, *La raison du moindre État, op. cit.*, p. 67.

31. Hazel Genn, « ADR in civil justice : what's justice got to do with it ? », *Judging Civil Justice. Hamlyn Lectures*, Cambridge, Cambridge University Press, 2009.

32. Barreau du Québec, *Barreau-mètre 2015. La profession en chiffres*, janvier 2015, <https://www.barreau.qc.ca/pdf/publications/barreau-metre-2015.pdf>.

Cette dévalorisation et cette sous-financiarisation de la justice civile se traduisent par de lucratives occasions d'affaires sur le marché privé de la justice *low cost*. Les fondateurs de la plateforme *OnRegle.com* estiment le seul marché des procédures en ligne à plus de 500 millions de dollars. « Nous espérons doubler notre clientèle tous les six mois pour éventuellement générer des dizaines de milliers de procédures par mois au Canada. » Les deux avocats-entrepreneurs se targuent de faciliter le règlement des litiges grâce à un service web de type « *do-it-yourself* ». La mise en demeure s'y détaille à 50 $, la négociation en ligne est gratuite, tandis que nos deux Robins des bois de la justice automatisée empochent 2,5 % du montant réglé. « Le futur de la profession se résume à deux concepts : la clientélisation et l'industrialisation, déclare celui qui a été récompensé du prix "Leader de demain" du jeune Barreau de Montréal en 2016. [...] Nous passons du "service" au "produit". Se faisant [*sic*], il ne sera plus logique de charger [*sic*] les "produits" à l'heure. L'avocat du futur sera souvent un gestionnaire de technologie et de solutions d'affaires. » « Ce changement profitera nécessairement aux gens qui n'ont pas accès à la justice, soit la majorité des Canadiens, renchérit son partenaire d'affaires. En automatisant les processus, les prix vont baisser et la justice deviendra plus accessible. [...] Bref, le droit est une vieille profession, mais elle va très bientôt vivre sa révolution industrielle[33]. »

La rhétorique euphémisante voulant que les modes privés de règlement des conflits « favorisent l'accès à la justice », rhétorique mise de l'avant aussi bien par les pouvoirs publics que par le Barreau du Québec, cache une bien encombrante réalité : un grand nombre de citoyen.ne.s n'ont tout simplement pas les moyens d'assumer les frais que suppose le fait de se défendre devant les tribunaux. Sous la menace de procédures judiciaires susceptibles

33. *Jurizone*, « Entrevue avec Me Alexandre Désy et Me Philippe Lacoursière », 16 mars 2017, <www.jurizone.com/entrevue-avec-les-fondateurs-de-onregle-com/>.

de les fragiliser économiquement, voire de les acculer à la faillite, ils n'ont d'autre choix que de se résoudre à signer une entente hors cour, fut-elle défavorable, injuste ou même contraire à l'esprit de la loi. Le discours ambiant sur la « justice participative » laisse croire que les rapports de force peuvent être balayés du revers de la main dès lors que l'on réunit sur un mode entrepreneurial des « parties prenantes » autour d'une table. Or, les acteurs puissants ont tout le loisir de confier la défense de leurs intérêts aux négociateurs les plus aguerris, de faire traîner les pourparlers jusqu'à épuiser financièrement et psychologiquement leurs adversaires ou de faire pression sur une partie plus faible économiquement pour qu'elle abandonne une partie de ses droits. La transaction ainsi conclue n'est pas fondée sur l'égalité morale entre deux personnes juridiques, la protection des droits ou la recherche de justice, mais sur la seule capacité de négociation de deux volontés dans le cadre d'un rapport de force.

Outre les impératifs de compressions budgétaires, cette disqualification par l'État de ses propres institutions judiciaires poursuit un autre objectif, celui-là soigneusement passé sous silence: celui de renforcer son attractivité comme territoire d'investissement auprès des entreprises. « Le besoin des entreprises est avéré pour un règlement des litiges rapides, consensuels [*sic*] et préservant la pérennité des relations commerciales », peut-on lire dans le rapport d'une chambre de commerce européenne[34]. Les institutions financières internationales incitent les gouvernements à opérer des « réformes structurelles » de leur droit et à réorganiser leur appareil judiciaire selon les principes du *new public management*, de manière à ce que les entreprises présentes dans leur pays bénéficient d'un environnement juridique propice à leur

34. Chambre de commerce et d'industrie Paris Ile-de-France, *Droit des affaires. Enjeux d'attractivité internationale et de souveraineté (étude)*, mai 2015, <http://cci-paris-idf.fr/sites/default/files/etudes/pdf/documents/droit-des-affaires-etude-1506.pdf>.

développement économique[35]. La Banque mondiale, notamment, publie annuellement un rapport intitulé *Doing Business* dans lequel les droits nationaux se trouvent évalués selon leur aptitude à satisfaire les attentes des investisseurs. L'existence de mécanismes dits « alternatifs » de résolution des litiges, tout comme l'existence de mesures incitant les parties à y recourir, sont au nombre des indicateurs qui, en tant qu'ils sont jugés favorables à l'« exécution des contrats », permettent aux États d'obtenir un meilleur classement sur le marché des produits législatifs[36].

Il faut dire que cette « justice » sans audience présente un avantage considérable pour qui n'a pas intérêt à publiciser le litige ou d'éventuels éléments de preuve susceptibles d'être révélés au cours d'un procès. Impossible de savoir ce que réservent les tractations secrètes qui se déroulent derrière des portes closes, même lorsque le contentieux soulève des questions d'intérêt public. Soustraits à la délibération démocratique ordinaire, les conflits, qui se présentent sous une forme dépolitisée, sont réduits à un jeu de mise en concurrence des volontés individuelles.

Tandis que l'État abandonne toute prétention à incarner un contrat social et à défendre l'intérêt général, le système juridique, lui, s'érige en agence de résolution des litiges et se voit confier le rôle d'entériner une multitude de contrats privés, faille-t-il pour cela brader ou sacrifier des droits fondamentaux. Il est temps de se préoccuper du coût démocratique d'une telle privatisation de la justice. Car si les ententes hors cour sont confidentielles, elles n'en ont pas moins force de loi. Et en matière d'intérêt public, il n'y a pas lieu de se réjouir de voir entrer la loi elle-même dans le champ des choses négociables.

---

35. André-Jean Arnaud (dir.), *Dictionnaire de la globalisation. Droit, science politique, sciences sociales*, Paris, LGDT Lextenso Éditions, 2010.

36. Banque mondiale, « Méthodologie. Exécution des contrats », *Doing Business*, 2017, <http://francais.doingbusiness.org/Methodology/enforcing-contracts>.

CHAPITRE 15

Le hors cour, cet impensé (II) : le règlement hors cour

Au jeu que nous jouons, nous ne pouvons gagner, mais il y a des genres d'échec qui valent mieux que d'autres, rien de plus.

– George Orwell, *1984*

Nous allions donc nous asseoir à la même table qu'eux. L'altérité radicale. Une guerre des dieux sans panache ni audience, dans une petite salle adaptée du palais de justice de Montréal. Candidement, dialoguer avec une multinationale. Improbable et vertigineux face-à-face, quelque part entre la fascination sociologique et la consternation. En m'annonçant le nom du juge qui allait présider la conférence de règlement à l'amiable (CRA), *mon* avocat[1] avait eu ce commentaire, qui se voulait sans doute rassurant : « Il semblerait que ce soit un juge épris de Justice avec un grand "J". »

✦

1. À ce stade, les parties défenderesses – auteur.e.s et éditeur –, bien que travaillant conjointement, étaient représentées par des équipes d'avocats distinctes. J'agissais alors à titre de représentante d'Écosociété et Alain Deneault, des auteur.e.s.

Pour l'écrivain.e ou l'éditrice, l'épreuve du règlement hors cour revêt une forme paradoxale et non la moindre. Car avant que de se présenter sous les traits du contrat[2] et de l'institutionnalisation de la menace, avant que la transaction ne se voie conférer force de loi[3], le règlement est d'abord un jeu d'écriture. Un jeu d'écriture à plusieurs mains, sous la forme familière d'incessants allers-retours de fichiers Word en « suivi des modifications ».

✦

« Pendant presque six mois, une lutte pour chaque page, chaque phrase, chaque mot[4]. » Le censeur, scrupuleux et hostile, se livre à sa besogne avec ostentation. Il refuse des mots, biffe des pages entières, exige sans fin de nouveaux changements et multiplie les tracasseries.

Sous le régime de terreur de Ceausescu, dans les années 1980, l'écrivain roumain Norman Manea se heurta à la censure pour son roman *L'enveloppe noire*. Dans un recueil de textes publié ultérieurement, intitulé *Les clowns. Le dictateur et l'artiste*, il fait le récit de sa confrontation « avec un adversaire obstiné et démoniaque, qui ne cessait d'inventer des exigences absurdes ».

Dans cette joute perverse et risquée, la duplicité dans l'art d'écrire devient l'unique salut de l'écrivain.e, en même temps que la seule langue dans laquelle il puisse encore espérer donner voix à un texte caché. « L'écrivain [...] voudrait que les artifices, les allusions, les codages, de même que les images directes et brutales qu'il emploie arrivent au lecteur. C'est à lui qu'ils sont adressés,

---

2. Un règlement hors cour prend la forme d'un contrat, classiquement assujetti à une clause de confidentialité. Il n'est pas rare, surtout en matière de diffamation, que le règlement comporte également une partie publique, divulguée d'un commun accord entre les parties.
3. Opération que l'on doit à l'homologation par un juge de l'entente.
4. Norman Manea, *Les clowns. Le dictateur et l'artiste*, Paris, Seuil, 2009.

dans une sorte de solidarité implicite et triste.» La duplicité de l'écrivain.e qui craint le censeur n'est pas de même nature que celle du manipulateur ou du menteur. Si l'écrivain.e dissimule sa pensée, manie la métaphore et le verbe, ce n'est pas pour tromper, mais dans l'espoir que quelque chose de l'ordre du vrai puisse passer au travers des mailles étroites de l'interdit.

Mais il faut prendre garde à ne pas éveiller la suspicion du censeur. Pour l'écrivain.e, ces amputations pratiquées sur le corps de la littérature deviennent le moteur paradoxal d'une force de résistance, d'une obsession que le livre ne soit pas récupérable par le système. « Des jours et des nuits de doute. La torture de trouver des subterfuges qui à la fois respectent et minent subtilement les demandes du censeur. »

✦

La minière avait déjà proposé par le passé d'entamer des négociations avec Écosociété seule, sous condition d'un accord de stricte et absolue confidentialité vis-à-vis des auteur.e.s. Nous avions toujours refusé net[5]. Faire corps avec les auteur.e.s avait été la condition *sine qua non* de toute éventuelle négociation.

✦

La conférence de règlement à l'amiable (CRA) dure deux jours. Elle est présidée par un juge: « Ici, on défend non plus des droits, mais des intérêts. » Voilà qui a le mérite d'être sans équivoque.

5. On se figure aisément quel pouvait être l'intérêt stratégique pour la multinationale d'isoler ainsi les auteur.e.s dans une guerre à finir, en réglant hors cour avec l'éditeur. Écosociété bénéficiait d'un fort capital de sympathie, elle chapeautait la campagne publique de soutien pour l'ensemble des défendeurs – ce qui revient à dire qu'elle était à la source d'un bruit dérangeant – et elle comptait, qui plus est, sur le soutien d'un assureur, ce qui lui garantissait une représentation légale pour les 40 jours de procès annoncés.

Nous nous découvrons ici réduits au statut d'agents d'intérêts privés. Quiconque est mû par des préoccupations collectives ou par quelque cause de l'autre; quiconque n'a pas d'intérêt marchand à défendre est dans ce jeu d'emblée perdant. L'institution qui se réclame du nom de «Justice» a subordonné de fait toute définition du Juste au libre jeu des intérêts égoïstes abandonnés à leur mutuelle concurrence. Quant au «juge», il joue désormais les notaires, enrôlé qu'il se trouve pour consigner la loi que les parties se donnent à elles-mêmes[6].

✦

D'entrée de jeu, Monsieur le juge appuya longuement, lourdement, sur les consignes d'usage et le rappel de règles de bienséance élémentaires. Plier, céder, se laisser humilier, certes, mais dans les formes, la tempérance et une politesse de bon aloi. Il serait inélégant, en signant la reddition, de hausser le ton. Ces mises en garde nous étaient manifestement destinées à *nous*, les défendeurs. De mille et une manières, et malgré un professionnalisme maniéré et rigoriste, le magistrat trahissait sa connivence de classe avec la partie à sa droite, formée de l'*Executive Vice President* de Barrick Gold et de ses trois représentants légaux. Rien d'ostentatoire. Plutôt cette sensation de familiarité et d'aisance inhérente aux trajectoires communes, aux croyances banalement partagées, à la promiscuité ordinaire. S'il désignait toujours ceux-là par leur nom de famille (Monsieur un tel..., Maître un tel...), il réservait en revanche à l'auteur immédiatement à sa gauche un «Monsieur ici à ma gauche». Ce premier matin de CRA, le magistrat acheva son laborieux préambule par une ultime recommandation dont il souhaitait faire part à l'ensemble des parties: «Enfin, pas à vous, Maître..., nous, on s'est déjà parlé dans l'avion.»

---

6. Antoine Garapon, *La raison du moindre État, op. cit.*, p. 66.

La bavure des écraseurs d'humanité

La narratrice d'Herta Müller est régulièrement convoquée par la Securitate, la police secrète roumaine qui sème la terreur sous l'ère communiste. Le sadique commandant Albu débute chaque fois l'interrogatoire par un baisemain. Avec sa chevalièré, il écrase violemment ses phalanges et ses ongles, puis pose ses lèvres ouvertes sur sa main, en bavant dessus. Après qu'elle se soit assise à la table où elle sera interrogée pendant des heures, il la regarde d'un air béat frotter ses doigts sur sa jupe pour enlever la salive, en jouant avec sa chevalière. La nuit, elle pense à la prochaine convocation. Elle pense à la bouche humide d'Albu. À la bave dégoulinante sur sa main endolorie.

Nous devons à Hannah Arendt ainsi qu'à son premier époux, Günther Anders, d'avoir démontré que les systèmes de pouvoir les plus monstrueux se développent sur le terrain de la vie ordinaire, dans la méticulosité et la bonne conscience d'un travail bien fait, la satisfaction médiocre de son propre asservissement à un certain état banal des choses, la déréalisation et la déshumanisation d'une machine-monde aveugle à sa propre entreprise d'anéantissement. Si les racines du monstrueux sont toujours à chercher dans un « monde obscurci » qui en permet l'avènement et la répétition, l'entreprise du mal doit aussi compter dans ses rangs – il s'agit bien là d'une constante de tous les récits de l'infâme – d'authentiques petits pervers sadiques et perfides, ne travaillant pas tant au fond pour le « système » que tirant profit de celui-ci pour mieux tisser leur toile assassine et y guetter leurs proies. La jouissance phallique des bourreaux à la petite semaine, leur rictus et leur fiel, est le vernis qui donne au pouvoir-machine son lustre vitrifié et éclatant. Ils sont aux systèmes de domination ce que le parasite est au règne animal : armés pour nuire, ils s'y abritent, y font leur niche, y pullulent et s'y nourrissent aux dépens des autres, se gorgeant de la vitalité qu'ils sucent à leurs victimes. Écraser l'autre et en baver de satisfaction.

Comment résister à l'humiliation face à laquelle « on se sent pieds nus » ? La narratrice d'Herta Müller multiplie les menus subterfuges et invente de petits stratagèmes, pour ne pas perdre la tête. Elle trouve à jouir de quelques furtifs moments de « bonheur bancal ». Elle note en cachette les mots qu'Albu prononce lors du baisemain. Elle lui ment. Elle s'entraîne à supporter la douleur. Elle porte le corsage vert de Lili. Elle mange des cerises. Avec son mari, ils s'exercent à vérifier si la chevalière d'Albu joue un rôle dans l'écrasement des doigts. Alors, ils rient.

Justesse phonétique

« CRA ». Pour « conférence de règlement à l'*amiable* ».

L'acronyme nous procurait une bien futile mais néanmoins réelle jouissance phonétique. Nous roulions exagérément les « r », à la manière d'un chat qui crache, et faisions retentir la voyelle dans une sorte d'éclat sonore comique. « CRRRRA ». « Dramatiser la phonétique de l'affreux[7] », écrit Barthes.

Bien sûr, c'était à mettre sur le compte d'un trop-plein accablé (*cra-quer*). Mais la triviale satisfaction avait sans doute aussi à voir avec une certaine accordance, une justesse tonale, voire une harmonie prosodique, entre ce que nous inspire une chose ou une personne et l'agencement fortuit des sons vocaliques et consonantiques devant servir à la désigner.

On retrouvait ces phonèmes, à l'identique, dans le nom commercial de nos détracteurs : « BARRICK ». Et malgré que, dans sa prononciation originale anglaise, l'acoustique soit nettement plus relâchée, il n'en demeure pas moins couronné d'une vélaire gutturale fracassante – « K » – à l'effet rauque et sec. Même l'avocat d'en

7. Roland Barthes, « L'art vocal bourgeois », *Œuvres complètes. Tome 1 : 1942-1965*, *op. cit.*, p. 667.

face avait un nom qui claque, dont nous nous amusions à accentuer les accents toniques.

Il y avait encore ces mêmes couteaux dans la bouche et sous la gorge – mais alors déjà nous n'entendions plus à rire – dans cette expression martelée, brandie, matraquée : « DEAL BREAKER[8]. »

✦

« Nous pratiquons une lucidité à géométrie variable », disent le Bouffon et ses bouffons.

Notre impératif catégorico-tyrannique commande que nous jouissions de notre plaisir égoïste. Nous jouissons au prix de la destruction du monde.

Notre désir despotique nous rend maîtres d'une infinité de vies. Nous faisons du suif avec le bétail, de l'argent avec les hommes.

Allons ! Convenons entre *personnes raisonnables* que l'homme est un loup pour l'homme. « Quoi de plus naturel, en effet, que l'appât du gain ? » « Y aurait-il quelqu'un qui ne soit pas cupide ? » Vous nous devez la marche du monde. Nous achetons des écoles, des armées et des gouvernements.

Et puis, votre tribunal pourrait bien ne pas avoir compétence en nos affaires. Nous faisons la loi au lieu de nous y soumettre. À quoi bon brandir votre droit ? Nous serons juge et bourreau. « Nous vous dissuaderons d'exister hors de nos codes, de nos procédures, de nos règlements. Nous le pouvons car nous piégeons qui n'a pas le cœur de nous défier dans de la glu consensuelle. [...] Et nous nous gardons bien de prêter l'oreille à un sanglot : celui qu'arrache

---

8. L'expression est usuelle chez les avocats habitués à la joute de la négociation. Elle désigne les conditions qui sont de nature à la faire échouer. Brandir la menace d'un « deal breaker » peut aussi être une stratégie visant à faire plier l'adversaire.

la détresse à tant de nos semblables (comme s'il était décent de négocier un compromis avec l'insoutenable)[9]. »

Tout compromis est un sale compromis

En 1967, dans l'atmosphère libérale de l'avant-Printemps de Prague, le congrès de l'Union des écrivains tchécoslovaques devient le théâtre d'une confrontation ouverte entre les écrivains et le régime au pouvoir[10]. Ce moment insurrectionnel apparut après coup comme ayant préfiguré le vent de liberté éphémère qui allait souffler sur le pays avant de périr sous les chenilles des blindés russes l'été suivant. Le discours d'ouverture de Milan Kundera, intitulé « Rendre à la littérature sa qualité et sa dignité », donne le ton et électrise l'auditoire. L'écrivain y dénonçait la censure « qui ligote [la] littérature nationale alors qu'elle tente de bondir en avant », ce qui lui valut une ovation de ses pairs. On y lut aussi, en séance plénière, la virulente *Lettre au congrès des écrivains soviétiques* d'Alexandre Soljenitsyne sur l'appauvrissement et la médiocrité de la littérature russe que l'on doit à la censure « qui impose aux écrivains la volonté de gens littérairement analphabètes ». Elle fut vigoureusement applaudie à son tour.

Quand une revue littéraire annonça son intention de publier les actes du congrès, c'en fut trop pour les censeurs du Bureau central de l'édition, qui repassèrent sur chacune des épreuves au crayon rouge, tailladant et mutilant notamment l'allocution de Kundera jusqu'à la défiguration stylistique et la décomposition logique. « On nous demandait de retrancher des passages à ce point cruciaux,

9. Paul Chamberland, *Nous sommes en guerre*, Montréal, Poètes de Brousse, 2017.

10. En 1979, Milan Kundera écrira dans *Le Monde* : « Le IVe Congrès des écrivains tchécoslovaques de juin 1967 prit tout à coup la dimension d'un événement historique, une anticipation du « printemps de Prague ». »

raconte le rédacteur en chef de la revue, Dušan Hamšík, que les vides ainsi créés auraient bâillé comme des bouches édentées[11]. »

S'ensuivit une réunion entre le Bureau central de l'édition, le chef du Département idéologique du Comité central, les membres du comité de rédaction de la revue et Milan Kundera lui-même. La rencontre tourna en un affrontement pied à pied entre Kundera et Havlíček, le chef du Département idéologique, l'écrivain défendant son texte bec et ongles, ligne par ligne, mot à mot, usant même d'insidieux subterfuges, après que certaines phrases eurent été biffées et réécrites, pour revenir par des voies détournées vers sa version originale. Le récit qu'en fait Hamšík témoigne de l'opiniâtreté de Kundera et de son obstination à élever le débat bien au-dessus du marchandage de bas étage dont leurs adversaires étaient adeptes. Furieux, l'écrivain n'eut de cesse d'insister sur « l'absurdité de censurer un texte qui s'élevait contre toute censure[12] » et passa à plusieurs reprises près de claquer la porte et de faire dérailler la négociation.

Au terme de cet exercice périlleux, ils parvinrent à une version du texte qui en préservait l'essence, le style, le raisonnement et la structure. Ils pouvaient se targuer de n'avoir cédé que sur des points somme toute secondaires, leurs adversaires ayant battu en retraite bien plus substantiellement qu'ils n'avaient pu le faire. Néanmoins, Kundera était abattu. « Pourquoi ai-je cédé ? se plaignit-il auprès de Hamšík, le rédacteur. Je les ai laissés faire de moi un parfait imbécile [...]. Tout compromis est un sale compromis[13]. » Peu de temps après, le Comité central du parti téléphona pour dire qu'en fin de compte, il jugeait le compromis inacceptable. Les actes du Congrès ne furent jamais publiés et Kundera en fut profondément soulagé.

11. Dušan Hamšík, *Writers Against Rulers*, Londres, Hutchinson & Co, 1971, p. 87.

12. *Ibid.*, p. 90.

13. *Ibid.*, p. 93.

✦

Céder sur A pour mieux obtenir B. Accepter C sous réserve de la négociation de D. Ils refusent D. Refuser C. Chercher à limiter les effets de E. Se résigner à F.

MOI – Quoi ? Ils ont reculé sur B ? Mais ont-ils le droit de faire cela ? Ne nous étions-nous pas entendus sur B ? Comment cela, ils ont le droit ? Eh bien alors, il faut revoir A ! Comment ça ce n'est plus possible ?

Ils refusent D. Ils reviennent à la charge avec C. Refuser C. Accepter le principe de G sous réserve de s'entendre sur les clauses exactes ultérieurement. Consacrer des semaines à négocier G à la lettre, à la virgule, jusqu'à l'absurde, jusqu'au grotesque, jusqu'à la nausée.

MOI – Encore C ? Non, ça suffit, merde ! S'ils veulent C, qu'ils aillent en procès ! Hein ? Ils demandent H ! Mais pourquoi H ? Ah non ! Cela relève entièrement de la prérogative de l'éditeur. Enfin, Maître, en quoi cela peut-il bien se rapporter même vaguement à une règle de droit ? Sans même y mettre d'état d'âme, nous pouvons dire de H que ce serait là ajouter l'injure à l'insulte. Non, écoutez, j'ai un mandat du conseil d'administration et il est hors de question de consentir à H. Dans le but de parvenir à un règlement, je peux toujours vivre avec H', même si franchement, je n'en ai aucune envie. Mais H ? Sérieusement, Maître, expliquez-moi en quoi les choses en l'état sont susceptibles de leur porter le moindre préjudice ? Il n'est même pas question d'eux, ici !

MON AVOCAT – Je comprends Madame Voisard. Pouvez-vous faire un bout de chemin additionnel ?

Dialogues de fous

L'AUTEUR – D'accord, mais ce rapport-là, on a le droit de le citer ?

LE JUGE – Hum, c'est-à-dire que…

L'AUTEUR – La Constitution canadienne reconnaît bien le droit de citer ce rapport, non ?

LE JUGE – Oui.

L'AUTEUR – Donc si je signe ça, j'aurai toujours le droit de le citer ?

LE JUGE – Pas vous, non.

La tragicomédie revêt parfois des formes grotesques.

La langue adverse

L'ineffable supplice du règlement hors cour repose sur la fiction d'un langage commun, grâce auxquels les gens *raisonnables* et *de bonne foi* pourraient s'entendre. Il nous faut pourtant concéder toujours du terrain à la langue de bois, à la langue du droit, bref, à la langue de l'adversaire. Nous nous découvrons forcés à l'exil dans l'acte de la parole. Cette langue des maîtres ne s'arrête plus à la surface des sens, désormais. Elle pénètre sous la peau, intoxique la bouche, entame les âmes. On ne la reprend pas à son compte impunément. « Les mots peuvent être comme de minuscules doses d'arsenic : on les avale sans y prendre garde, ils semblent ne faire aucun effet, et voilà qu'après quelque temps l'effet toxique se fait sentir[14]. » Je repense à toutes ces heures consacrées, entre nous, à nous jouer de leurs termes et à les retourner contre eux. Il le fallait, sans doute, pour mieux les mettre à distance, les conjurer.

Très vite, il appert que le style lui-même est blâmable, coupable. La parole incisive, les figures de style, la lucidité et l'ironie sont la cible d'un acharnement méthodique. La « mise à mort du style[15] » est une visée commune à toutes les grandes entreprises de censure. Tous les témoins, philologues et penseurs qui se sont consacrés à

---

14. Victor Klemperer, *LTI. La langue du Troisième Reich. Carnets d'un philologue*, Paris, Albin Michel, 1996, p. 40.

15. Laurence Aubry et Béatrice Turpin (dir.), *Victor Klemperer, repenser le langage totalitaire*, Paris, CNRS, 2012.

l'analyse des langages totalitaires ont relevé, en parallèle des mécanismes de manipulation, de distorsion et de la perversion de la langue, cette exécration du style, de la fiction et de la métaphore. Injonction au « réalisme socialiste[16] » chez les uns, martèlement d'une langue à l' « homogénéité effroyable[17] » chez les autres. La visée totalitaire craint la littérature, en ce qu'elle fait proliférer le sens. Elle a en horreur ce qui, dans la parole, reste insaisissable, inassignable, indomptable. Le langage totalitaire est une langue appauvrie et violente, altérée dans sa capacité de signifier la différence, de dire et de penser le *différend*.

Au pouvoir de Staline, qui le sommait de parler plus clairement, Mandelstam répondait : « La terre gronde de métaphores[18]. »

Faire dire et empêcher de dire

La censure et l'aveu sont parmi les formes limites de l'assujettissement au pouvoir. Le pouvoir requiert des sujets qu'ils récitent son *credo*, qu'ils « soient parlés » plutôt qu'ils ne parlent, qu'ils avouent ou se taisent. Il est aussi, dans l'ordre des supplices et des châtiments, une autre forme limite d'assujettissement au pouvoir consistant à extirper de faux aveux, des actes de contrition divers, des rétractations ou des excuses publiques *difficiles et embarrassantes*.

Plus la conviction intime du « coupable » est tenace, plus son engagement envers celle-ci est profond et plus il la fait connaître haut et fort, plus l'extorsion forcée de sa repentance est, pour qui l'obtient, synonyme de jouissance, de gloire et de triomphe. Cela est apparemment paradoxal, car alors nul n'est dupe de la mascarade. Mais précisément, de la vraisemblance du repentir, le pouvoir n'a rien à faire. Tout l'intérêt du spectacle tient dans le fait d'exhi-

---

16. Marie Darrieussecq, *Rapport de police. Accusations de plagiat et autres modes de surveillance de la fiction*, Paris, P.O.L., 2010.
17. *Ibid.*, p. 34.
18. Ossip Mandelstam cité par Marie Darrieussecq, *ibid.*

ber démesurément sa puissance sur ceux que l'on a réduits à l'impuissance. Le cérémonial est entièrement affaire d'éclat et se veut un rappel dissuasif pour celles et ceux qui contemplent le sort des supplicié.e.s.

Nous qui sommes les témoins de ces rétractations et regrets arrachés à nos semblables, nous en sommes réduits à devoir lire, entre les lignes, leurs admissions d'épuisement et de désespoir ; et chez celles et ceux qui auront pu mieux tenir tête, ou même faire courber un peu les géants, d'y deviner la marque en creux, en leur âme et corps, du prix payé pour chacune de leurs obstinations.

Méta-négociations

Mon avocat a cru obtenir mon consentement sur une broutille qu'il a concédée à la partie adverse, après une série d'échanges « corsés ». Or ce n'était pas le cas. Il y a eu malentendu. Et aux broutilles, je m'accroche farouchement comme aux dernières parcelles de sens dans un univers où la raison se dérobe sans fin.

Au téléphone, mon avocat hausse la voix, s'emporte.

« Est-ce qu'on va en procès pour cela, Madame Voisard, hein ? C'est ça que vous me dites ? On va en procès pour cela ? »

Je ne plie pas. Je tiens tête, même si ma voix tremble et se brise. « Je suis prête à expliquer cela à un juge s'il le faut. » Je m'efforce de ne pas craquer. Pas avant d'avoir raccroché.

Je pense aux relais de la domination, de la parole qui écrase, de la mise sous pression. De Toronto à Montréal. D'avocat à avocat. De lui à moi. Je m'emporterais aussi, à mon heure, à ma manière, dans le local 411 de l'immeuble Grover. Assise là, au bout de la table, je dirais aux camarades d'Écosociété qu'ils ne peuvent pas comprendre. Que nous sommes seul.e.s, désormais, A. et moi. Seul.e.s. Alors je la verrais, elle, la frondeuse des toutes premières heures de la lutte, l'inébranlable amiral de navire dans la tempête, protester doucement, les yeux remplis de larmes.

Céder n'est pas consentir

Être courageux, c'est parfois endurer, parfois rompre.
– Cynthia Fleury, *La fin du courage*

Il aura fallu se plier à l'état d'urgence jusqu'au bout du possible, jusqu'au seuil de l'intenable. Aucun effort ne fut ménagé – jeux de coulisse, rebondissements brutaux, coups de théâtre ou quiproquos – pour maintenir la tension à son paroxysme jusqu'à la tombée du rideau.

Ce jour-là, les avocats jouent la comédie jusqu'au bout. Jusqu'à enfiler la toge et se rendre devant le juge pour plaider une requête pour permission d'en appeler d'une décision, avant de s'entendre *in extremis*, sur le parvis du palais, sur le principe d'une entente. Mais le sort n'est jamais vraiment fixé. D'autres points seront rouverts, tout au long de la journée, comme pour bien s'assurer qu'aucune résistance n'a été insuffisamment affligée et mise à l'épreuve.

L'ultimatum est à ce point (pris au) sérieux qu'en début de soirée, je verrais A. dévaler les escaliers de la maison en courant et, sur un mode romanesque, enfourcher son vélo pour aller à la rencontre de son avocat à l'intersection d'une rue du centre-ville, lui remettre en trombe l'enveloppe contenant les documents signés, avant de voir ce dernier s'éloigner en faisant crisser les pneus de sa voiture vers les hauts lieux où ces documents étaient exigés dans l'urgence.

✦

Qui n'a pas d'intérêt privé à défendre n'en a pas moins quelque chose à perdre. Qui tient bon pour plus que lui-même, qui tient bon pour un autre, pour les autres, verra tôt ou tard le pouvoir s'acharner en ce point précis d'application. Dans mon journal : « Tôt ou tard, on vend sa mère, on tue son chien. »

✦

Il fallut tout relire scrupuleusement. Des dizaines de pages. Clause après clause. Mot à mot. « Ils vont attendre. Prenons notre temps. » La partie adverse avait toujours pris en charge de préparer les documents, de mettre en forme l'état des concessions réciproques, l'état du rapport de force. Je recevais leurs premières missives à l'aurore, les sbires étant déjà à l'œuvre, hissés au sommet de leur monde et de la Tour McGill. Les négociations s'échelonnaient jusqu'au soir et ne connaissaient pas de réel ralentissement la fin de semaine.

Au bas de chaque page, nous apposons nos initiales. Pour l'heure, bien qu'abattus, nous sommes méthodiques. Le plancher du salon s'est transformé en une géante mosaïque de l'affreux. Puis, ma signature. La sienne. Comme pour s'assurer que les mots auxquels nous avions consenti, nous les entendrions toujours. Qu'ils logeraient en un coin de la mémoire d'où on ne pourrait les faire sortir. Qu'ils nous guetteraient au détour de l'existence, au cœur de la nuit, quand le sommeil tarde à venir.

Nous revérifiâmes tout, encore et encore. Puis A. mit la somme dans une enveloppe et l'enveloppe dans son sac en bandoulière, prêt à filer à la course. Là, sur le pas de la porte, il s'arrêta sec. Se retourna. Et pour quelques minutes encore que nous allions arracher au tic-tac menaçant d'une bombe à retardement fictive, nous allions, dans les bras l'un de l'autre, nous effondrer en pleurs.

✦

À son retour.

« Viens, Marie, sortons d'ici. »

Ce fut finalement moi qui le tirai par la manche, car nous étions attendu.e.s, bien qu'il n'en sût rien.

Dans le bar où je l'emmenai, se tenaient les compagnons dont on est sûr, toujours, comme dit Camus. Ceux-là que nous aimons sans réserve. Les frères d'un temps autre, du temps d'avant les poursuites, d'avant l'écriture et, sans doute même, d'avant que ne le tenaille le désir d'écrire. Deux amis providentiels qui, par leur seule présence enveloppante et chaleureuse, suspendaient le temps totalitaire du *settlement*. Ils avaient d'abord accueilli un peu de nos silences ravagés. Mais le chahut de l'amitié et de la fête avait vite repris ses droits. Nous étions des malheureux doués pour la joie. C'était le soir de ses quarante ans.

✦

Correspondance ontarienne

Missive d'un avocat ontarien avec lequel nous restons en lien, puisque là-bas, la poursuite de Banro Corporation demeure pour l'heure pendante, malgré le retrait du livre du marché :

« Et felicitations de avoir régler l'affaire Barrick. Normalement, Barrick régle rien. » [*sic*]

✦

Les deux « déclarations » suivantes ont été rendues publiques conformément aux dispositions prévues par les règlements hors cour conclus avec les minières Barrick Gold et Banro Corporation. Lesdits règlements hors cour sont par ailleurs confidentiels.

Montréal, 18 octobre 2011

Déclaration Publique Conjointe
Règlement de l'action de Barrick Gold contre les auteurs et l'éditeur de *Noir Canada*

Barrick Gold Corporation (« Barrick »), Alain Deneault, Delphine Abadie et William Sacher (collectivement, les « Auteurs ») et Les Éditions Écosociété Inc. (« Écosociété ») annoncent qu'ils ont réglé hors Cour l'action en diffamation intentée par Barrick en avril 2008 en Cour supérieure du Québec en relation avec le livre *Noir Canada : pillage, corruption et criminalité en Afrique* (« *Noir Canada* ») écrit par les Auteurs et publié par Écosociété (l'« Action »).

Afin de régler le litige qui l'oppose à Barrick, Écosociété met fin à la publication et l'impression de *Noir Canada* et a effectué un paiement significatif à Barrick.

Une partie de *Noir Canada* se rapporte à des allégations concernant l'implication alléguée de Barrick en Tanzanie en 1996. Les Auteurs reconnaissent qu'ils n'ont pas de preuve d'implication de Barrick en Tanzanie en 1996 et que Barrick et d'autres parties contestent les allégations entourant les évènements à la concession de Bulyanhulu en 1996.

En relation avec le contenu de *Noir Canada* concernant le Congo, Barrick reconnaît que la thèse des Auteurs et de plusieurs autres personnes est à l'effet que la présence de plusieurs ressources minérales, dont l'or, au Congo était un des principaux motifs à l'origine des conflits dans ce pays et que la présence de compagnies minières transnationales dans une région en guerre, telle les Grands Lacs africains, peut avoir des conséquences imprévues et sérieuses.

Les Auteurs reconnaissent que bien que ces questions aient été étudiées de façon approfondie par un groupe d'experts des Nations Unies, en 2001-2002, ces experts n'ont fait aucune mention de Barrick. Les Auteurs reconnaissent que Barrick a présenté des documents et témoignages indiquant qu'elle n'a eu qu'une présence très limitée au Congo à l'été de 1996 exécutant du travail exploratoire sur une petite partie d'une concession minière de 82 000 km² au Congo et indiquant qu'elle n'a eu aucune implication dans les conflits au Congo. Les Auteurs reconnaissent qu'ils n'ont aucune preuve à l'effet contraire.

Barrick, les Auteurs et Écosociété conviennent que l'Action instituée par Barrick et l'écriture et la publication du livre *Noir Canada* par les Auteurs et Écosociété ont été entreprises de bonne foi et avec la conviction qu'elles étaient légitimes.

Les Auteurs réitèrent ce qu'ils ont écrit dans l'introduction de *Noir Canada*, à savoir que « cet ouvrage ne constitue pas une condamnation sommaire de sociétés » qu'il cite, et qu'ils ne s'étaient pas donné pour mandat d'assurer ultimement la véracité des allégations que le livre développe à partir de documents publics. Les Auteurs maintiennent que *Noir Canada* a été écrit afin de susciter un débat public sur la présence controversée d'intérêts canadiens en Afrique et d'en appeler à la création d'une commission d'enquête sur cette présence canadienne en Afrique. Ils maintiennent toujours cette position et continuent de s'enquérir du rôle des sociétés privées actives en tant que partenaires commerciaux auprès de représentants politiques africains engagés dans des conflits armés.

Écosociété considère que *Noir Canada* est pertinent et d'intérêt public, que la thèse qui y est développée constitue une contribution essentielle à la pensée critique et méritait d'être publiée. Écosociété entend poursuivre sa mission d'éditeur indépendant qui publie des essais d'intérêt public visant à susciter des débats de société.

✦

Montréal, 25 avril 2013

DÉCLARATION

Banro Corporation («Banro»), Alain Deneault, Delphine Abadie et William Sacher (collectivement «les Auteurs») et Les Éditions Écosociété («Écosociété») annoncent qu'ils ont réglé hors Cour l'action entreprise par Banro en juin 2008 («l'Action») devant la Cour supérieure de l'Ontario relativement à *Noir Canada: Pillage, corruption et criminalité en Afrique* («le Livre»), écrit par les Auteurs et publié par Écosociété. Écosociété a retiré et cessé de publier le Livre et payé une partie des frais juridiques de Banro. Une portion de *Noir Canada* contient des références et des déclarations concernant l'exploration et les activités minières de Banro en ce qu'il fait état que Banro et d'autres compagnies minières ont agi de concert avec les combattants dans la RDC.

Les Auteurs réitèrent ce qu'ils ont écrit dans l'introduction de *Noir Canada*, à savoir que «cet ouvrage ne constitue pas une condamnation sommaire de sociétés», incluant Banro, dont il est fait mention dans le Livre. De plus, les Auteurs considèrent que l'objectif du Livre est de chercher à rassembler et organiser la documentation critique et académique entourant l'extraction de minerais dans la RDC et les conséquences qui s'en sont suivies. Les Auteurs ne s'étaient pas donné pour mandat d'assurer ultimement la véracité des allégations que le livre développe à partir de documents publics et de sources secondaires. Les Auteurs maintiennent que *Noir Canada* a été écrit afin de susciter un débat public sur la présence controversée d'intérêts canadiens en Afrique et d'en appeler à la création d'une commission d'enquête sur cette présence canadienne en Afrique.

Conséquemment, les Auteurs et Écosociété reconnaissent que:

(a) ils n'ont pas cherché à établir la preuve des allégations contenues dans *Noir Canada*;
(b) ils n'ont pas cherché à avoir les commentaires de Banro et à s'assurer que la position de Banro serait présentée.

CHAPITRE 16

Incommensurables dommages

Le droit de la responsabilité prévoit qu'un plaignant puisse se constituer partie civile dès lors qu'il allègue avoir subi un *dommage*[1] résultant de la *faute* d'un tiers qui aurait porté atteinte à un *intérêt* reconnu et protégé par le droit. Si le juge estime la responsabilité du tiers engagée, alors il peut ordonner l'indemnisation du plaignant en le condamnant à des *dommages et intérêts.*

Or il advient qu'un dommage soit incommensurable, en ce sens qu'il n'admet aucune réparation. Le dommage suprême est celui qui s'accompagne de la perte des moyens de faire la preuve d'un dommage[2]. C'est le cas lorsque les victimes ont été privées de leur vie, de leur liberté, des moyens ou du droit de témoigner du dommage qu'ils ont subi. L'injustice absolue, écrit Jean-François Lyotard, c'est lorsque la « possibilité de continuer à jouer le Jeu du juste est exclue[3] ». Cela se produit dans toute situation interdisant que la question du juste et de l'injuste soit posée. C'est le cas chaque fois que le tort subi ne peut se constituer en litige, qu'il se voit privé de toute scène où s'énoncer et se rendre visible. L'injustice absolue

1. En droit civil québécois, la notion de « dommage » a été abandonnée au profit de celle de « préjudice », réservant la notion de « dommages » (au pluriel) à la désignation des indemnités financières que peut se voir octroyer le plaignant.

2. Jean-François Lyotard, *Le différend,* Paris, Éditions de Minuit, 1984, p. 7.

3. Jean-François Lyotard et Jean-Loup Thébaud, *Au juste : conversations*, Paris, Christian Bourgois, 1979, p. 144.

est celle pour laquelle il n'existe aucune procédure en réparation. Celle qui se voit frappée de l'impossibilité d'en rendre compte et, par conséquent, que soient faits les comptes.

Tanzanie, l'incommensurable dommage

Le cas de la mine d'or de Bulyanhulu, en Tanzanie, est à cet égard tristement emblématique. Théâtre d'une série d'affrontements prolongés qui, dans les années 1990, opposèrent des mineurs locaux et la Sutton Resources de Vancouver, Bulyanhulu est aussi une tache noire dans l'histoire du Canada. De graves abus de droits y ont été allégués, dans le contexte de l'éviction brutale, par les forces de sécurité tanzaniennes, d'une communauté de plusieurs milliers, voire de plusieurs dizaines de milliers de mineurs artisanaux qui gênaient les desseins de la minière canadienne d'exploiter le gisement.

Les événements à l'origine du scandale eurent lieu au tournant du mois d'août 1996, quand les forces de l'ordre tanzaniennes entreprirent d'expulser *manu militari* les mineurs locaux et leur famille de leurs maisons et de leur lieu de travail. Le 7 août 1996, au mépris et en violation flagrante de l'ordonnance d'injonction que venait pourtant de rendre la Haute Cour de justice tanzanienne[4], les bulldozers de la Sutton, escortés par des unités de police paramilitaires, roulèrent sur les champs aurifères et bouchèrent les trous de l'exploitation artisanale. La presse tanzanienne fit état d'un désordre et d'une confusion généralisés, de pillages, de vols et d'effusion de sang, tandis que les villageois, pris de panique,

4. Le 2 août, la Haute Cour tanzanienne ordonnait que cessent immédiatement les expulsions et enjoignait les deux parties à comparaître devant le tribunal. « La justice naturelle exige que même un paysan pauvre soit au moins consulté avant qu'une décision affectant sa vie soit prise. »

se précipitaient pour rassembler leurs rares biens et fuir la police[5]. Des allégations furent également rapportées voulant qu'une cinquantaine de mineurs, toujours au fond des trous au moment de l'opération, auraient été ensevelis vifs.

Ces allégations furent et demeurent vigoureusement démenties, tant par les gouvernements canadien et tanzanien que par Barrick Gold, qui allait se porter acquéreur de la mine trois ans plus tard. La police tanzanienne corrobora leurs versions des faits dans un rapport d'enquête affirmant que toutes les précautions avaient été prises pour s'assurer que personne ne reste piégé à l'intérieur des mines.

Mais l'affolante rumeur de cette affaire devait se faire persistante, et les appels à la mise sur pied d'une enquête indépendante, opiniâtres. Plusieurs observateurs tels qu'Amnistie internationale[6], les avocats de la Lawyers' Environmental Action Team (LEAT), basés à Dar es Salam, le leader du Parti travailliste tanzanien ou encore le juge tanzanien Mark Bomani allaient tour à tour réclamer la tenue d'une telle enquête, en vain. Le LEAT, par l'entremise de deux de ses représentants, se montra particulièrement persistant, investissant même les mécanismes officiels de traitement des plaintes de la Banque mondiale relatifs aux projets d'investissement privés ayant reçu son appui. Cette dernière récusa la pertinence de toute enquête approfondie: l'Agence multilatérale

5. Stephen Kerr et Kelly Holloway, «The men who moil for gold», livraison spéciale de *The Varsity and the Atkinsonian*, 15 avril 2002, <https://miningwatch.ca/blog/2002/4/15/bulyanhulu-special-investigative-report-men-who-moil-gold>.

6. Ce fut le cas notamment d'Amnistie internationale. En 1997, l'ONG relate les allégations dans son rapport annuel et déplore que les enquêtes criminelles semblent avoir été abandonnées. Dans un rapport ultérieur, où elle fait mention du refus du gouvernement d'accéder à sa requête visant à mettre sur pied une enquête judiciaire indépendante, l'ONG précisera ne pas être en mesure de prouver ces allégations. Voir Amnesty International, *Amnesty International Report 1997*, 17 juin 1997, <www.amnesty.org/fr/documents/pol10/0001/1997/en/> et *Amnesty International Report 2000 – Tanzania*, 1er juin 2000, <www.refworld.org/docid/3ae6aa101f.html>.

de garantie des investissements (MIGA), une filiale de la Banque mondiale ayant octroyé à Barrick une garantie de 56 millions de dollars pour l'acquisition de la mine de Bulyanhulu, déclara que les allégations étaient « trompeuses et sans fondement[7] ». Quant à l'ombudsman de la Banque mondiale (CAO), il réfuta, sur la base de la documentation fournie par les parties, tout fondement aux allégations énoncées dans la plainte. Soulignant l'impressionnante « capacité sociale et environnementale » de la mine canadienne, le rapport s'achevait sur une leçon de morale sur la responsabilité… des ONG[8] !

Dès lors, les événements ayant entouré le déplacement forcé de milliers de Tanzanien.ne.s durant l'été 1996 firent l'objet d'un irréductible *différend*, qui reste à ce jour non résolu. Un litige portant non pas seulement sur la nature ou le déroulement des événements comme tels, mais également sur la légitimité et le droit à faire valoir et à faire entendre qu'un tel différend puisse exister. Que ce différend puisse avoir droit de cité, qu'il puisse se dire et s'écrire, fut et demeure en soi âprement disputé.

En 2001, Barrick poursuivait le quotidien londonien *The Guardian* en diffamation pour le « grand embarras et la détresse » causés par un article rapportant l'affaire et obtenait, dans le cadre d'un règlement hors cour, des « excuse sincères » et un « montant substantiel[9] » de la part du journal, en plus de la fermeture d'une partie d'un site web basé aux États-Unis où l'article avait été reproduit.

---

7. Multilateral Investment Guarantee Agency, *MIGA Statement on Bulyanhulu Mine in Tanzania*, 26 septembre 2001, <www.miga.org/Lists/General/CustomDisp.aspx?ID=114&ContentTypeId=0x0100A8B57A37D4E66D42BD3171DEFD939B69>.

8. Compliance Advisor Ombudsman, « Assessment Report Summary Complaint regarding MIGA's guarantee of the Bulyanhulu Gold Mine, Tanzania », <www.cao-ombudsman.org/cases/document-links/documents/bulyfinal.English pdf.pdf>.

9. William Spain, « U.K. libel suit hits U.S. Web site », *MarketWatch*, 1er août 2001, <www.marketwatch.com/story/uk-libel-suit-hits-us-website>.

En 2002, deux représentants de l'organisation tanzanienne LEAT, ainsi que le leader du Parti travailliste tanzanien, furent arrêtés et accusés de sédition pour avoir propagé les allégations[10]. La même année, une mission d'enquête formée de journalistes, de chercheurs et de juristes nord-américains et européens se rendait à Bulyanhulu pour recueillir des témoignages sur les événements d'août 1996. Leur rapport fait état du climat général de suspicion et de tension dans lequel s'est déroulée leur mission, évoquant notamment l'attitude menaçante des policiers qui, aux dires des intéressé.e.s, « [leur] donnait l'impression qu'[ils étaient] sous surveillance et qu'[ils pouvaient] être arrêtés ». Malgré que la police ait empêché la mission d'interviewer un grand nombre de témoins, ses membres se sont dits « impressionnés par l'intensité et le sérieux des témoignages sur les expulsions forcées, la violence et la brutalité de la police et des agents de la société minière ainsi que par l'abondance de détails et les risques qu'ont pris les résidents de Bulyanhulu en venant [leur] parler ». Ils se sont joints au concert de voix réclamant « une enquête indépendante, impartiale, transparente et approfondie sur les allégations d'expulsions massives, sans compensation, d'exploitants miniers et de mineurs, et de massacre de mineurs à Bulyanhulu durant l'été 1996[11] ».

Cette liste – sans même compter les poursuites intentées aux Éditions Écosociété et aux auteur.e.s de *Noir Canada* – n'est pas exhaustive. Les autorités tanzaniennes, comme les actuels propriétaires de la mine, ont rendu tout débat quant aux événements de Bulyanhulu très difficile.

---

10. Ronald Aminzade, *Race, Nation, and Citizenship in Post-Colonial Africa: The Case of Tanzania*, Cambridge, Cambridge University Press, 2013, p. 288.

11. Paula Butler, Steve Herz, Stephen Kerr, Kathleen Majoney et Mattias Ylstra, « Rapport de la mission internationale d'enquête en Tanzanie, 23 au 31 mars 2002, sur les allégations de déplacement forcé de population et de massacre à Bulyanhulu en 1996 », *MiningWatch Canada*, 16 avril 2002, <https://miningwatch.ca/fr/blog/2002/4/16/rapport-de-la-mission-internationale-denqu-te-en-tanzanie-23-au-31-mars-2002-sur-les>.

Quant aux autorités canadiennes, elles se cramponnèrent à cette « civilité blanche » dont parle Daniel Coleman[12] et dont le prix à payer, pour échapper à l'angoisse de leur indignité nationale, est de se voir sans cesse rappeler à l'impérative nécessité d'oublier ; oublier l'ampleur de notre violence coloniale, passée et présente, et la horde de spectres qui la hantent. Une note diplomatique datée du 26 novembre 1996, résumant les événements de l'été, laisse entrevoir quel rôle structurant cette fonction de déni peut jouer dans la psyché nationale : « À la fin de juillet, le gouvernement de Tanzanie a finalement pris des mesures pour retirer les mineurs illégaux. Ce fut une opération pacifique durant laquelle les mineurs partirent *volontiers* une fois que le gouvernement eut annoncé qu'il ne tolérerait plus leur présence[13]. » (c'est moi qui souligne)

Sur ce portrait sommairement dressé, quelques commentaires me semblent s'imposer.

Le premier tombe sous le sens, et ne se justifie que par une prudence légale rigoriste à l'excès, que certains se sont bien éreintés à nous inculquer : pas plus que mes prédécesseurs, ni d'ailleurs que quelque interlocuteur officiel que ce soit dans cette affaire, je ne puis confirmer ou réfuter les allégations entourant les événements du 7 août 1996.

Le second découle tout naturellement du premier : la *prudence* élémentaire, comme vertu intellectuelle mais aussi comme principe de justice, dans un contexte où des allégations aussi graves de violations des droits humains sont tour à tour virulemment portées au jour et tout aussi virulemment démenties par des parties s'accusant mutuellement de partialité, plaide en faveur d'une commission d'enquête dont l'indépendance serait au-dessus de

---

12. Paula Butler, *Colonial Extractions. Race and Canadian Mining in Contemporary Africa*, Toronto, University of Toronto Press, 2015, p. 147.
13. *Ibid.*, p. 155.

tout soupçon. Sur ce point, il semble que l'un des deux camps a fait tout en son possible pour qu'une telle enquête ne voit pas le jour.

Le troisième surprendra peut-être par la rupture de ton, mais il me permettra, je l'espère, d'en finir avec ce détour et de mieux en revenir à mon propos : bien qu'il ne s'agisse nullement de minorer l'importance et la gravité desdites allégations, il me semble qu'il ne faille pas, en pareil cas, les laisser devenir l'arbre qui cache opportunément la forêt. Tout se passe en effet comme si l'entièreté du débat devait se réduire, quant à ce cas de figure précis, à la question de la véracité des allégations sur ces 50 mineurs présumés morts du 7 août 1996.

À l'époque où nous étions nous-mêmes embourbé.e.s dans des procédures kafkaïennes, j'en étais venue à me dire que si une enquête digne de ce nom devait prouver hors de tout doute que l'opération de remplissage des trous de la Sutton avait fait disons 10 morts, on nous intenterait encore des procès pour avoir suggéré qu'il y en avait peut-être eu 50. C'est que la goujaterie procédurière et l'obscénité légaliste finissent nécessairement tôt ou tard par donner lieu à des dialogues de psychopathes.

Des expulsions forcées ont vraisemblablement été conduites de manière violente en 1996 à la mine de Bulyanhulu et auraient eu des conséquences économiques et sociales très graves pour les personnes touchées. L'estimation de la population déplacée de force, pour cette seule mine, varie entre 10 000 et 40 000 personnes[14]. Celles-ci n'auraient jamais été indemnisées. Elles n'ont pas de nom, pas de visage, pas de voix. Dans l'abondante correspondance diplomatique canadienne avec Dar es Salam qui a précédé et suivi les événements d'août 1996, on réfère à ces femmes et

14. Paula Butler, Steve Herz, Stephen Kerr, Kathleen Majoney et Mattias Ylstra, « Rapport de la mission internationale d'enquête en Tanzanie… », *op. cit.* ; Paula Butler, *Colonial Extractions, op. cit.*, p. 155.

ces hommes – des Tanzaniennes et des Tanzaniens vivant et travaillant en Tanzanie – en ces termes : « *illegals*[15] ».

Le Haut-Commissariat des Nations unies aux droits de l'homme (HCDH) indique clairement que les expulsions forcées constituent en soi une violation flagrante des droits humains ; qu'elles s'accompagnent généralement d'autres atteintes graves aux droits fondamentaux et exposent des personnes déjà marginalisées et vulnérables à de graves traumatismes, des traitements inhumains et une régression supplémentaire de leurs conditions de vie ; qu'elles surviennent notamment dans le contexte de bon nombre de projets miniers et extractifs, y compris lorsque ceux-ci se réclament du « bien commun », de l'« intérêt général », de l'« intérêt de l'État » et autres subterfuges sémantiques couramment utilisés à des fins de légitimation de la violence ; et enfin, que la « primauté du droit » exige, en des circonstances aussi graves, un très grand nombre de garanties et de précautions, telles que des indemnisations, la participation des personnes déplacées au processus de décision, de la transparence, l'accès à des mécanismes de recours à tous les stades et ainsi de suite[16].

Le quatrième et dernier point est le suivant : la Tanzanie à elle seule, et quant aux seuls intérêts canadiens, pourrait justifier tout entière l'expression « malédiction des ressources », pour peu que nous voudrions feindre de ne pas comprendre que ce n'est pas l'abondance des ressources, mais leur exploitation capitaliste et

---

15. Une étude financée par l'Agence des États-Unis pour le développement international démontre pourtant qu'en 1995, plusieurs milliers de mineurs artisanaux de la région de Bulyanhulu se livraient à une exploitation minière parfaitement légale, en vertu d'une loi de 1979 qui avait encouragé des centaines de milliers de citoyens tanzaniens à se doter de permis d'exploitation minière à petite échelle et à vendre l'or à un taux déterminé au gouvernement. Dans Paula Butler, *Colonial Extractions, op. cit.*, p. 148-149.

16. Haut-Commissariat des Nations unies aux droits de l'homme, *Les expulsions forcées*, fiche d'information nº 25/Rev.1, New York et Genève, 2014, <www.ohchr.org/Documents/Publications/FS25.Rev.1_fr.pdf>.

néocolonialiste sauvage qui constitue la réelle malédiction des damné.e.s de la Terre.

Ainsi donc, nul besoin de suspendre notre jugement dans l'espoir que, dans quelque 20 ans encore peut-être, l'État canadien se décide à exhumer ses squelettes du placard[17]. Car la question qui se pose, au-delà de ce débat, est d'une autre nature. Quelles sont les conditions permettant à de tels *dommages* – l'expropriation massive et violente de fait d'êtres humains aux fins de l'exploitation lucrative du sol par des intérêts privés étrangers, pour ne prendre que ce seul exemple – de se produire et de se reproduire impunément, et ce, dans l'indifférence généralisée ?

Des corps d'exception

Le règne du droit oligarchique et de l'illimitation mondiale du Capital suppose d'instituer et de réinstituer sans cesse l'ordre propriétaire. Pierre Dardot et Christian Laval, dont les travaux sur le néolibéralisme sont bien connus, soulignent à juste titre que cette offensive antidémocratique repose, d'une part, sur une série de contre-réformes dirigées contre les droits sociaux et économiques des citoyen.ne.s et, d'autre part, sur la prolifération des dispositifs sécuritaires qui menacent les libertés civiles et politiques des mêmes citoyen.ne.s[18].

Mais c'est encore faire l'impasse sur une masse innombrable d'individus qui se retrouvent en quelque sorte légalement placés à l'extérieur du régime général du droit et de la citoyenneté. Ceux-là ne voient pas leurs droits être brimés ou menacés ; ils se trouvent,

17. Aux traducteurs juridiques de ce monde : l'expression n'est pas *nécessairement* littérale. « Avoir un cadavre dans le placard [fam], avoir un secret honteux ; être l'auteur d'une action peu avouable », dans « Cadavre », *Petit Larousse illustré 2014*, 2014, p. 190.

18. Pierre Dardot et Christian Laval, *Ce cauchemar qui n'en finit pas*, *op. cit.*, p. 7-8.

comme l'écrit Arendt dans *Les origines du totalitarisme*, déchus du droit d'avoir des droits, rejetés dans l'ombre de la communauté dont ils sont exclus.

Le philosophe Sidi Mohammed Barkat, dans son travail sur le statut du colonisé algérien, propose le concept de « corps d'exception[19] » pour désigner les sans-droits, les corps indignes de la citoyenneté, qui se trouvent assignés à une position d'extériorité par rapport au régime du droit. Ce que l'on nomme d'ordinaire « l'état d'exception » est la situation dans laquelle le souverain ordonne la suspension du droit, pour tous, sur un territoire et pour un temps donnés. La notion de corps d'exception renvoie, quant à elle, à l'idée que seuls certains corps sont soumis au traitement d'exception, mais qu'ils le sont en tout lieu et en tout temps. Les corps d'exception existent en tant qu'ils sont destitués du champ de l'humanité instituée. Ils se trouvent inclus dans l'agencement politique et juridique général en tant qu'incomptés.

C'est d'ailleurs là tout l'intérêt de la notion de « corps d'exception » : celui de ne pas faire l'impasse sur le fait que le racisme et le néocolonialisme sont le résultat d'une construction juridique et étatique. Un grand nombre de dispositifs légaux, d'ajustements administratifs, d'agencements policiers et disciplinaires sont nécessaires à la construction et au maintien du régime d'exception dans lequel un sous-ensemble déterminé de corps sont indéfiniment maintenus et enfermés.

Dans son ouvrage *Colonial Extractions*[20], Paula Butler, professeure au Département d'études canadiennes de l'Université de Trent, démontre que les ressorts institutionnels et idéologiques de l'État de droit et de la loi jouent un rôle crucial dans le projet de domination raciale et économique que constitue l'extraction

19. Sidi Mohammed Barkat, *Le corps d'exception. Les artifices du pouvoir colonial et la destruction de la vie*, Paris, Éditions Amsterdam, 2005.
20. Paula Butler, *Colonial Extractions, op. cit.*, p. 146-161.

contemporaine des ressources mondiales. Le cas de Bulyanhulu lui apparaît emblématique de la manière dont la rhétorique de la « primauté du droit » (« *rule of law* ») est instrumentalisée pour asseoir la domination du droit de propriété capitaliste, tout en renouvelant l'imaginaire colonial, notamment par la construction de sujets dépossédés de droits et renvoyés au statut d'« illégaux ». En se livrant à une analyse discursive de la correspondance entre le Haut-Commissariat du Canada en Tanzanie et le ministère des Affaires étrangères à Ottawa, elle montre comment se construit, petit à petit, la rhétorique qui en vient à légitimer l'utilisation de la force contre ces « illégaux », dépeints comme représentant une « menace pour les Canadiens et les intérêts canadiens ». La correspondance diplomatique canadienne laisse entrevoir les pressions répétées de la part du Canada sur le gouvernement tanzanien pour que celui-ci « résolve » le « problème des mineurs illégaux ». Elle témoigne aussi du mépris de la diplomatie canadienne pour l'indépendance et l'autorité des tribunaux tanzaniens, tout en laissant suggérer qu'Ottawa aurait joué un rôle préoccupant dans la compromission des capacités d'action de l'État tanzanien. Les efforts du Canada pour faire progresser ses intérêts miniers en Tanzanie passe donc, selon Paula Butler, par deux formes « légales » de domination néo-coloniale : d'une part, il aurait agi de concert avec les institutions financières internationales et les sociétés privées pour instaurer un cadre fiscal et règlementaire en Tanzanie qui soit favorable aux investissements étrangers (« *installing "rule of law"* ») ; d'autre part, il aurait fait pression sur le gouvernement tanzanien pour que celui-ci fasse respecter *sa* loi (« *enforcing "rule of law"* »), c'est-à-dire qu'il protège les intérêts « blancs » et discipline les corps de couleur, par la force si nécessaire, cela fût-il contraire aux ordonnances des tribunaux tanzaniens. Cette « division du travail » aurait permis au Canada de préserver son image de « civilité » et de bâtisseur d'avenir progressiste, tout en réservant à l'« Autre sauvage » évoluant dans des « zones de violence » le domaine de la « force brute ».

Sans doute la forme la plus commune d'exercice du pouvoir vis-à-vis des corps d'exception se résume-t-elle le plus souvent à celle du droit souverain qu'avec Judith Revel, philosophe, nous pourrions résumer ainsi : « ne pas faire vivre et laisser mourir[21] ». Sans doute l'*affect* dominant réservé aux corps d'exception n'est-il encore qu'une remarquable indifférence généralisée. Mais le souverain propriétaire n'a pas complètement renoncé à exercer un droit de vie et de mort sur ses sujets. Et son mépris menace toujours de se transformer en haine, dès lors que ceux-ci entendent mettre en acte la citoyenneté qui est leur propre du seul fait de leur appartenance à la communauté des égaux. Dans l'ordre juridique actuel, une politique de terreur, un procédé de police extrême, un acte de pure violence est susceptible de s'exercer contre un sous-ensemble déterminé de corps. Certains corps y sont institués en tant qu'ils sont susceptibles d'être détruits, d'être voués à la mort, si le règne absolu des intérêts privés venait à le commander.

Au nombre des vies précaires, Judith Butler pointe elle aussi celles-là dont le pouvoir a puissance à décider qu'elles ne sont pas dignes de valeur, qu'elles ne comptent pas. Ce sont les vies négligeables, celles que l'on ne saurait reconnaître comme vies, les vies invivables. La vie de centaines de milliers d'Africain.e.s est une vie au rabais, écrit Frantz Fanon[22]. Ces vies-là ne sauraient être pleurées après leur mort, ailleurs que dans la pénombre de la vie

---

21. Michel Foucault, dans ses cours au Collège de France, avait relevé qu'au vieux droit de la souveraineté classique, fondée sur le pouvoir de vie ou de mort du souverain sur ses sujets (« Faire mourir et laisser vivre »), s'était superposé à l'époque moderne un droit nouveau, qu'il résumait ainsi : « faire vivre et laisser mourir ». La philosophe Judith Revel propose à la suite de Foucault l'émergence d'un nouveau paradigme, propulsé par la gouvernementalité néolibérale et qui trouverait son expression notamment dans la gestion des migrants et des réfugiés : « ne pas faire vivre et laisser mourir ». Voir Michel Foucault, *« Il faut défendre la société ». Cours au Collège de France, 1976,* Paris, EHESS/Gallimard/Seuil, 1976.

22. Frantz Fanon, *Pour la révolution africaine. Écrits politiques*, Paris, La Découverte, 2001, p. 200.

publique. Ce sont les vies qui ne méritent pas que l'on en souligne la perte, que l'on en porte le deuil. Ce sont les sans-deuil[23].

Des corps surgissant en tant qu'égaux

Nous n'allons pas quitter cet endroit du tout.
Personne ne va quitter cet endroit pour l'homme blanc[24].
– Buchwadi Mbelwa, mineur de Bulyanhulu, 2002

Il est un autre fait remarquable dans les événements ayant entouré le déplacement forcé de dizaines de milliers de Tanzanien.ne.s de la concession de Bulyanhulu en 1996 : celui de la résistance acharnée que cette communauté devait opposer à la loi des extracteurs de la richesse commune.

Des sources témoignent de la profonde colère des mineurs et de leur détermination ancrée et chevillée à ne pas se laisser réduire à l'état de va-nu-pieds par la minière[25]. Un tel entêtement à la dignité ne devait pas manquer de stupéfier et d'indisposer les représentants de Sutton, comme en témoigne un mémo du directeur de leur filiale tanzanienne datant du printemps 1995 : « Dans des circonstances normales, les entrants *illégaux* ou les occupants d'un site d'exploration ont tendance à se disperser ou à quitter la zone à l'arrivée des propriétaires légaux, mais dans notre cas, il semble y avoir une sorte de *résistance organisée*[26]. » (c'est moi qui souligne)

À la mi-juin, le Comité des mineurs se disait prêt à négocier avec la minière. Refusant d'être condamnés au statut de « réfugiés dans [leur] propre pays », ils exigèrent 5,6 millions de dollars US à titre de compensation pour quitter les terres qu'ils occupaient depuis le milieu des années 1970[27]. Pour toute réponse, elle fut

---

23. Judith Butler, *Qu'est-ce qu'une vie bonne ?*, Paris, Payot & Rivages, 2014.
24. Stephen Kerr et Kelly Holloway, « The men who moil for gold », *op. cit.*
25. *Ibid.*
26. *Ibid.*
27. *Ibid.*

mauvaise, Kahama, la filiale de Sutton, traîna le Comité de mineurs devant les tribunaux. Ceux-ci lui opposèrent une défense « vigoureuse et sophistiquée[28] », tant et si bien que le juge tanzanien leur accorda provisoirement gain de cause, en ordonnant que l'affaire soit référée à un tribunal constitutionnel spécial habileté à se prononcer sur des enjeux de droits fondamentaux[29]. Dans une note diplomatique accablante adressée à Ottawa, le Haut-Commissariat du Canada en Tanzanie déclara que ce jugement de la Haute Cour tanzanienne, pourtant favorable aux mineurs artisanaux, ne devait pas retarder ni faire dérailler les efforts du gouvernement tanzanien visant à les faire déloger[30].

Quand le général Tumaniel Kiwelu, escorté par une horde de policiers anti-émeute, marcha sur le village de Kakola, intimant aux villageois l'ordre de quitter la zone dans les 24 heures (il

28. Dans la motion de rejet déposée en réponse à l'action en justice intentée contre eux, les mineurs artisanaux faisaient valoir des titres de propriété en vertu du droit coutumier ; ils réclamaient une compensation financière dans l'éventualité où ils seraient expulsés ; ils demandaient l'annulation de l'injonction temporaire qu'avait initialement obtenue la minière jusqu'à la conclusion de l'affaire ; et ils demandaient aussi que le procureur général soit ajouté en tant que codéfendeur, au motif que des questions de droits constitutionnels fondamentaux étaient soulevées par l'affaire. Dans Paula Butler, *Colonial Extractions, op. cit.*, p. 151.

29. La Cour annula l'injonction qu'elle avait prononcée contre les mineurs (qui se trouvèrent autorisés par le fait même à poursuivre l'exploitation en attendant l'issue de l'affaire), déclara que l'affaire soulevait des enjeux de droits fondamentaux et ordonna qu'elle soit entendue devant un tribunal constitutionnel spécial. La compagnie canadienne interjeta d'abord appel de cette décision, avant de retirer son appel. L'affaire aurait donc dû être instruite, mais pour des raisons qui n'ont pas été rendues publiques et qui restent floues, aux dires de Butler, cette affaire constitutionnelle n'a jamais été entendue. Dans Paula Butler, *Colonial Extractions, op. cit.*, p. 151.

30. La note, datée du 20 décembre 1995, est citée dans Paula Butler, *Colonial Extractions, op. cit.*, p. 150 : « Nous ne croyons pas que l'action judiciaire en matière d'injonction doit empêcher le gouvernement de prendre des mesures pour résoudre la situation. » (ma traduction) Comme le souligne Paula Butler, les commentaires du diplomate semblent contredire le soutien officiel de l'État canadien au renforcement des systèmes judiciaires indépendants dans les pays africains.

aurait déclaré ne plus vouloir voir que « des oiseaux, des lézards, des insectes et des serpents ») entraînant à l'aube la fuite affolée de dizaines de milliers de Tanzanien.ne.s, une délégation du Comité de mineurs se précipita de nouveau à Tabora devant la Haute Cour de justice, de laquelle ils obtinrent une seconde injonction provisoire, ordonnant l'arrêt immédiat des expulsions. Cette décision devait même entraîner le retour triomphant d'environ 3 000 mineurs, brandissant bannières et drapeaux et célébrant cette seconde victoire légale par des danses et des chants sous le soleil couchant de ce 2 août 1996[31].

Des corps assemblés dans une explosion joyeuse de pure révolte, comme un lieu d'où l'agir politique peut jaillir. Des corps bruyants, que tout vouait au silence, à l'indifférence ou à la mort, par lesquels se noue un événement de parole, dans les failles de la langue légitime. Des corps noirs et de colère, se tenant hors des non-lieux de l'humanité et de l'histoire auxquels ils avaient été assignés. Des corps défendant, inventant une scène de la justice pour l'énonciation d'un *dommage*. Des corps apparaissant « brusquement en tant qu'égaux, dans une situation entièrement réglée par la norme [...] inégalitaire[32] ». « Il y a de la politique, écrit Jacques Rancière, parce que ceux qui n'ont pas droit à être comptés comme êtres parlants s'y font compter et instituent une communauté par le fait de mettre en commun le tort qui n'est rien d'autre que l'affrontement même, la contradiction de deux mondes logés en un seul : le monde où ils sont et le monde où ils ne sont pas[33]. »

Voilà qui a de quoi susciter de la haine, chez les génocidaires de la politique.

31. Stephen Kerr et Kelly Holloway, « The men who moil for gold », *op. cit.*

32. Sidi Mohammed Barkat, « Corps et État. Nouvelles notes sur le 17 octobre 1961 », *Quasimodo*, nº 9, printemps 2006, p. 153-162, <www.revue-quasimodo.org/PDFs/9%20-%20BarkatMohamed.pdf>.

33. Jacques Rancière, *La mésentente. Politique et philosophie*, Paris, Galilée, 1995, p. 49-50.

Cinq jours plus tard, les bulldozers de la Sutton roulaient sur les maisons et les mines de la zone, au mépris le plus absolu de l'ordonnance de la Haute Cour de justice tanzanienne.

La vie de milliers d'Africain.e.s ne fait pas le poids. Le droit du plus fort, le droit souverain de l'intérêt privé, donne raison à la jouissance propriétaire d'une seule *personne morale*.

Plusieurs semaines après l'éviction, dans la correspondance diplomatique qui devait se poursuivre entre Dar es Salam et Ottawa, le colon blanc canadien se désolait encore, devant le constat des intuables « efforts du Comité de mineurs *illégaux* pour réécrire l'histoire[34] ».

34. Paula Butler, *Colonial Extractions, op. cit.*, p. 149.

CONCLUSION

Assigné.e.s à résistance

Les avantages obscènes dont est faite la prospérité d'une poignée de spéculateurs et d'extracteurs des richesses communes donnent à eux seuls la mesure des torts qui s'exercent aujourd'hui contre celles et ceux qui n'ont pas de titre à gouverner. Ils apparaissent sous nos yeux telle une litanie de désastres. Pour qui perçoit l'obscurité de son temps comme une exhortation à agir et à prendre le risque du dire-vrai, l'épreuve de la confrontation avec une « justice » aveugle à *nos* dommages et vouée de fait à *leurs* intérêts est amère et douloureuse. Mais cette mise en abyme de l'injustice nous interpelle, par-delà les convocations et les assignations à comparaître que nous adresse le pouvoir. Elle engage notre responsabilité *autrement* qu'en vertu d'une faute qui nous serait reprochée, *autre part* que devant cette instance surplombante du tribunal qui a le pouvoir de nous juger. L'état de vulnérabilité du monde et de nos semblables nous somme de ne plus rester en retrait et de ne plus nous masquer à nous-mêmes que nous avons toléré l'intolérable. L'ordre inégalitaire, dont il n'est pas vrai qu'il est une fatalité, nous met en demeure de prendre parti. Face à lui, il n'y a pas de neutralité possible. Nous sommes assigné.e.s à résistance.

Sortir de la sidération

> *La justice a une étrange puissance de séduction, ne trouvez-vous pas?*
>
> – Franz Kafka, *Le procès*

La parabole « Devant la loi » est un texte « canonique » de Kafka, qui a fait l'objet d'une multitude de gloses savantes et de tentatives de déchiffrement, sur la transcendance de la loi et son caractère inconnaissable, notamment. La teneur de la parabole est connue: un homme de la campagne se présente devant la loi, demande à y entrer, mais un gardien lui en interdit l'accès. L'homme cherche à soudoyer le gardien, sans succès, puis s'installe toute sa vie dans l'attente et l'espoir qu'on lui permette d'entrer. Tandis qu'il va bientôt mourir, il demande au gardien: « si tout le monde cherche à connaître la Loi, comment se fait-il que depuis si longtemps personne d'autre que moi ne t'ait demandé d'entrer? » Le gardien lui rugit alors à l'oreille: « Personne d'autre n'avait le droit d'entrer par ici, car cette porte t'était destinée, à toi seul. Maintenant je pars et je vais la fermer »...

Que met en scène la parabole? D'une part, un médiocre petit fonctionnaire de la nécessité qui, une vie d'homme durant, est subordonné à l'impératif de faire appliquer des règles absurdes, office qu'il remplit avec zèle et dont il tire jouissance sans se douter que le coût qu'il est amené à consentir est celui de son propre asservissement. D'autre part, un homme qui sacrifie sa vie sur l'autel de sa servitude volontaire à l'égard d'une règle absurde, dont il n'interroge ni ne conteste jamais véritablement les fondements ou la légitimité, mais qu'il contemple néanmoins, toute son existence durant, avec une sorte de fascination mystifiée. Tant et si bien qu'il semble que l'homme de la campagne n'est pas devant la porte d'une loi qu'il ne serait jamais autorisé à connaître ou à franchir que de plain-pied *dans* la loi et *dans* l'assujettissement à la loi, dont il se montre à jamais incapable de sortir.

Sortir de la Loi est le premier effort de déprise auquel nous devons nous atteler. Cela ne signifie évidemment pas de refuser toute loi, ni toute idée de droit, mais plutôt de refuser le rapport de sujétion morale et intellectuelle qu'appelle le statut de « sujet de droit ». Veiller à ne pas fonder notre lien au droit sur un rapport de mystification qui nous ferait renoncer à toute souveraineté, tout regard critique sur les fictions qu'il charrie, sur les réalités qu'il rend opérantes, sur les formes de violence dont il se fait le moteur et l'instrument. Prendre conscience que le crédit que nous accordons au droit n'a rien d'évident. Que notre subordination aveugle s'énonce et replonge aussitôt dans le silence quand il est dit que « la loi c'est la loi ». Reprendre un peu de hauteur face à cette tautologie, dont Barthes disait qu'elle est la « "représentation" indignée des droits du réel contre le langage[1] ». Refuser d'être gouverné par la langue et les catégories du droit, en se réappropriant les termes du débat et en repolitisant les différends.

Raison garder

Il est aujourd'hui une *raison* impeccablement rationnelle et froidement arithmétique taillée sur mesure pour le pouvoir illimité du capital et d'une poignée de décideurs privés. Cette *raison* se réclame de la nécessité, de l'évidence, du bon sens, de la science, du progrès, des lois universelles de l'économie, de celles de l'histoire et même – la goujaterie est sans limites – de la démocratie et de la justice. Elle est le pendant « noble » de la tautologie. Une vérité « qui s'arrête sur l'ordre arbitraire de celui qui la parle[2] ». Cette raison du plus fort aujourd'hui fait sa loi. Elle a pour elle l'usage de la force du droit. Un droit qui entend avoir raison des *déraisonnables* qui auraient le mauvais goût de raisonner hors d'elle ou contre elle.

1. Roland Barthes, *Mythologies*, Paris, Seuil, 1957, p. 241.
2. *Ibid.*, p. 243.

Or, cette *raison* est aujourd'hui au bord du naufrage. Ou plutôt, le monde lui-même est en passe de perdre la raison, précisément parce que cette *raison* le met en péril, conduit à la précarisation extrême des formes d'existence, au mépris et à la destruction d'une multitude de vies, au saccage des formes instituées de solidarité et de justice, à la dévastation de l'environnement terrestre qui permet la vie. Cette *raison* autorise aujourd'hui bien davantage que l'appropriation, l'exploitation, la spoliation ou l'accroissement illimité de la richesse, soit tout ce à quoi référait Proudhon lorsqu'il disait « la propriété, c'est le vol ». Cette *raison* est une catastrophe en progrès, une extension du désert et de la mort dont il n'est pas certain qu'elle épargnera éternellement les « carnassiers complet-cravate[3] » qui pour l'heure en font leur pain quotidien. Cette *raison* est violente. Elle constitue, en ce qu'elle induit dans ses effets, un crime contre l'humanité et contre toute autre forme de vie. Elle est un crime contre la pensée, contre le langage, contre la raison elle-même.

Face à ce viol de la raison, il faut savoir raison garder. Ne pas accepter l'inacceptable. Refuser de quantifier l'incommensurable. Cesser de négocier avec l'insoutenable. Renoncer aux distractions et aux échappatoires. S'arracher à l'insignifiance. Ne plus se satisfaire du « parce que c'est comme ça » que les parents excédés servent à leurs enfants en guise d'explication. Combattre cette « honteuse et lâche peur de penser [qui] nous retient tous[4] ». Ne plus se laisser confisquer la définition du réel, ni s'absenter à sa propre parole.

Raison garder, c'est aussi refuser de concevoir l'inconcevable. Et s'y tenir. Cesser de faire comme si les professions de foi pseudo-rationnelles destinées à endormir les consciences et diffusées à

3. Paul Chamberland, *Nous sommes en guerre*, *op. cit.*, p. 23.
4. Ludwig Börne cité par Jacques Le Ridier, *La censure à l'œuvre. Freud, Kraus, Schnitzler*, Paris, Hermann, 2015, p. 37.

outrance sur des milliards d'écrans permettaient un tant soit peu de surmonter notre consternation. Certaines questions dévoilent d'emblée l'obscénité des réponses qu'elles appellent. « Qu'est-ce qu'il en coûte parallèlement aux populations du Sud pour qu'une action grimpe à la Bourse de Toronto au profit des grands actionnaires et au bénéfice des petits épargnants[5] ? »

S'arc-bouter à un refus de laisser les injustices devenir ordinaires ou *raisonnables* est la seule posture éthique possible. Il s'agit aussi d'une condition pour qu'émerge une raison autre. Une raison qui ne se laisserait pas réduire à la concurrence des égoïsmes privés. Il y a d'autres manières d'avoir « raison » que celle que nous prescrit la raison néolibérale, qui pervertit jusqu'à nos institutions législatives et judiciaires. « C'est encore défendre la raison, écrivait Bourdieu, que de combattre ceux qui s'arment ou s'autorisent de la raison pour asseoir leur domination et justifier leurs abus de pouvoir[6]. »

Dire sa vérité au pouvoir

La responsabilité qu'appellent les temps présents ne saurait en aucun cas être assimilée à celle de ne pas *diffamer* ceux qui ont intérêt à être *fameux* et dont la gloriole est affaire de traficotage. De ces tartuffes contemporains, il faudra, à l'instar des fous rires qu'ils inspirent parfois aux justiciables, apprendre à rire collectivement avant que de retourner aux choses sérieuses…

La vérité du monde social, sa violence, son arbitraire, son injustice nous interpellent dans la nécessité qu'il y a à les regarder en face. Le philosophe Giorgio Agamben définit le contemporain par sa capacité à savoir fixer « l'obscurité de son temps comme une

5. Alain Deneault et William Sacher, *Paradis sous terre, op. cit.*, 2012, p. 111.

6. Pierre Bourdieu, *Contre-feux. Propos pour servir à la résistance contre l'invasion néo-libérale*, Paris, Raisons d'agir, 1998, p. 26.

affaire qui le regarde et n'a de cesse de l'interpeller, quelque chose qui, plus que toute lumière, est directement et singulièrement tourné vers lui[7] ». Or la vérité du monde, c'est sa fausseté[8]. La tâche de la critique est de dévoiler les mécanismes cachés de domination et d'exploitation ; les relations de pouvoir qui s'exercent sur le corps social, qui l'asservissent ou le répriment ; les liens que le travail de sape de la non-pensée s'efforce de disjoindre. De révéler les mensonges, les dénis et l'irrationalité d'institutions qui, sous couvert d'être neutres, indépendantes et raisonnables, exercent de la violence et perpétuent un ordre inégalitaire, en particulier celles qui se revendiquent et s'autorisent de la justice, en lui faisant dire et faire ce qu'elles veulent, par exemple son contraire. De se réapproprier un langage détourné et perverti. De « tricher la langue » de l'adversaire, en retrouvant, peu à peu, le sens des mots confisqués.

La fausseté du monde et des institutions est telle que la recherche de la vérité apparaît d'emblée comme une activité subversive, déstabilisatrice, contestataire, oppositionnelle[9]. Les mots ont le pouvoir de faire advenir à la conscience certaines réalités parce qu'ils les *nomment*. La parole est dotée de cette faculté de rendre visible ce qui, précisément, devrait sauter aux yeux mais qui n'est pas perçu. De faire apparaître le scandale dans « l'invisible déjà vu[10] ». D'anéantir l'idéologie apologétique qui permet à une classe de consolider son hégémonie, d'enraciner ses fausses évidences dans la conscience commune et de justifier l'injustifiable. Il est de notre devoir, écrit Foucault, de « toujours faire valoir aux yeux et aux oreilles des gouvernements les malheurs des hommes et des femmes dont il n'est pas vrai qu'ils ne sont pas responsables ». Ce

---

7. Giorgio Agamben, *Qu'est-ce que le contemporain ?*, Paris, Payot et Rivages, 2008, p. 22.
8. Geoffroy Lagasnerie, *Penser dans un monde mauvais*, Paris, PUF, 2017.
9. *Ibid.*
10. Pierre Bourdieu, « À propos de Karl Kraus et du journalisme », *Actes de la recherche en sciences sociales*, vol. 131-132, 2000, p. 124.

malheur, disait-il encore, « fonde un droit absolu à se lever et à s'adresser à ceux qui détiennent le pouvoir[11] ».

Défendre la justice devant le droit

Les perpétuelles exhortations à la confiance que nous assènent les gens de justice n'ont rien d'évident (ne serait-ce d'ailleurs que sur le strict plan de la logique et de l'efficacité, celles-ci contribuant davantage, s'il est une chose, à attiser la méfiance). L'idée que la confiance envers les tribunaux serait garante de la démocratie nous semble devoir être prise radicalement à contre-pied.

Le droit, comme l'a amplement démontré la philosophie politique, est dans un rapport intrinsèque avec la force, avec une certaine forme de violence fondatrice et conservatrice, idée qui se trouve d'ailleurs contenue dans l'expression « *enforce the law* ». La justice, quant à elle, est réfractaire à la domestication par le droit. Elle n'existe pas, comme l'écrit Jacques Rancière, là où l'on s'occupe seulement d'empêcher que les individus ne se fassent des torts et où l'on se contente de rééquilibrer la balance des profits et des dommages[12]. L'infinie responsabilité qu'appellent la fragilité des vies et la vulnérabilité du vivant ne saurait être contractualisée, ni réduite à l'obligation de ne pas léser celles-ci. La justice est un au-delà du droit et, en cela, elle l'excédera toujours.

L'hétérogénéité fondamentale entre le droit et la justice fonde un devoir absolu et inconditionnel à faire valoir cet écart, cet intervalle, cette non-réciprocité. Elle nous renvoie à cette nécessité qu'avec Derrida, nous pourrions nommer la « déconstruction » du droit. L'enjeu démocratique suppose de défendre, contre les droits du réel, cette exigence inconditionnelle de justice. Cela suppose

11. Michel Foucault, « Face aux gouvernements, les droits de l'homme », *Libération*, 30 juin-1er juillet 1984.

12. Jacques Rancière, *La mésentente. Politique et philosophie*, Paris, Galilée, 1995.

aussi de travailler inlassablement à « lever la supercherie qui consiste à faire passer le droit pour la justice, le légal pour le légitime, la force pour la norme[13] ». De se réapproprier radicalement l'enjeu de la justice, qui excède toute propriété légale. De se déprendre des catégories avec lesquelles le droit nous somme de la penser. De « profaner » le droit, au sens où l'entend Agamben, en cela qu'il s'agit de restituer à l'usage commun les discours sur la justice, dont le droit ne saurait avoir le monopole.

Reprendre courage

Michel Foucault a fait valoir de la *parrêsia*, comme vertu politique, qu'elle constituait le fondement éthique de la démocratie. La *parrêsia* renvoie à la prise de parole vraie, engagée et risquée. Il s'agit d'un franc-parler scandaleux, inextricablement noué à une recherche de vérité et de justice. Elle est un dire-vrai dans la mesure où elle engage la conviction et l'éthique de celle ou celui qui parle. La *parrêsia*, c'est avoir le « courage de la vérité[14] ».

Si le *parrèsiaste* doit faire preuve de « courage », c'est que sa parole sous-tend un prix à payer et que la vérité qu'il fait éclater dans le scandale l'expose à des risques. Le risque de défaire sa relation avec celui à qui il s'adresse, d'attirer sur lui la haine et la fureur, voire d'y laisser sa peau. Foucault avait fait de Socrate la figure emblématique du courage de la vérité. Or Socrate, on le sait, a été condamné à mort par ses juges…

Le pacte démocratique suppose de l'État qu'il ne tue pas ses *parrèsiastes*, même si ceux-ci heurtent et dérangent par leurs paroles. Cela supposerait aussi qu'il renonce à les livrer aux chiens.

13. Cynthia Fleury, *La fin du courage*, Paris, Fayard, 2010, p. 75.
14. Michel Foucault, *Le courage de la vérité. Le gouvernement de soi et des autres II. Cours au Collège de France (1983-1984)*, Paris, EHESS/Gallimard/Seuil, 2009.

C'est quand tout conspire contre l'espérance que nous nous découvrons devant l'exigence de *faire preuve* de courage. Bien sûr, le courage est aussi une affaire de collectif et de mise en commun. La politique, c'est l'invention turbulente et jubilatoire de communautés de courage. Par nos paroles, par nos écrits, par nos luttes, nous prenons le risque de heurter nos juges; nous les interpellons en tant qu'égaux, par-delà l'enceinte de leur tribunal. Nous faisons valoir une certaine exigence de vérité face à leur loi, non par provocation, impudence ou vaine témérité, mais par fidélité à une éthique et au monde dont nous avons le souci. Nous défendons le *droit* de cité d'une *raison* de l'égalité et de la générosité, d'une exigence de *justice* aujourd'hui meurtrie d'incommensurables *dommages* et d'une *démocratie* dont nous avons toujours la charge.

Quant aux éventreurs de la Terre, aux écraseurs d'humanité, aux exploiteurs de gisements humains, aux creuseurs de tombes, aux bouffeurs de dividendes, aux enfouisseurs de mémoire, aux prédateurs de mots, aux abuseurs de conscience, aux dilapidateurs de sens, aux pollueurs de langage et à tous leurs laquais en or, avec James Joyce, nous leur disons: «Pressez-nous, nous sommes des olives.»

ANNEXE 1

Chronologie de l'affaire

9 janvier 2008 – Parution dans *Le Devoir* de l'article « Un bon gars, le Canada ? » de Guy Taillefer, dans lequel est annoncée la publication prochaine de l'ouvrage *Noir Canada. Pillage, corruption et criminalité en Afrique* aux Éditions Écosociété.

> Deneault et bien d'autres s'en prennent au réflexe que nous avons de réduire le conflit qui perdure dans les Grands Lacs, s'articulant autour du « pillage » à grande échelle des ressources naturelles, à des affrontements ethniques et africo-africains n'ayant jamais engagé que la RDC, le Rwanda et l'Ouganda, « comme si la crise n'était point l'œuvre, en très grande partie, de sociétés minières et pétrolières occidentales, majoritairement canadiennes, qui plus est ».

10 avril 2008 – Mise en demeure de la société aurifère Barrick Gold Corporation adressée aux trois auteur.e.s de *Noir Canada*, Alain Deneault, Delphine Abadie et William Sacher, ainsi qu'aux membres du conseil d'administration des Éditions Écosociété : « Nous pouvons aisément démontrer que les allégations voulant que des mineurs aient été enterrés vivants en Tanzanie, soit par Barrick, soit par Sutton, sont dénuées de tout fondement. [...] Nous demandons qu'Écosociété prenne immédiatement tous les moyens nécessaires afin de s'assurer que tous les passages du livre *Noir Canada* ayant trait à Barrick soient exacts avant que le livre ne soit mis en circulation [...] Si Écosociété refuse de se plier à ces demandes, ce sera à ses risques et périls. Si Écosociété procède au lancement du livre prévu le 11 avril et met en circulation ne serait-ce qu'une copie du livre *Noir Canada* contenant des allégations fausses et diffamatoires à l'endroit de Barrick, tel que semblent le suggérer les informations divulguées sur le site web d'Écosociété, Barrick n'hésitera pas à intenter des procédures [...]. Soyez assurés que Barrick demandera, entre autres, des dommages et intérêts substantiels contre chacune des personnes visées par la présente lettre. »

11 avril 2008 – Lancement sans livre de *Noir Canada* à la Cinémathèque québécoise de Montréal.

13 avril 2008 – Réunion extraordinaire aux locaux des Éditions Écosociété pour décider de la suite des choses. Sont présent.e.s les auteur.e.s de *Noir Canada*, les employé.e.s et les membres du conseil d'administration de la maison d'édition ainsi que leur avocat, Me Normand Tamaro. *Noir Canada* est déjà entre les mains des journalistes ainsi que chez le distributeur dans les boîtes destinées aux librairies. Il est décidé de ne pas retarder la sortie du livre.

15 avril 2008 – Sortie officielle de *Noir Canada* en librairie.

17 avril 2008 – Parution dans *Le Devoir* du texte « Pour la liberté d'expression » signé par un collectif de chercheur.e.s et professeur.e.s associé.e.s à l'Université de Montréal et à l'Université du Québec à Montréal (UQAM) : Martin Blanchard, Frédéric Bouchard, Ryoa Chung, Peter Dietsch, Francis Dupuis-Déri, Georges Leroux, Laurence McFalls, Denis Monière, Dario Perinetti, Christian Nadeau, Michel Seymour et Christine Tappolet.

> S'il est une vertu qui définit la démocratie, c'est la vigilance d'auteurs comme Alain Deneault et leur droit à la contestation. Dans nos sociétés, ce droit doit être protégé, même s'il nous dérange et nous oblige à faire face à nos responsabilités. C'est pourquoi nous exprimons ici notre entière solidarité avec les auteurs de *Noir Canada*. Le ministre Dupuis doit nous aider dans cette lutte à armes inégales.

29 avril 2008 – Dépôt par Barrick Gold d'une poursuite en diffamation et d'une demande d'injonction contre les trois auteur.e.s de *Noir Canada* et les Éditions Écosociété, réclamant cinq millions de dollars pour dommages moraux compensatoires et un million de dollars de dommages punitifs.

5 mai 2008 – Conférence de presse des Éditions Écosociété et de l'auteur Alain Deneault pour annoncer le dépôt de la poursuite de Barrick Gold de six millions de dollars, solliciter le soutien de la population et réclamer l'adoption par l'Assemblée nationale du Québec d'une loi visant à protéger les citoyen.ne.s et les organisations contre les poursuites-bâillons.

12 mai 2008 – Lancement d'un site internet de solidarité avec Écosociété (le site n'est plus en ligne), sur lequel citoyenn.e.s et organismes peuvent signer une pétition de soutien, faire un don au fonds de défense juridique et envoyer une lettre au ministre de la Justice pour l'adoption urgente d'une loi qui protège les conditions du débat public. Au fil des mois, la pétition est endossée par quelque 13 000 signataires, dont plus de 300 organisations et plusieurs personnalités publiques.

11 juin 2008 – Conférence de presse devant le palais de justice de Montréal réunissant les Éditions Écosociété, le Réseau québécois des groupes écologistes (RQGE), la Ligue des droits et libertés et l'Association québécoise de lutte contre la pollution atmosphérique (AQLPA). Les groupes réclament le dépôt d'un projet de loi visant à protéger les individus et les groupes contre les poursuites-bâillons.

11 juin 2008 – Dépôt par Banro Corporation d'une poursuite en diffamation de cinq millions de dollars contre les auteur.e.s de *Noir Canada* et les Éditions Écosociété devant la Cour supérieure de justice de l'Ontario. Les Éditions Écosociété et les auteur.e.s de *Noir Canada* doivent désormais se défendre dans deux juridictions différentes.

12 juin 2008 – Spectacle de solidarité avec Écosociété. Les Zapartistes, Tomas Jensen, Ève Cournoyer, Ivy, Jérôme Minière, Jean-François Lessard, Kumpa'nia et Adama Zon montent sur scène pour défendre la liberté d'expression.

13 juin 2008 – Dépôt du projet de loi nº 99 par le ministre de la Justice du Québec, Jacques Dupuis, intitulé *Loi modifiant le Code de procédure civile pour prévenir l'utilisation abusive des tribunaux et favoriser le respect de la liberté d'expression et la participation des citoyens aux débats publics.* Le dépôt du projet de loi nº 99 fait suite à une vaste mobilisation citoyenne en faveur de l'adoption d'une loi dite « anti-SLAPP ».

21 août 2008 – Dépôt par les Éditions Écosociété et les auteur.e.s. de *Noir Canada* de leur défense devant la Cour supérieure du Québec.

21 août 2008 – Parution dans *Le Devoir* de l'article « Savoir et se taire » de Pierre Noreau, professeur à la Faculté de droit de l'Université de Montréal.

> Sur une autre échelle, les poursuites-bâillons (SLAPP) entreprises par l'industrie minière contre les auteurs de l'ouvrage *Noir Canada* et la maison d'édition Écosociété révèlent la fragilité du statut du chercheur et le risque que courent les intellectuels et les penseurs dans notre société. Chercher à comprendre notre monde devient une activité risquée, surtout si on a le mauvais goût de faire savoir ce qu'on y découvre. […] Un simple constat devient rapidement une dénonciation… notamment lorsque le silence tue, menace la santé publique, favorise l'exploitation d'un groupe par un autre ou fait craindre le pire pour l'avenir de la planète. […]
>
> On sait que c'est la fonction première des médias de rendre ce débat possible, mais c'est aussi celle de la recherche contemporaine. Elle doit éclairer les choix auxquels nous sommes tenus. Elle devient dans ce sens une condition de la vie démocratique. La mise en œuvre de cet impératif nécessite la reconnaissance de l'immunité dont doit être

revêtu le monde de la recherche. Elle réside dans la liberté de parole qui doit être reconnue au chercheur et au penseur dans notre société.

23 août 2008 – Parution dans *Le Devoir* du texte « *Noir Canada*: le test de la démocratie canadienne », signé par les trois auteur.e.s de *Noir Canada*, Alain Deneault, Delphine Abadie et William Sacher.

> Les sources que *Noir Canada* relève sont si éminentes et nombreuses que cette documentation, dans un État de droit digne de ce nom – un État dont les dirigeants seraient effectivement épris de justice et du bien public –, appellerait qu'on ouvre des enquêtes ou constitue une commission comme on l'a fait ailleurs dans le monde. Il n'en est rien. Pis, ce sont aujourd'hui les messagers – les auteurs et l'éditeur de *Noir Canada* – qu'on assigne au banc des accusés, pour avoir osé citer des sources (l'ONU, le Congrès américain, les journalistes Braeckman et Johnson, les experts Madsen et Willame, les grandes ONG…) pourtant universellement connues et reconnues. […] Même les documents des sociétés qui nous attaquent font ouvertement état des allégations que collige *Noir Canada*, signe qu'ils sont constitutifs de l'espace public.

4 septembre au 26 novembre 2008 – Interrogatoires hors cour des défendeurs, entre le 4 septembre et le 26 novembre 2008, pour une durée totale de 20 jours. Un bon nombre de ces interrogatoires ont lieu dans les bureaux de la partie adverse, au centre-ville de Montréal.

8 septembre 2008 – Interrogatoire hors cour, par un mandataire des défendeurs, de Patrick J. Garver, alors vice-président et directeur des affaires juridiques de Barrick Gold.

17 septembre 2008 – Parution dans *Le Devoir* d'une lettre ouverte de Patrick J. Garver, vice-président directeur et directeur des affaires juridiques de Barrick Gold.

> On ne soulignera jamais assez que toute personne ou entreprise a le droit et même le devoir, en tant qu'acteur social responsable, de

> défendre sa réputation devant des accusations sans fondement. L'objectif de notre poursuite est de défendre notre réputation en rétablissant les faits pour faire ressortir la vérité. C'est la parution du livre *Noir Canada. Pillage, corruption et criminalité en Afrique* qui est à l'origine de cette affaire. [...] Toute personne qui se serait donné la peine de lire attentivement le livre *Noir Canada* et d'analyser les sources auxquelles il se réfère aurait clairement vu qu'il est totalement inexact de qualifier notre action de poursuite-bâillon. Le débat ne porte pas sur le rapport de force entre Barrick et l'éditeur ou les auteurs du livre. La poursuite vise simplement à rétablir les faits et la réputation de Barrick. Barrick est une entreprise privée canadienne qui fait l'objet de fausses accusations et qui compte sur sa réputation afin de maintenir une relation de confiance avec ses 100 000 actionnaires, ses 20 000 salariés et le grand nombre de communautés au sein desquelles elle opère. [...] Notre action en justice ne s'oppose pas à l'examen public de ces questions, contrairement à ce que les auteurs prétendent. Elle garantit, au contraire, qu'il y ait un débat public transparent afin de les résoudre et de faire éclater la vérité au grand jour, de façon impartiale.

19 septembre 2008 – Mise en demeure de Barrick Gold intimant les défendeurs de cesser de qualifier publiquement leur poursuite de « poursuite-bâillon ». Elle avise les auteur.e.s et l'éditeur de *Noir Canada* qu'ils s'exposent le cas échéant à davantage de dommages punitifs et que cela rendra d'éventuelles excuses ou rétractations publiques « encore plus difficiles et embarrassantes ».

25 septembre 2008 – Parution dans *Le Devoir* d'une lettre d'opinion du poète Paul Chamberland, « Une confiscation du débat public ».

> L'acharnement vindicatif de la compagnie minière canadienne Barrick Gold à l'endroit des Éditions Écosociété et des auteurs de l'ouvrage *Noir Canada* ne plaide guère en faveur de la bonne foi qu'elle affiche quand elle invoque le respect de la justice pour défendre ses intérêts. Adresser une mise en demeure qui interdit à ses opposants l'usage de certains mots, en l'occurrence l'expression « poursuite-bâillon », est un geste qui porte beaucoup plus à conséquence que la poursuite

elle-même. En tentant de judiciariser le simple fait d'appeler un chat un chat, elle s'arroge la prérogative exorbitante et carrément indue de « breveter » un bien commun inaliénable parce que ne faisant qu'un avec ce qui fait l'être de l'homme : le langage, la parole.

29 septembre 2008 – Parution dans *Le Devoir* du texte « Le discours orwellien de Barrick Gold », signé par Pascale Dufour, Denis Monière, Normand Mousseau, Christian Nadeau et Michel Seymour, professeur.e.s à l'Université de Montréal, ainsi que Isabelle Baez, chargée de cours à l'Université du Québec à Montréal (UQAM).

> Au-delà du discours surréel de M. Garver, la poursuite de Barrick Gold est une attaque directe contre la liberté de recherche universitaire et la quête de vérité, essentielles à toute société démocratique. Elle nie, en bloc, le droit à la citation de sources crédibles et au débat sur les faits et les interprétations, qui représentent la base même du travail intellectuel. S'il est impossible d'étudier et de discuter de sujets qui déplaisent aux riches entreprises de ce monde dans un pays comme le Canada, sous peine de poursuites à répétition, qui pourra le faire ?
>
> Si Barrick Gold voulait vraiment un débat public et transparent, elle pourrait le faire en suivant les normes scientifiques utilisées par les auteurs de *Noir Canada*. Elle a un droit de réplique. Le milieu universitaire, auquel nous appartenons, sait depuis longtemps gérer les débats et les désaccords et résoudre les conflits.
>
> La poursuite démesurée de Barrick Gold montre clairement que, contrairement à ce qu'elle prétend, elle n'a aucune envie d'un débat transparent. C'est une perte pour le monde universitaire, tout comme pour le débat public au Canada, et il est temps que les gouvernements mettent en place des dispositifs limitant ce genre de poursuites abusives.

6 et 7 octobre 2008 – Interrogatoire hors cour d'Alain Deneault par les avocats de Banro, à Toronto, relativement à la requête des défendeurs que la poursuite en Ontario soit déclarée *forum non conveniens*.

7 octobre 2008 – Dépôt du mémoire des Éditions Écosociété et comparution de Guy Cheney, alors coordonnateur de la maison d'édition, à la Commission des institutions de l'Assemblée nationale du Québec dans le cadre de l'étude du projet de loi n° 99.

14 octobre 2008 – Invalidation de l'interrogatoire d'Alain Deneault par Banro en raison d'un vice de procédure. Le témoignage qu'a livré l'auteur, en français, lors de son interrogatoire des 6 et 7 octobre, n'apparaît dans la transcription officielle de Banro que sous la forme traduite qu'en a fournie l'interprète. L'interrogatoire est par conséquent nul et non avenu et ne peut être utilisé dans le cadre du procès.

20-21 octobre 2008 – Audition, par la Cour supérieure de justice de l'Ontario, de la requête des défendeurs en *forum non conveniens*, visant à rapatrier la poursuite de Banro Corporation au Québec.

22 octobre 2008 – Dépôt d'un mémoire et comparution de la société aurifère Barrick Gold à la Commission des institutions de l'Assemblée nationale du Québec sur le projet de loi n° 99. Le nom de la société Barrick Gold fut ajouté tardivement à l'horaire détaillé des auditions publiques, ce qui laisse supposer que sa comparution n'était pas prévue initialement.

5 novembre 2008 – Déclenchement d'élections générales par le premier ministre Jean Charest, entraînant la mort au feuilleton du projet de loi n° 99.

1er décembre 2008 – Parution dans *Le Monde diplomatique* de l'article « Balkanisation et pillage dans l'Est congolais », signé par Alain Deneault, Delphine Abadie et William Sacher, auteur.e.s de *Noir Canada*.

21 janvier 2009 – Dépôt par Barrick d'une requête amendée, moins d'une semaine après la remise du document de clôture des défendeurs à la Cour (15 janvier 2009). Les défendeurs doivent s'atteler à la rédaction d'une défense amendée.

1er février 2009 – Parution dans *Le Trente* de l'article « Justice et médias : on avance ou on recule ? » de Pierre Trudel.

> Au Québec, le droit de la diffamation est régi par les principes du droit civil qui privilégie nettement le droit de ceux qui se disent « victimes » d'atteinte à leur réputation, à leur vie privée et à leur image. [...] Les poursuites-bâillons sont encouragées par la portée étendue qui est donnée au droit à la réputation. En droit québécois, ce droit bénéficie d'une troublante suprématie sur la liberté d'expression au point d'avoir l'allure d'un droit de faire taire les critiques.

5 février 2009 – Parution dans *Le Devoir* de l'article « Barrick Gold – Liste noire » de Guy Taillefer.

> La Norvège vient de donner au monde une belle leçon de responsabilité éthique en plaçant sur liste noire la minière canadienne Barrick Gold, basée à Toronto. Après enquête à la mine de Porgera, en Papouasie-Nouvelle-Guinée, le gouvernement norvégien a décidé d'exclure Barrick, première compagnie aurifère à l'échelle mondiale, de son fonds d'investissement d'État, reprochant en termes on ne peut plus clairs à la minière d'y mener des activités « qui comportent un risque inacceptable de dommages majeurs et irréversibles à l'environnement ». [...]
>
> Barrick, c'est aussi l'entreprise qui poursuit pour six millions les auteurs de l'essai québécois intitulé *Noir Canada*, un ouvrage qui dénonce vertement le comportement des minières canadiennes en Afrique. Aux reproches bien documentés que vient de lui faire le gouvernement norvégien, Barrick a réagi avec son impénitence habituelle.

23 février 2009 – Rejet par la Cour supérieure de justice de l'Ontario de la requête des défendeurs en *forum non conveniens*. La Cour réclame aux défendeurs 13 000 $ de frais judiciaires pour une journée et demie d'audience. Elle leur ordonne également de verser 9000 $ à la partie requérante.

5 mars 2009 – Rassemblement devant le palais de justice de Montréal à l'initiative des Éditions Écosociété, du Réseau québécois des groupes écologistes (RQGE), de la Ligue des droits et libertés et de l'Association québécoise de lutte contre la pollution atmosphérique (AQLPA). Une trentaine d'organisations et plusieurs dizaines de manifestant.e.s réclament l'adoption d'un projet de loi visant à prévenir et à protéger les individus et les groupes des poursuites-bâillons avant juin 2009.

19 mars 2009 – Nouvelle requête de Barrick Gold devant la Cour supérieure du Québec pour interroger un tiers qu'elle estime « impliqué dans la commission préjudiciable à l'origine de son recours contre les défendeurs ». Le tiers en question a participé à deux événements tenus à Toronto, que Barrick qualifie dans sa requête d'*Anti-Barrick meeting* et de *Munk Center Ambush*, et durant lesquels William Sacher, auteur de *Noir Canada*, est intervenu pour traiter du contenu de l'ouvrage. Les avocats de Barrick Gold plaident la « nécessité » de cet interrogatoire pour la poursuite de leur dossier.

25 mars 2009 – Interruption par Écosociété, sur les conseils de leurs avocats ontariens, de toute distribution de *Noir Canada* en Ontario. De leur côté, les auteur.e.s se résignent à ne plus parler publiquement de leur ouvrage dans cette province.

1er avril 2009 – Parution de l'article « Pendant les poursuites, le pillage canadien se poursuit » dans la revue *Alternatives*, signé par Alain Deneault, Delphine Abadie et William Sacher, auteur.e.s de *Noir Canada*.

> Au Parlement, le Bloc québécois et le NPD se mobilisent pour que le gouvernement conservateur encadre minimalement l'industrie minière canadienne. Une demande maintes fois exprimée par de nombreuses ONG. Malheureusement, les poursuites-bâillons dont sont victimes les auteurs de *Noir Canada* et la maison d'édition

Écosociété sont de nature à museler toute réflexion critique sur ces enjeux. À l'instar du gouvernement norvégien, l'heure est venue pour Ottawa de faire la lumière sur les innombrables allégations d'abus attribuées aux sociétés minières canadiennes en Afrique et ailleurs sur la planète.

3 avril 2009 – Étude à la Chambre des communes du Canada de la motion demandant à ce que le projet de loi C-300, *Loi sur la responsabilisation des sociétés à l'égard de leurs activités minières, pétrolières ou gazières dans les pays en développement*, soit lu pour la deuxième fois et renvoyé à un comité. Commentant le projet de loi libéral, le député fédéral Richard Nadeau (Bloc québécois, circonscription de Gatineau) soumet l'analyse détaillée du collectif Ressources d'Afrique sur ces questions, tout en faisant état des « cas emblématiques cités dans *Noir Canada* relativement au rôle préjudiciable des sociétés minières canadiennes en Afrique ».

6 avril 2009 – Rejet par la Cour supérieure du Québec de la requête de Barrick Gold pour interroger un tiers (voir l'entrée du 19 mars 2009) au motif que « le critère de la nécessité du témoignage du tiers que la demanderesse souhaite interroger n'a pas été établi ». Dans son jugement, la juge Guylène Beaugé rappelle que « le Code de procédure civile ne permet pas d'interroger à l'infini jusqu'à ce qu'une partie obtienne toutes les informations qui lui semblent utiles pour préparer son procès. En outre, un tel procédé enfreindrait le principe de proportionnalité édicté à l'article 4.2 du Code de procédure civile, qui vise à assurer que la justice civile demeure un service accessible par la raisonnabilité des coûts et des délais. »

7 avril 2009 – Dépôt par la ministre de la Justice du Québec, Kathleen Weil, du projet de loi n° 9 intitulé *Loi modifiant le Code de procédure civile pour prévenir l'utilisation abusive des tribunaux et favoriser le respect de la liberté d'expression et la participation des citoyens aux débats publics*, qui reprend en substance le projet de loi n° 99.

27 avril 2009 – Parution dans *Le Devoir* de l'article « Le Canada, paradis judiciaire de l'industrie minière », par Alain Deneault, Delphine Abadie et William Sacher, auteur.e.s de *Noir Canada*.

> Le gouvernement fédéral et l'opposition libérale consacrent ces jours-ci le Canada comme paradis judiciaire des industries extractives à l'échelle mondiale. Le rapport gouvernemental intitulé *Renforcer l'avantage canadien*, paru en mars dernier, se présente comme une « stratégie de responsabilité sociale des entreprises pour les sociétés extractives canadiennes présentes à l'étranger ». Il se contente pourtant d'officialiser les lacunes de la juridiction canadienne quant à l'encadrement de son industrie controversée. [...]
>
> Les autorités canadiennes continueront d'observer un noir silence face aux allégations sérieuses à l'étranger de destruction environnementale, de pillage, de contrebande, d'évasion fiscale, d'expropriation violente et d'abus économiques qui pèsent contre les sociétés qu'elles « encadrent ». Elles continueront plutôt de faciliter la spéculation boursière autour d'actifs acquis à l'étranger potentiellement dans des conditions controversées, de prévoir des modalités lâches de divulgation d'informations et de maintenir un vide juridique quant aux abus que les entreprises d'ici pourraient commettre à l'extérieur de nos frontières.

3 juin 2009 – Adoption à l'unanimité du projet de loi n° 9 par l'Assemblée nationale du Québec. La *Loi modifiant le Code de procédure civile pour prévenir l'utilisation abusive des tribunaux et favoriser le respect de la liberté d'expression et la participation des citoyens aux débats publics* est sanctionnée le 4 juin 2009 et entre en vigueur le même jour. Elle devient le chapitre 12 des Lois du Québec de 2009.

10 juin 2009 – Remise par la Ligue d'action nationale du prix Richard-Arès du meilleur essai québécois de 2008 à Alain Deneault, Delphine Abadie et William Sacher pour *Noir Canada. Pillage, corruption et criminalité en Afrique*. Le prix Richard-Arès est décerné chaque année depuis 1991 à l'auteur d'un essai publié au Québec qui témoigne d'un engagement à éclairer nos concitoyen.ne.s sur les grandes questions d'intérêt national. Le jury a unanimement estimé que l'ouvrage *Noir Canada* devait être salué « à cause de son impact majeur sur la société québécoise », selon le communiqué.

9 décembre 2010 – Parution dans *Le Devoir* de l'article « *Noir Canada* – Le pouvoir… contre le savoir ? » de Pierre Noreau, professeur à la Faculté de droit de l'Université de Montréal. Le texte est cosigné par 33 professeur.e.s de droit.

> Derrière ces questions de « prépondérance de preuve », s'en pose cependant une autre, beaucoup plus importante encore, qui empêche que ce débat soit tranché sur la base d'arguments strictement techniques : c'est celle des conditions de la vie démocratique. Le principe démocratique suppose que chaque citoyen puisse contribuer à sa façon aux débats qui traversent sa propre société. Cette participation suppose une claire compréhension des problèmes dans lesquels nous nous trouvons collectivement engagés. Faut-il exploiter les gaz de schiste, confier à l'entreprise privée la gestion de notre système de santé ou participer à un conflit armé, toutes ces questions supposent une analyse éclairée des citoyens.
>
> Il en va de même de l'appréciation que nous sommes en droit de faire de l'activité des sociétés commerciales, détentrices d'un statut juridique de droit canadien lorsqu'elles exportent notre savoir-faire et notre réputation collective. C'est la première condition de la fonction intellectuelle de venir éclairer cette discussion constante de la société avec elle-même. Dans ce sens, les auteurs de *Noir Canada* n'ont sans doute rien fait de plus que le travail auquel on s'attend des penseurs et des chercheurs au sein de chaque collectivité.

10 décembre 2009 – Parution dans *Le Devoir* de la lettre « Où en est la liberté d'expression au Québec et au Canada ? » cosignée par un collectif de 67 juristes de formation et de profession, à l'occasion de l'anniversaire de la Déclaration universelle des droits de l'homme.

> Nous sommes préoccupés par l'impact des poursuites intentées par Barrick Gold Corporation et Banro Corporation sur la liberté d'expression, l'accès à l'information, l'accès à la justice, le débat public et

la recherche universitaire. Mais nous sommes également préoccupés par les nombreuses violations des droits fondamentaux en Afrique sur lesquelles l'essai *Noir Canada* demande que la lumière soit faite. Si nous évitons de nous interroger aujourd'hui sur la responsabilité des compagnies canadiennes à l'étranger, c'est à notre pensée critique libre que nous renonçons. En cette Journée mondiale des droits de l'homme, nous, juristes et citoyens, voulons réitérer l'importance d'un ouvrage tel que *Noir Canada* et exprimer notre solidarité envers les Éditions Écosociété ainsi qu'envers les auteurs Delphine Abadie, Alain Deneault et William Sacher.

22 avril 2010 - Spectacle « La parole est d'or » pour le deuxième anniversaire de la parution de *Noir Canada* avec Paul Ahmarani, Paul Chamberland, Alain Deneault, Francis Dupuis-Déri, Berin Dzangué, Lomomba Emongo, Jean-François Lessard, Maia Loinaz et Nadine Walsh.

4 juin 2010 - Audition et rejet sur le banc, par la Cour d'appel ontarienne, de la requête des défendeurs en *forum non conveniens* visant à rapatrier la poursuite de Banro Corporation au Québec. Moins de 100 exemplaires de l'ouvrage ont été distribués en Ontario.

8 décembre 2010 - Dépôt par les défendeurs d'une requête en déclaration d'abus et rejet de la poursuite de Barrick devant la Cour supérieure du Québec, en vertu de la loi 9. Ils en font l'annonce publique devant le palais de justice de Montréal, entourés de plusieurs dizaines de manifestant.e.s qui dénoncent ce qu'ils considèrent être une « poursuite-bâillon ».

25 mars 2011 - Audition par la Cour suprême du Canada de la requête des défendeurs en *forum non conveniens*.

12 août 2011 - Jugement de la Cour supérieure du Québec, sous la présidence de l'honorable Guylène Beaugé, dans *Barrick Gold Corporation* c. *Les Éditions Écosociété inc.* [2011 QCCS 4232] sur une requête des défendeurs pour déclaration d'abus d'une demande en justice et pour rejet de la requête introductive d'instance.

> Ce n'est pas parce que Barrick pourrait avoir gain de cause au fond que le Tribunal doit conclure à l'absence d'abus dans l'exercice de son droit. Bien que *prima facie* – et après l'analyse de la preuve sommaire administrée de part et d'autre à ce stade-ci – Barrick puisse sembler compter sur des arguments sérieux au soutien de son action, le Tribunal doit sanctionner l'apparence d'abus procédural. Le fait de voir son recours accueilli au terme d'un procès ne justifie pas tous les comportements dans la conduite d'une instance judiciaire.

La Cour voit dans le « comportement en apparence si immodéré » de Barrick Gold matière à inférer « qu'au-delà du rétablissement de sa réputation, Barrick semble chercher à intimider les auteurs ».

> Le Tribunal ne peut ici remédier à l'apparence d'abus procédural par le rejet de l'action, car devant la gravité des imputations de *Noir Canada* (comme par exemple, la participation de Barrick à un homicide massif, ou encore son soutien à des groupes armés), les auteurs n'offrent à première vue pour seule défense, au demeurant peu convaincante, que la rhétorique de l'allégation. Or, ils ne sauraient y trouver une immunité, ni se retrancher derrière la mise en garde contenue à l'introduction de *Noir Canada* [...].

La Cour maintient à Barrick Gold le droit à un procès, déclare que sa requête présente une apparence d'abus et lui ordonne d'octroyer aux auteur.e.s une provision pour frais de l'instance de 143 190,96 $.

18 octobre 2011 – Annonce d'un règlement hors cour mettant fin à la poursuite intentée par Barrick Gold contre Écosociété et les auteur.e.s de *Noir Canada*. Écosociété retire *Noir Canada* du marché.

19 octobre 2011 – Parution dans *Le Devoir* d'une lettre ouverte d'un collectif de professeur.e.s d'université, « Encore une fois le bâillon contre *Noir Canada !* ».

Le plus grave dans cette affaire, c'est la menace que cette poursuite et sa conclusion, sous la forme d'une entente à l'amiable, font peser sur l'ensemble de la recherche en sciences sociales au Québec et au Canada. Quand certaines organisations, publiques ou privées, font tout pour ne pas être un objet de recherche en raison de l'impact de leurs activités ou politiques, c'est justement une nécessité, voire une responsabilité scientifique de s'y intéresser, d'étudier les ressorts de ces activités, ses interactions avec les ordres juridique, politique et financier. Or, un ouvrage en sciences sociales n'est pas une plaidoirie juridique. Les arguments et thèses avancés peuvent s'appuyer sur une documentation solide et permettre la formulation d'interrogations légitimes sans pour autant prendre la forme d'une preuve juridique.

À ce propos, les « admissions » qui sont faites dans l'entente concernant l'absence de preuves pouvant incriminer Barrick ne constituent pas des faits nouveaux troublants. Il s'agit d'admissions que l'on peut déjà lire dans le livre, puisque les auteurs n'ont jamais prétendu détenir des « preuves » contre Barrick.

Pour certains commentateurs qui examinent cette poursuite et sa conclusion à partir de la seule lorgnette juridique, l'admission par les auteurs qu'ils n'ont pas de preuves à fournir concernant les activités de Barrick en Afrique constitue un aveu de faiblesse. Mais cette interprétation trahit en réalité une incompréhension totale du travail critique réalisé en sciences sociales. [...]

Il faut aussi savoir que le processus de délibération hors cour ne prend pas en général la forme d'une conversation autour d'une tasse de thé. Lorsqu'il s'agit d'une poursuite-bâillon, un climat délétère règne souvent, même si l'on est à la recherche d'une entente. Il s'agit en l'occurrence de chercher à briser le moral des opposants. Ainsi, les auteurs et la maison d'édition ne choisissent rien. Ils subissent et tentent désespérément de s'extirper d'un carcan juridique insupportable.

En dépit de la férocité avec laquelle les avocats de Barrick ont pratiqué la censure, il est remarquable de constater au terme de ce processus la force de caractère des auteurs et de la maison d'édition. Ceux-ci ont réaffirmé avec force la raison d'être de leur publication.

18 avril 2012 – Rejet par la Cour suprême du Canada de la requête en *forum non conveniens* des défendeurs dans *Éditions Écosociété Inc.* c. *Banro Corp.*, [2012] 1 RCS 636.

25 avril 2013 – Annonce d'un règlement hors cour mettant fin à la poursuite intentée par Banro contre Écosociété et les auteur.e.s de *Noir Canada*.

ANNEXE 2

Noir Canada : ce qu'ils et elles en ont dit

Bibeau, Gilles

Spécialiste en études africaines et professeur émérite au département d'anthropologie de l'Université de Montréal

J'ai déjà signalé qu'il n'est pas, à mon avis, une seule des hypothèses contenues dans *Noir Canada* qui ne reposent sur la documentation qui circule et à laquelle les spécialistes de l'Afrique font écho depuis plusieurs années dans leurs travaux. Il est à souhaiter que les procès à venir contribueront à mettre en lumière l'importance de débattre publiquement des dessous des activités que certaines de nos compagnies minières ont eu, jusqu'ici, intérêt à garder sous le boisseau, voire à camoufler, à travers la production de magnifiques rapports annuels qui ignorent le calcul des coûts que doivent payer les populations africaines pour que ces compagnies puissent afficher de hauts rendements à la Bourse. Peut-être les procès contribueront-ils aussi à faire voir que les Africains ne sont pas les seuls responsables des malheurs qui leur arrivent, massacres, guerres, régimes corrompus, coups d'État, exodes de population, pauvreté. Les procès permettront enfin, il faut l'espérer, de disséquer et dénoncer certains des discours dominants au sujet de l'Afrique.

Hébert, Kavin

Professeur de sociologie au Cégep de Sherbrooke

Sans négliger l'intention politique marquée de *Noir Canada*, son intérêt pour la sociologie réside, selon nous, dans la façon dont les auteurs cherchent à réévaluer la portée symbolique des nombreux usages que font les acteurs dominants des concepts de « gouvernance », de « secteur privé », d'« aide au développement » et de « sécurité humaine ». Autrement dit, il s'agit de voir que l'analyse de l'événementialité rattachée à l'économie politique africaine ne peut être dissociée d'une analyse des stratégies discursives conçues par les acteurs économiques dominants, qui obscurcissent souvent notre compréhension du phénomène. Ainsi, pour mieux saisir la complexité du rôle des entreprises canadiennes en Afrique, le lecteur bénéficie d'un choix méthodologique privilégiant l'analyse des stratégies discursives à l'analyse des événements mêmes. Ce choix n'enlève rien au souci de détail et de précision dont font preuve les auteurs et nous donne une appréciation plus précise du phénomène de la mondialisation économique qui, loin de n'être qu'un terme générique creux, est le produit des actions et des pratiques d'individus lui conférant sa « rationalité propre ». Pour cette raison, *Noir Canada* s'avère un ouvrage important pour qui veut jauger la large part d'irrationnel produite par les institutions internationales et les acteurs économiques participant du développement des pays africains.

Laplante, Laurent
Journaliste et écrivain

À la lecture de *Noir Canada. Pillage, corruption et criminalité en Afrique*, une épithète s'impose : livre nécessaire. Sa visée principale et son utilité virtuelle risquent pourtant de ne pas recevoir l'attention qu'elles méritent en raison de la poursuite lancée par Barrick Gold contre la maison d'édition Écosociété. Dans l'opinion, ce geste crée, en effet, l'impression qu'une certaine entreprise aurifère constitue la cible principale du livre, alors que les questions posées sont d'une autre ampleur et même d'une autre nature. Ne scruter que la conduite d'une société minière en particulier, ce serait faire l'impasse sur une hypothèse honteuse et sidérante : le Canada serait, comme marché boursier ouvert aux sociétés minières, un paradis fiscal où sont suspendues les exigences minimales de la transparence, de l'internalité des coûts, des responsabilités à l'étranger. Que tel soit l'enjeu, le livre l'affirme de façon explicite : « La réglementation stricte de l'activité minière canadienne à l'étranger doit nécessairement s'accompagner de mesures juridiques coercitives. » Il serait dommage que la réaction d'une entreprise induise le public, les médias et les partis politiques en tentation de myopie : la porosité des lois canadiennes est en cause autant et plus que le comportement d'une entreprise isolée. En ce sens, la poursuite enclenchée par Barrick Gold contre Écosociété peut faire diversion. [...] Les auteurs ont assumé leurs responsabilités civiques. La maison d'édition aussi. À quand l'émergence d'une curiosité élémentaire dans les médias et la classe politique ?

Larouche, Jean-Marc

Professeur au département de sociologie de l'Université du Québec à Montréal

Si la tâche générale des sciences sociales est d'élucider ce que nos sociétés sont en train de faire d'elles-mêmes, la responsabilité éthique et politique de la recherche nous semble consister d'abord à mener des recherches là où notre société s'ignore elle-même en raison des rapports de pouvoir qui la structurent. Il ne faut pas voir dans cette position un *a priori* négatif à l'égard du pouvoir, une forme de gauchisme sociologique, mais bien une double nécessité scientifique et éthique. Scientifique, car la responsabilité de médiateur dans le débat public réclame l'étude des forces les plus déterminantes de la vie collective qui répugnent à se prêter elles-mêmes comme objet de recherche. Éthique, car cette position dirige l'attention des sciences sociales au centre même de la question éthique fondamentale des limites du pouvoir que l'être humain peut exercer sur ses semblables [...]. Dans cette perspective, la recherche de *Noir Canada* est exemplaire, tant sur le plan scientifique que sur le plan éthique. Elle l'est d'autant que ce collectif de recherche « hors les murs » de l'université est exemplaire pour la recherche universitaire, en ce qu'il ne bénéficie pas des structures et de dispositifs facilitant la recherche ni non plus de la garantie de liberté universitaire dont le levier est de pouvoir faire, sans entrave, sans censure, la critique de tout pouvoir. À l'heure où trop souvent la recherche universitaire participe de la légitimation ou du cautionnement des pouvoirs ou que ses savoirs sont instrumentalisés par ceux-ci, les signataires de *Noir Canada* témoignent tout autant de leur autonomie que de leur probité sur les plans scientifique et éthique. En cela, ils témoignent aussi de leur responsabilité sociale, bref, ils montrent que leur recherche est socialement responsable.

Makaremi, Chowra
Chargée de recherche au Centre national de la recherche scientifique (CNRS), en France

Le livre dénonce les pratiques des sociétés d'exploitation canadiennes dans le contexte africain contemporain. Clairement, il dit « j'accuse », renouant avec un geste fondateur de l'« intellectuel » tel qu'il est apparu au début du XXe siècle – geste qui a depuis lors été mis à prudente distance par ceux qui se revendiquent précisément de cette tradition intellectuelle. Mais en même temps, il donne à ses lecteurs, de manière plus ouverte et moins définitive, une occasion de réfléchir, dans des situations concrètes, sur les rapports contemporains entre légalité et illégalité, en pointant les zones ambiguës où le légal, le contractuel et l'exercice de la force se nouent les uns aux autres, ou encore sur les rapports entre déterritorialisation (commerciale ou financière) et territorialité (aussi bien celle des violences ethniques que celle de l'ancrage juridico-politique des entreprises). En bref, on peut y lire, et interroger en ce sens, une démarche qui ne vise pas seulement un « droit de savoir » démocratique, mais qui invite aussi à tenter de déchiffrer le monde dans lequel nous vivons.

Seymour, Michel
Professeur au département de philosophie à l'Université de Montréal

C'est donc autant sur le plan théorique que sur le plan politique que l'ouvrage *Noir Canada* a joué un rôle décisif dans la société québécoise. Certes, les auteurs du livre ont attiré beaucoup de sympathie à cause de la poursuite de Barrick Gold et le succès en librairie de *Noir Canada* s'explique en partie à cause de cette poursuite. Mais si nous célébrons cet ouvrage aujourd'hui, c'est parce les projecteurs médiatiques ont permis aussi de nous rendre compte des qualités intrinsèques du livre. Si autant de gens et d'organismes se sont rangés aux côtés d'Écosociété, c'est parce que le livre a pu tenir le coup par la force même de son propos. Son impact a été et restera immense, et c'est la raison pour laquelle il nous fait plaisir de décerner le prix Richard-Arès 2008 à *Noir Canada* d'Alain Deneault, Delphine Abadie et William Sacher.

Sugasti, Enriqueta

Détentrice d'une maîtrise en anthropologie de l'Université de Montréal

Il s'agit d'un livre engagé, voire militant, visant à secouer l'opinion publique et l'incitant à réveiller son sens de responsabilité civile en mettant en lumière des procédés réels des sociétés impliquées en Afrique, des mécanismes souvent cachés par un bon « marketing » publicitaire, dans le prolongement logique d'une idéologie néolibérale de plus en plus extrême, amorale et répandue à travers les quatre coins de la planète. C'est une dénonciation qui s'inscrit dans la tradition de toute recherche critique et engagée en sciences sociales visant à lutter contre une pensée qui se transforme en pratiques de plus en plus hégémoniques, normalisées et incontestables. Mais c'est aussi une illustration concrète et actuelle de la place de l'Afrique dans le « système monde » contemporain, de sa vulnérabilité en tant que continent périphérique, exacerbée par les jeux du capitalisme financier. S'il n'est pas un livre théorique, l'intérêt de l'œuvre pour tout chercheur en sciences sociales est indéniable ; non seulement comme source d'information qui puisse mener à des recherches plus approfondies, mais aussi pour mieux comprendre la réalité historique de l'Afrique d'aujourd'hui. Pour tout anthropologue œuvrant dans le continent, il nous semble que la lecture de ce livre offre des pistes de réflexion – ainsi que des données bien concrètes, grâce aux sources citées – dans le travail incontournable de contextualisation du terrain d'étude.

Vaillancourt, Claude

Essayiste, président d'Attac-Québec et professeur de littérature au Collège André-Grasset

Il faut le dire de but en blanc : Alain Deneault et ses collaborateurs ont conçu un ouvrage d'une grande qualité, une impressionnante synthèse des travaux en provenance de sources gouvernementales ou effectués par des chercheurs, des journalistes, des ONG et des commissions d'enquête, sur les agissements des compagnies canadiennes en Afrique. Les propos avancés s'appuient sur de volumineuses accumulations de notes et de références, si abondantes qu'on pourrait peut-être leur reprocher de nuire à la fluidité du texte (mais dont on constate la grande nécessité, compte tenu des poursuites dont les auteurs et l'éditeur sont victimes). Les auteurs donnent ainsi l'impression de travailler à livre ouvert : la part accordée aux sources est si grande que les lecteurs peuvent aisément (et honnêtement) juger de la valeur des interprétations qui en sont tirées.

NOTES COMPLÉMENTAIRES

i. C'est d'ailleurs ce qu'ils ont plaidé devant la Cour supérieure du Québec dans le cadre d'une requête pour résiliation d'une entente de confidentialité, dont sont reproduits ci-dessous des extraits.

43. Tel qu'il appert de l'ensemble des autres pièces « confidentielles » qui seront déposées au moment de l'audition de la présente requête, celles-ci sont au cœur du litige et ne contiennent rien qui serait de la nature de secrets commerciaux ou du savoir-faire industriel ou commercial ;

44. Les défendeurs doivent profiter d'une défense pleine et entière, et disposer de la faculté de discuter librement de ces documents, qui contredisent le point de vue défendu publiquement par la demanderesse depuis plusieurs années, tout en confirmant par le fait même certaines allégations qui circulaient dans l'espace public bien avant *Noir Canada* ;

45. Dans ce contexte, les défendeurs sont fondés de demander la résiliation de l'entente de confidentialité R-J-4 avec l'autorisation de la Cour leur permettant de discuter librement de ces documents avec des personnes susceptibles de témoigner ou d'aider à la préparation de leur défense ;

ii. Ce dont devait convenir la Cour supérieure du Québec 30 mois plus tard lorsque sous la présidence de l'honorable Guylène Beaugé, elle concluait ainsi :

36. La preuve révèle que les auteurs tirent respectivement pour 2007 un revenu d'environ 22 000 $, 23 500 $ et 8 000 $. Devant une société aurifère qui générait en 2008 un revenu de quelque 6,5 milliards de dollars et dont la performance financière ne se dément pas, la disproportion des ressources est incontestable.

37. Dans les circonstances, le Tribunal, préoccupé par l'accès à la justice, constate que sans une provision pour les frais de l'instance, les auteurs risquent de se retrouver dans une situation économique telle qu'ils ne pourront faire valoir leur point de vue valablement. Ils n'ont manifestement pas les moyens d'assumer les frais occasionnés par le litige, et ne disposent d'aucune autre source suffisante de financement.

iii. On doit la conceptualisation du SLAPP comme pratique judiciaire spécifique aux professeurs étatsuniens George W. Pring et Penelope Canan qui, constatant le caractère récurrent de ces situations, ont entrepris à partir des années 1970 de mener une vaste enquête nationale qui leur a permis de recenser des dizaines de milliers de cas de citoyens étatsuniens réduits au silence à la suite de menaces de poursuites judiciaires. Au Québec, voir Normand Landry, *SLAPP. Bâillonnement et répression judiciaire du discours public*, Montréal, Écosociété, 2012.

iv. Ce gouvernement d'idéologues n'a certes jamais caché son profond mépris pour le savoir et la connaissance. Un créationniste à la tête du ministère des Sciences et Technologies, des énergies fossiles qualifiées de « ressources renouvelables » par le ministère des Ressources naturelles et des allégations scientifiques relatives au déclin des ours polaires démenties par la ministre de l'Environnement sur la base du témoignage de son chasseur de frère: à n'en pas douter, les conservateurs craignaient davantage la science que le ridicule. Le premier ministre lui-même avait tôt fait de reléguer Durkheim et la sociologie aux oubliettes de l'histoire, affirmant relativement au nombre croissant de femmes autochtones disparues et assassinées qu'il ne fallait pas y voir un phénomène sociologique. Pendant près d'une décennie, le gouvernement de Stephen Harper s'est employé à détruire la capacité même de l'État canadien à colliger, à analyser et à diffuser des connaissances scientifiques et des informations d'intérêt public, en particulier en matière d'environnement et de santé publique. Rien ne semblait échapper à son couperet: suppression de programmes entiers de recherche, licenciement de centaines de scientifiques, compressions massives dans les budgets des organismes environnementaux, abolition du formulaire long du recensement, fermetures de bibliothèques et de musées à vocation scientifique. En matière de politique énergétique comme en matière de droits humains, la stratégie d'aveuglement volontaire des conservateurs rappelait le slogan orwellien: « l'ignorance, c'est la force. » Au cours des ans, une pléthore d'organisations se sont vu couper les vivres, privant les citoyen.ne.s d'une expertise considérable sur divers enjeux relatifs à la santé, à la justice sociale, aux droits humains et à l'environnement. Dans le cadre d'une malencontreuse mise en garde adressée aux féministes pro-choix, la sénatrice conservatrice Nancy Ruth avait ainsi bien malgré elle résumé l'injonction conservatrice au silence, rompant momentanément avec le style généralement euphémistique de son gouvernement: « *shut the fuck up.* » Aux compressions budgétaires s'ajoutaient également de douteuses pratiques d'ingérence politique qui, de l'aveu même des fonctionnaires fédéraux, pouvaient compromettre la santé et la sécurité des Canadien.ne.s, tout comme l'équilibre des écosystèmes. À partir de 2006, les scientifiques à l'emploi du gouvernement fédéral ne furent plus autorisé.e.s à rendre compte directement de leurs résultats de recherche, toute « question sensible » en provenance des médias se voyant étudiée au préalable par le Bureau du Conseil privé, tandis qu'à Pêches et Océans Canada, l'on remettait des « citations approuvées » aux scientifiques sur le point d'accorder des entrevues. Dans le cadre d'un sondage exhaustif commandé en 2013 par l'Institut professionnel de la fonction publique du Canada (IPFPC), 25 % des 4 000 scientifiques à l'emploi du gouvernement ont affirmé avoir déjà dû omettre ou modifier des informations « pour des raisons qui n'ont rien à voir avec la science ». Nombreux se sont également vu refuser leurs demandes de participation à des événements et à des colloques où ils étaient invités à titre de conférenciers. À cela s'ajoutent d'intimidantes pratiques de contrôle et de surveillance qui laissent entrevoir le climat de peur dans lequel évoluaient alors les fonctionnaires fédéraux, incités à ne pas divulguer des informations qui pourraient nuire aux intérêts des conservateurs. Les politiques internes de plusieurs ministères prévoyaient par exemple qu'un relationniste du gouvernement soit présent lors des entrevues ou que celles-ci soient enregistrées avant d'être remises au service des communications. Quant aux scientifiques qui étaient finalement autorisés à participer à des conférences internationales, c'était également sous l'œil attentif d'un « accompagnateur » que l'on avait dépêché pour l'occasion.

v. Cette formule renvoie au philosophe Paul Ricoeur, pour qui *la* vérité ne saurait s'accommoder du singulier. Car même si « nous voulons que la vérité soit au singulier, l'esprit de vérité est de respecter la complexité des ordres de vérité : c'est l'aveu du pluriel », écrit le philosophe dans *Histoire et vérité* (Paris, Seuil, 1955, p. 156 et 175).

vi. Dans *Le droit (et sa répression judiciaire) de diffamer au Québec* (Éditions Yvons Blais, 2008), le juriste Jean-Denis Archambault rappelle que notre *common law* publique et constitutionnelle canadienne protège la publication d'un fait véridique diffamatoire, pourvu qu'il ne relève guère de la sphère privée de la personne à laquelle il est attribué, sans égard aux motifs ou à l'altruisme de l'auteur. Le professeur de droit explique longuement combien les cours de justice québécoises se sont malencontreusement coupées de la *common law* publique, notamment en raison d'une regrettable réticence politique à donner à celle-ci une autorité prépondérante sur les traditions vernaculaires en usage au prétoire. De cette incohérence jurisprudentielle résulte, selon le juriste, une « censure à triple tour » qui malmène non uniquement l'utilité primordiale de la vérité elle-même, mais le droit fondamental de tout justiciable de l'exprimer publiquement.

vii. Le modèle de la personne raisonnable trouve son origine dans le droit romain, alors que le Code justinien fait référence au *bonus pater familias* (bon père de famille). Au Québec, ce modèle normatif a évolué sous différentes appellations, passant du « bon père de famille » à « la personne prudente et diligente », jusqu'à la référence moderne à la « personne raisonnable ». Dans la version anglaise du Code civil du Bas-Canada, le standard de référence était l'administrateur prudent (*prudent administrator*). L'on doit aux critiques féministes du droit d'avoir fustigé le caractère androcentrique – et, ce faisant, la fausse neutralité – de la norme du « bon père de famille », qui a subsisté en droit civil québécois jusqu'au milieu des années 1990. La détermination de la norme n'étant jamais fixée, elle constitue aussi, en soi, un champ de luttes. Ce qui a pu en droit québécois, par exemple, apparaître au « bon père de famille » comme les taquineries un peu lourdaudes d'un patron maladroit, a pu grâce aux luttes féministes être légalement reconnu quelques décennies plus tard comme du harcèlement sexuel.

viii. Si, pour Michel Foucault, il y a une hétérogénéité fondamentale entre le modèle juridique du pouvoir et les mécanismes de normalisation disciplinaire, il convient toutefois à plusieurs endroits dans son œuvre, et notamment dans le cadre de ses cours au Collège de France en 1976 (*Il faut défendre la société*), de l'importance croissante d'un pouvoir essentiellement normalisateur au sein de l'institution judiciaire. À rebours du système de la loi, soutient le philosophe, se seraient développés des procédés de normalisation qui ont de manière croissante investi, envahi et colonisé les procédures du droit. Dans le cadre d'un séminaire organisé en 1977 par le Syndicat de la Magistrature, Foucault soutient que la colonisation grandissante des procédures de la loi par les procédés de normalisation entraîne une redéfinition du judiciable, c'est-à-dire du domaine d'objets qui peuvent entrer dans le champ de pertinence d'une action judiciaire. Si l'institution judiciaire a formellement pour fonction de faire appliquer la loi, et conséquemment d'établir le partage entre le licite et l'illicite, elle s'octroie dans le cadre de la société disciplinaire le rôle de départager le vrai du faux, ou dirions-nous dans le cas qui nous concerne, le raisonnable du déraisonnable. La justice, nous dit Foucault, a désormais pour tâche fondamentale de déterminer « un certain optimum fonctionnel pour le corps social ».

ix. Encore une fois, Jean-Denis Archambault apporte des éclaircissements salutaires : « Même si on conçoit facilement que l'auteur d'une diffamation puisse être tenu civilement et extracontractuellement responsable, l'idée, tout autre, d'assujettir la diffamation à la norme de la « faute » (le « raisonnable ») est précisément celle que le droit constitutionnel de la liberté d'expression et de presse ne peut recevoir en une société de démocratie libérale. En acceptant que le droit à la liberté d'expression et de presse de l'alinéa *2b)* puisse être restreint « par une règle de droit, dans des limites qui soient *raisonnables* », l'article 1 de la Charte canadienne s'adresse évidemment au législateur, au Code civil du Québec et à l'interprétation qu'en font les tribunaux ; mais l'article 1 n'impose pas au citoyen qui s'exprime publiquement de tenir des propos (fussent-ils diffamatoires) « raisonnables », imposition qui serait au demeurant en porte-à-faux avec « une société libre et démocratique », second critère de restriction permise par l'article 1. Dans notre société démocratique libérale et constitutionnelle, même le génie ou le sot délirant a le droit fondamental de s'exprimer publiquement, dans des limites normatives qui, *elles* raisonnables si l'on veut, n'ont rien à voir avec la « raisonnabilité » de son propos, même diffamatoire. » Dans Jean-Denis Archambault, *Le droit (et sa répression judiciaire) de diffamer au Québec, op. cit.*, p. 561-562.

x. Notez que Jérôme Lindon était l'un des signataires du « Manifeste des 121 contre la guerre d'Algérie », publié dans *Le Monde* du 5 septembre 1960, aux côtés notamment de Jean-Paul Satre, Simone de Beauvoir, Nathalie Sarraute, Louis Gernet, Alain Robbe-Grillet et François Maspero. Le Manifeste énonçait notamment « qu'était justifié le refus de prendre les armes contre le peuple algérien [...], justifiée la conduite des Français qui estiment de leur devoir d'apporter aide et protection aux Algériens opprimés au nom du peuple français. [...] En effet, la cause du peuple algérien contribue de façon décisive à ruiner le système colonial et elle est par conséquent la cause de tous les hommes libres. »

xi. L'article de loi en question a été abrogé en janvier 2006, dans la foulée de vives protestations d'historiens, d'associations et de citoyens. Dans un communiqué de la présidence de la République, on pouvait lire : « Le Président de la République considère que la loi du 23 février 2005 rend un juste et nécessaire hommage à tous les Français rapatriés et aux combattants de toutes origines de l'armée française. Mais le deuxième alinéa de l'article 4 suscite des interrogations et des incompréhensions chez beaucoup de nos compatriotes. Il convient de les lever pour retrouver les voies de la concorde. La Nation doit se rassembler sur son histoire. »

xii. Cette réforme législative a d'ailleurs été accompagnée d'une importante offensive de relations publiques du Barreau du Québec sur la « justice participative », notamment par la diffusion d'une capsule publicitaire dépeignant une vision lénifiante des modes privés de règlement des différends. Ne reculant devant rien pour renouveler son image de marque, c'est au justicier des ondes Jean-Luc Mongrain qu'a recouru l'ordre professionnel pour nous livrer son crucial message, grâce à l'allégorie de l'orange. Deux parties privées invoquent leur inaliénable droit individuel libéral de jouir à elles seules de la totalité d'une orange. Suivant les modalités classiques de la justice, il reviendrait en pareil cas de figure au juge de trancher le litige et de confirmer à l'une ou l'autre des parties son droit de propriété exclusif sur l'agrume. Pourtant, expliquait-on, une saine négociation basée sur leurs intérêts leur permettrait de convenir que si la première souhaite s'approprier l'orange pour en extraire le jus, la seconde entend récupérer la pulpe pour en faire de la marmelade. Ce conflit en apparence insoluble connaît donc dans le cadre d'une négociation hors cour un dénouement des plus favorables, chacun maximisant à la fois ses intérêts et les potentialités de l'orange. C'est l'« entente à l'amiable ». Dans ce contexte, l'avocat est l'expert tout désigné pour arbitrer les intérêts en concurrence des « clients ». Il est, comme le voulait la campagne publicitaire en question, « Maître en solutions ».

Faites circuler nos livres.
Discutez-en avec d'autres personnes.
Si vous avez des commentaires,
faites les nous parvenir ; nous les
communiquerons avec plaisir aux
auteur.e.s et à notre comité éditorial.

écosociété

ÉDITIONS ÉCOSOCIÉTÉ

C.P. 32 052, comptoir Saint-André
Montréal (Québec) H2L 4Y5
ecosociete@ecosociete.org

www.ecosociete.org

DIFFUSION ET DISTRIBUTION

Au Canada : Diffusion Dimedia
En Europe : Harmonia Mundi Livre

Achevé d'imprimer en juillet 2018 sur les presses
de l'imprimerie Gauvin à Gatineau, Québec
pour le compte des Éditions Écosociété